ENFANCES ET JEUNESSES

ENFANCES ET JEUNESSES

Textes de

Anne-Marie Alonzo
Claude Beausoleil
Denise Boucher
Louis Caron
Paul Chamberland
François Charron
Normand de Bellefeuille
Claire de Lamirande
Denise Desautels
Daniel Gagnon
Madeleine Gagnon
Philippe Haeck
Suzanne Jacob
Suzanne Lamy
Alexis Lefrançois
Wilfrid Lemoine
Carole Massé
Marco Micone
Jean-Marie Poupart
André Roy
France Théoret
Marie José Thériault
Yolande Villemaire

Préface de
Claude Godin

Les entreprises
Radio-Canada

Illustration de la couverture:
Pierre-Paul Pariseau

Conception graphique:
Jean Côté

Publié par Les entreprises Radio-Canada,
une division de la Société Radio-Canada,
C.P. 6000, Montréal, H3C 3A8

Dépôt légal: 1er trimestre 1988
Bibliothèque nationale du Québec
Bibliothèque nationale du Canada

En collaboration: Enfances et jeunesses
© Société Radio-Canada

ISBN 0-88794-342-X

PRÉFACE

«Souvenirs d'enfance et de jeunesse...» Cette idée trottait dans ma tête. La source en est, je crois, une lecture d'adolescence, les Lettres à un jeune poète du poète Rainer-Maria Rilke.

Un jour, je m'en suis ouvert à mes collègues du FM de Radio-Canada. Le thème leur a plu. Il s'agissait de lui trouver un cadre. Nous décidâmes de regrouper autour de ce sujet des auteurs de générations différentes, de styles divergents afin de provoquer une «rencontre». Nous tenions aussi pour essentiel que les écrivains participants n'aient pas à se départir de leur personnalité spécifique pour complaire étroitement au genre radiophonique. Pourtant nous souhaitions que le thème que nous leur proposions soit traité de telle façon que les textes que nous allions diffuser puissent rejoindre le plus grand nombre d'auditeurs possible.

Les auteurs ont accepté d'enthousiasme.

La série radiodiffusée en 1986 et 1987 sous le titre général de Souvenirs d'enfance et de jeunesse fut un succès. C'était, selon les époques, selon les caractères, des enfances et des jeunesses chaque fois différentes, parfois heureuses, parfois douces-amères, mais toujours nouvelles et toujours attachantes.

Le présent recueil en est un témoignage supplémentaire.

Pour diverses raisons (droits d'auteur, contrat d'exclusivité, etc.) tous les textes de la série radiodiffusée ne figurent pas dans ce recueil. Bien entendu, la série elle-même n'épuisait pas la liste de nos auteurs de qualité. Les réalisateurs, qui ont participé à ces émissions, y sont allés de leurs affinités personnelles ou se sont spontanément tournés vers des écrivains dont ils savaient l'oeuvre apparentée à notre thème. Tout choix implique, hélas, des exclusions. Mais il faut savoir que cette série ne représente qu'une des nombreuses émissions à caractère littéraire dont le réseau FM de Radio-Canada est l'hôte.

D'ailleurs cet ouvrage ne sera sûrement pas le dernier.

Je crois que les lecteurs, après nos auditeurs, trouveront ici matière à réflexion et à plaisir.

J'aime tous ces textes. J'ai été particulièrement heureux de relire celui de Wilfrid Lemoine qui, après tant d'années dévouées à Radio-Canada, renouait ainsi avec l'écriture. Combien je suis touché de voir publier un des tout derniers textes de Suzanne Lamy qui nous a quittés. Que de se retrouver en si bonne compagnie lui soit un hommage!

J'aimerais rappeler que Radio-Canada a été associée à la création littéraire dès les premières heures. Les plus grands auteurs québécois ont écrit pour nos feuilletons et nos dramatiques, sans compter les adaptations ou les récits de toutes espèces.

Et comment ne pas remercier les nombreuses personnes qui ont rendu la publication de ce livre possible?

Claude Godin
chef du service des émissions
culturelles à la radio de Radio-Canada

«Et même si vous vous trouviez enfermé dans une prison dont les murs étouffaient tous les bruits du monde, ne pourriez-vous pas toujours puiser dans votre enfance, cette source d'inépuisables richesses, ce trésor de souvenirs?»

Rilke,
Lettres à un jeune poète.

Anne-Marie Alonzo

Twenty-Seven Hours

pour Alain
pour l'idée pour l'échange
et l'étonnant éclat de l'or bleu.

Le train!

Et la neige autour. Tant de neige, sans pluie, qu'il est difficile, impossible, de voir.

Les champs, les prés, les lacs-et-forêts — du moins j'imagine suis neuve au pays — les rails, les dormants, le chemin de fer.

Soigneusement recouverts de blanc.

Comme on peint ou dessine.

Quarante jours de voyage d'alexandrie-la-grande, morte alexandrie à halifax. Quarante jours de deuil. De route et de mer, d'avion aussi. Parfois.

Quarante jours!

Alexandrie-beyrouth-tripoli-jérusalem-bethléem-lejourdain-beyrouth à nouveau-alexandrie d'escale au retour nul droit de quitter le navire, nul droit de descendre, saluer, embrasser, adieu dit-on du bateau, nous attend le pays de neige, tout au loin, naples-rome-gênes-florence-milan-syracuse-marseille pour un jour-gibraltar-lisbonne de nuit-la côte.

Et l'Atlantique!

Neuf jours de mer. Neuf et neuf et neuf jours sans terre. Le vent hurle et bascule, et geint de gémir. Enchaînées les chaises, les tables.

Gardez lits ou couchettes, ne mangez, ne dormez, ne montez sur ce pont!

Je dis, doucement pour que seule, je, m'entende, je dis : croyais quitter pays de guerre ou de terreur.

Je dis cela.

H-a-l-i-f-a-x!

Quatre-heures-du-matin-ma-robe-de-satin!!!

Il n'est plus temps de rire ou chanter. À bas les malles et valises en morceaux. À bas toute propriété, héritage, racines ou traditions.

L'homme-douanier dit : d'*où* venez-vous? pour que bagages soient en miettes. L'homme-douanier insiste et dit encore : d'où venez-vous?

À côté. L'Urgence.

De quoi, dis-je, avons-nous l'air, rescapés : la croix-rouge-couvertures-lits-de-camp-thé-café-cacao-beignes-sandwichs-petits-cadeaux-aux-enfants! poor dear are you cold you're so cold.

Entourés, happés, soignés, je ne suis pas malade, à peine perdue, connais peu la langue, pas le pays.

La-dame-à-la-croix-rouge tend un beigne/cacao — (je pense : *chez-nous,* ne dois plus penser, dire, murmurer ça. *Chez-nous,* j'ajoute le trait, invoque l'union — je ne buvais pas de cacao, n'aimais, ne connaissais pas ça, ni les beignes.) — ma mère prend, accepte, dit : mange, ça fera du bien, dit pareil au frère qui somnole. Elle tend le verre, dit encore : il boit, n'écoute pas, n'écoute plus, est un enfant, huit ans à peine, à peine huit. Et douze, moi, depuis décembre.

Neuf février 1963.

Tant de neuf, de nombres et de chiffres, de dates à montrer ou retenir : may I have your passports.

(Père s'était battu contre l'ambassade au caire, il disait, s'obstinait : vivre en français, comme maintenant il disait : montréal.

Pas brésil, australie, calgary, saskatchewan, il disait seulement : montréal.

Pour la langue.

Et ma tante, deuxième soeur de ma mère, installée déjà, trois mois là. Les cartes montrent bien. Travaillent mon oncle, ma tante aussi. À l'école, les enfants. Des cartes de noël envoyées, soigneusement recouvertes de neige.

Comme en bavière.

Oui! schwester ma soeur. À l'école allemande, s'ouvre l'atlas. Je cherche du doigt, pars d'alexandrie, tire et monte, pointe, et tourne la page, voici-voilà, en haut, si loin que sur une page autre, une autre page.

Voici! si grand et grand encore. Tout ça pour nous, à recevoir, nommé : Kanada.

Une, avait demandé : qu'est-ce que ça veut dire?

Et en quelle langue?

Avait demandé : qu'est-ce que ça veut dire? et c'est trop loin, restons ici, sommes égyptiennes. Réellement.

Je ne réponds pas, ne réponds plus, n'ai pas plus de pays ici qu'en Kanada, ne sais ni ce que ça veut ni ce que c'est.

Ne m'intéresse pas!)

Dans la gare — est-ce un quai? — passez dit l'homme-douanier, n'ai jamais vu pareille chose.

Par terre, comme en décombres, vêtements et vaisselle, porcelaine, livres, argenterie.

Ce qu'il en reste.

Il n'y a pas d'excuse à donner ou offrir. C'est ainsi et ainsi fait, n'en parlons plus.

La-dame-de-la-croix-rouge sourit tant et tant et sourit encore pour calmer : please try to rest.

Je dis aussi : please! ne sais pas où nous sommes ni avec qui et soudain comme larmes à brûler, lointaine alexandrie. Si terriblement.

Blanc ———— !

Du quai à la gare et du bateau au train.

Blanc de nuit comme sable sous la lune. Pouvoir voir et marcher et poser pied devant l'autre, jamais à côté. S'enfoncer et dire : c'est froid, pas comme le sable!

Dire : c'est froid.

Pas comme le sable.

Au centre. En noir et brun et noir de suie, ou saleté. Au centre de la gare, le train.

Long comme rouleau d'asphalte sombre. Long et mince, petit jouet d'exil et jouet d'enfer.

Twenty-seven hours!

Vingt-sept heures répète père, vingt-sept heures jusqu'à montréal.

Il dit encore : montréal et sourit.

Il dit et sourit encore.

Sur des banquettes de bois, il n'y a pas de lit. Mère dit : c'est un train spécial, juste pour nous. Je comprends : pour immigrants. Je retiens ça.

Pour nous, tarif inclus, pas de restaurant mais cantine, machines à soupes, pois, tomates. De quoi réchauffer. Pas nourrir.

Assis, mi-couchés, sur les banquettes de bois, ni coussins ou couvertures, pas de valises à ouvrir, pas de lit. Toilettes au fond. Pas de bain, repas, confort.

Nouveau pays à conquérir, nouvelle étape.

Compartiments. Cases. Cellules. Les wagons divisés, effrités. Fusent les langues, les odeurs. Certains ne se sont pas lavés, changés, depuis neuf jours de mer et jours de pleurs. Certains gardent la poussière, la crasse du pays.

Souvenirs à vendre ou garder.

À passer, car on passe vite, l'humeur d'un compartiment à l'autre, offerts les pieds, généreux. Parfum des lainages. Aisselles, jambes, cheveux.

Rien ne fait sens direct. Rien ne se retrouve ni ne se reconnaît mais partout sur les banquettes ou par terre, partout des corps, des rires et des chants, des larmes aussi, c'est coutume.

Et la nourriture.

Inattendue.

Ail, saucisson, salami, mortadelle!

Ail, saucisson, salami!

Quelque part des olives. Noires.

De fin fond en fin fond, les toilettes se font rares sont rares à trouver. Même parfum, impeccables, reluisantes, effarantes.

Le choix est mince, les vessies grincent et cette fois encore, s'arrête le train. Trop de neige sur les rails, trop de glace.

De fenêtres en fenêtres, de wagon en wagon, rien n'est vu, ne se laisse voir.

Dehors, à vue d'oeil comme à perte, blanc de neige — je dis : est-ce vraiment ça? — comme des oeufs, battus, fouettés, repris, étendus. Je vois, ne vois que cela et voilà, là, une maison, un clocher, quelques fermes.

Au loin une maison.

Peut-être un village.

Peut-on vivre que de blanc. Vêtu?

Escale, arrêt. Il faut, dit l'homme-conducteur, pousser, pelleter, ramasser, décoincer. Il y a, dit-il, toujours trop de neige, le train va lent, n'avance pas.

Mère dit alors : halte! et descendez-moi là.

Elle dit : halte! Elle descend, veux descendre, petites les bottes, serrées. L'homme-conducteur refuse, retient : nous partons, repartons, n'avez ni temps ni force. Il crie : attendez! puis aide à descendre et sauter. Crie encore : levez les jambes, ne vous enfoncez pas.

Il crie cela.

Partout, la neige et le givre des vitres. Mère est partie. Plus de traces ni de pas. Le vent souffle et souffle et souffle tant à crever.

Alexandrie n'a de tempêtes que de sable.

Mère est partie. Refusent les vitres tout regard. Le wagon, compartiment de wagon devient sombre presque noir, déjà noir de terreur.

Je ne vois ni mère, ni père, ni frère à cette heure.

Qu'immense pays blanc, si froid.

Désespérément.

L'homme-conducteur attend la mère qui n'arrive pas. Il appelle, crie parfois : lady, puis : the train has to leave.

Elle est rentrée, revenue! Je ne sais d'où, ni comment, un sac de provisions. Chocolat, biscuits, gâteaux. Elle est revenue, rouge et blanche et rouge du visage, souriante. Elle s'est penchée, a dit : mangez, a souri, parlé au père qui dit : tu as eu froid.

Le train a hurlé, s'est secoué, rebiffé, a repris la route, s'est arrêté, est reparti.

N'a cessé de cracher.

Twenty-seven hours.

Jusqu'à montréal.

Réchauffée, la mère raconte. La neige dehors comme de la crème. Chantilly. Glacée. Les pieds qui s'enfoncent. Le froid qui pique et brûle.

Je dis : brûle!?!

Et cet endroit. Pas un restaurant, une cantine, pas même un arrêt de voyageurs dit la mère : j'ai voulu payer ne savais pas combien. Elle rit. Elle dit : j'ai tendu la main, montré l'argent, ai dit : prenez je ne sais pas combien.

L'homme-vendeur a pris, n'a pas volé.

C'est un pays bon dit le père.

Il dit seulement cela.

L'homme-vendeur n'a pas volé.

Dans la soute (les bagages pillés, déchirés, les robes, souliers, vêtements enlevés. L'égyptien-douanier a volé, avoué, dit : dénonce-moi puis s'est mis à rire. Il a dit, puis s'est mis à rire) dans la soute, tout au fond.

Nous dormons, somnolons. À côté les gens crient, rient. Les enfants courent, font du bruit.

L'hiver est long dans ce train qui ne cesse de rouler, s'arrêter, rouler, repartir.

Le frère demande comme toujours il demande : c'est encore long?

Il dit aussi : j'ai froid. Ou. J'ai sommeil.

Parfois l'homme-conducteur énumère. Noms de villes, d'endroits. Il ajoute : montréal! Dans dix heures, six heures, trois heures.

Il ne dit pas : arrivée!

J'ai, ça commence et continue, le mal de mer.

Je garde la tête droite. Ne dors pas n'ai pas le temps. M'oblige à voir. À regarder.

Mais cette étendue comme mer d'alexandrie n'a plus de fin. Cette terre ne finit pas. N'est pas ronde mais va et va aussi loin que l'oeil ou plus mais jamais terminée d'halifax à montréal.

Je prononce : mont-ré-al.

Me plais à prononcer.

Pour entendre. M'habituer.

(Schwester ma soeur montrait le nom : Kanada! disait : il y a de la neige comme en bavière. Mais bien plus froid. Elle montrait du doigt, disait en allemand, disait : vous irez là. Ne nous oublierez pas. Elle ajoute : n'est-ce pas?

Elle dit seulement cela.

En allemand. Seulement cela.

Je dis : natürlich. Ai bien compris.

Sania pleure, elle dit : tu pars. Tu ne reviendras plus.

Je dis : je pars, ne reviendrai plus. Tu viendras toi.

Elle pleure, dit doucement : non.

Elle dit ça comme on pleure et je pleure aussi. Contre l'arbre et contre Sania et Sania dit : tu m'écriras et j'écrirais.

C'est loin le Kanada. Où c'est montréal?

Elle met sa tête sur mon cou, pleure et puis moi, pleure tant de pleurs, m'offre un bonbon, il n'y en a peut-être pas, là-bas. Elle ne dit plus où.)

Anne-Marie Alonzo
née le 13 décembre 1951

CLAUDE BEAUSOLEIL

Par coeur

Pour ma soeur Lise,
amicalement.

Il entend une voix venue de la mémoire du temps, recroquevillée dans une cuisine à la tapisserie fleurie comme les champs intérieurs mélodiant les habitudes, les petits riens, en somme ce qui forme le paysage du quotidien figé dans son éternité. Cette voix, il n'en reconnaît pas tout de suite les accents enveloppants comme des déchirures sans âge. Il est perdu dans cette voix d'où n'émane aucun chemin, seule l'atmosphère s'est emparée des ondes flottant sur les volutes de cette étendue sonore qui sans l'inquiéter le laisse là, diffus au seuil du rêve ou pire dans un effet de léthargie douce, gommant l'action, répétant dans la régularité de son processus d'envoûtement, l'image du chaos et du noir. Il ne bouge pas. Il ne parle pas. Et malgré les apparences, peut-être ne regarde-t-il pas. Que la voix. Que les langueurs et les mystères de cette voix faite de filets et de drapés, d'invitations et de méandres. Il ne sait pas ce qui compose cette mélopée étrange. Il attend là, aux portes de la voix. Il respire à peine. Il ne l'écoute pas. Il en est transversé, transporté. Il semble à la limite être cette voix, cet autre de lui-même dont le son lui parvient en écho. Il est donc immobile dans cette cuisine, dans le temps d'avant, alors que les rumeurs d'un va-et-vient rituel font que quelque chose se prépare là, dans ce lieu précis et pourtant englobant : une cuisine aux murs tapissés de petites fleurs insensées, dans un délicat filet donnant une perspective de carrelage à l'ensemble du mur recouvert de ce papier peint un peu luisant et qui retient la lumière jaunâtre venue de la pièce adjacente. Il est là dans la voix. Cette voix qui n'use pas de parole mais de son. Cette voix intime et lente surgie du dedans et des signes, il y succombe avec calme car elle semble mimer quelque chose d'essentiel en lui, secrètement révélé dans cette trame. Il écoute donc le murmure qui se fait de plus en plus présent. Et dans les interstices il y a le dégel du mot mémoire. Et ce mot s'imprime, reprend toujours le dessus sur l'ambiance comme s'il était plus concret encore que les faits qui l'habitent. Il entend tout cela et il semble impassible, presque déjoué par cette densité dont la rumeur l'entoure. Il n'y a que la tapisserie, que la cuisine pour faire croire au réel de ce qui se passe. Tout le reste touche directement des zones de l'imaginaire, un peu comme si à partir des points fixés dans la matérialité, l'évanescence primait rendant tout flou, presque dérisoire puisque les éléments réalistes du décor persistent à dire l'analyse dans l'espace, le social légitimant la scène. Une cuisine jaunie, une tapisserie sans originalité autre que celle que la fiction lui donnera plus tard, aujourd'hui, par l'écriture et le tracé du souvenir. Il ne bouge toujours pas. Ses yeux fixent la scène sans révéler avec exactitude s'ils participent à ce qui se déroule là dans cette cuisine où le mobilier simple trahit une origine qui de l'extérieur serait parfaitement et facilement repérable. Il est là, depuis toujours. Et depuis toujours aussi les choses semblent ainsi suspendues entre réel et irréel, entre photographie et esquisse. La voix dans tout cela parvient à soutenir les fils un peu à la manière d'un trapèze insolite où s'aventurent des frémissements malgré les obstacles et les périls. Cette voix c'est l'image de l'équilibre fragile et en elle se dispersent les ombres. Dans cette voix il distingue maintenant le mot *destin*. Il sourit. Son premier geste. Sa première permission de vivre. Ce mot *destin* se détache maintenant au centre du mot *mémoire*. Il clignote et donne à voir à la fois le tragique et l'humour. Il entend maintenant tout cela. Il cligne des yeux imitant un peu le mot apparu. Il passe sa langue sur ses lèvres. Il bouge, avec lenteur, mais il bouge. La scène s'anime. Des vapeurs se lèvent. La cuisine est effectivement une cuisine aux murs tapissés. Un lavabo, un poêle à l'huile, une fenêtre, une table, des chaises capitonnées recouvertes d'une cuirette mouchetée de petits rayons blancs et jaunes découpant le gris cireux, usé aux angles. Tout se précipite du côté du réel et le mot *mémoire* prend maintenant la forme de ce qui l'a fait vivre. La voix s'estompe un peu et semble retourner dans les murs et les meubles. C'est maintenant un bruit de voiture qui traverse la fenêtre, aussi un tic-tac d'horloge, aussi le ronronnement cyclique des brûleurs à l'huile. Un plancher craque. Une musique s'arrête. La radio. Une publicité. «*Tu es un rat*» avec Maria Schell. Un bulletin de nouvelles. CKVL. «Rendez-moi mon enfant!»

Je reviens de l'école. Il est 11h 20. Je suis heureux de retrouver l'odeur de la friture. Le dîner sera à mon goût. Déjà du balcon je reconnais les choses qui me comblent : le bruit de la radio, la voix de ma grand-mère disant de nous laver les mains, de s'enlever de dans ses jambes. Le dîner sera comme à l'habitude. Les frites bien dorées. La sauce brune. Tout le grésillement de l'huile refaisant presque à chaque midi la cérémonie réjouissant les enfants. Je ne parle pas beaucoup. L'école est pour moi un lieu à part, complet, séparé de la vie familiale. Je ne mêle pas les deux espaces. Dans chacun j'entre en moi-même. Il est l'heure de retourner là-bas.

*

Je suis assis sur le siège arrière de la Dodge bleue que j'aime tant. C'est dimanche. Le soleil a brûlé les sièges qui collent et ont une odeur si caractéristique pour moi de ces promenades d'après-midi. Je m'installe toujours derrière mon père du côté du volant. Mon frère est appuyé sur la portière opposée, du côté de ma mère. On se tiraille mais pas tellement. On ne se parle pas. C'est comme si tout se déroulait dans des parallèles. Mes parents discutent. Il y a beaucoup de silence dans cette voiture de mon enfance. Ma grand-mère n'est pas venue pour la randonnée. Elle déteste quitter la maison. On va manger un cornet. Je choisis toujours «pistache», ce qui me semble être le comble de l'extraordinaire. Le vert, les noix. J'ai l'impression que cette crème glacée existe en dehors des limites du choix possible. Je mange lentement en tentant d'imaginer d'où peuvent bien venir ces pistaches et pourquoi ce vert si insistant.

*

Je ne joue pas au ballon chasseur. Ce jeu me terrorise. Il contient, je le sens, une agression intime. Comme si cette idée de chasser je la voyais directement liée à la mort. D'ailleurs il est fréquent que les meilleurs joueurs ne soient pas les meilleurs en classe et vice versa. Renversement des choses. Équilibre, peut-être. Je ne sais pas mais je ressens fortement l'angoisse qui pour moi se rattache à ce moment dit de la «récréation». Je ne peux pas comprendre qu'une chose aussi simple que de lancer un ballon pour tenter de toucher quelqu'un puisse avoir un sens et encore moins une auréole triomphante. La cloche sonne. Le soulagement. On est en rang par ordre de grandeurs. Je suis toujours dans les derniers. Je respire. En haut de l'escalier il y aura une dictée, une composition, un dessin à faire. Et là je serai le seul joueur. Je serai directement touché et secrètement libéré.

*

Je suis dans la véranda et je me balance en heurtant souvent le mur de papier brique. L'été est lourd. Des corneilles sont perchées sur les deux arbres foudroyés depuis je ne sais quand. Cet été je le passe à la campagne sans retourner à Montréal une seule fois et cela est assez rare. J'ai comme l'impression d'une nouvelle vie, de quelque chose qui s'étire et fonctionne entre la poussière s'élevant de la gravelle que les rares voitures soulèvent et le chalet rouge et vert qui me semble minuscule face à l'étendue plane du terrain menant paraît-il au lac où nous n'allons qu'en voiture quand mon père vient pour la fin de semaine. Je reste souvent là dans la véranda à écouter les 78 tours que j'ai apportés. Ma chanson préférée est *Inamorata*. Et je remets sans cesse le disque : «J'aime ton sourire *Inamorata*...» L'été est alors cette balançoire où le temps est suspendu.

*

Je joue dans le sable. Le soleil plombe mais rien ne me dérange. Avec le sable j'imagine toujours l'infini à construire et ce qui m'intéresse c'est autant l'effritement des routes, des murs et des châteaux que leur élévation. Je passe des jours entiers dans cet affaissement sablonneux du terrain. Mon frère, des cousins, aiment bien aussi jouer là, mais ils se lassent et je reste seul dans le jaune et le beige de ce territoire absolu. Cette solitude ne me pèse nullement. Je ne la recherche pas mais elle ne me fait pas peur. Au fond c'est au sable que je m'adresse, c'est avec lui que je joue et que j'invente. Le lendemain après la rosée, les châteaux sont plus ocres, plus solides. Lorsque le soleil assèche le terrain à nouveau, je reviens calmement les détruire et les refaire. Ce coin de sable contient toutes mes vacances et son étendue me réjouit. Jamais l'espace ne me manque. Il n'y a pas de délimitations en bois comme dans les parcs à Montréal. Je n'en parle à personne et je joue.

*

J'apprends des choses par coeur. Des fables, des textes, des noms de pays ou de capitales, des questions, des réponses. Cet exercice me plaît. C'est comme si les mots à retenir me faisaient un plus grand effet que lors de la simple lecture. Les textes du livre de français me fascinent. Les personnages, leurs couleurs, leurs rondeurs. Le moindre détail me frappe. Je les lis toute la journée mais la maîtresse dit qu'il y a d'autres matières. Cela me laisse perplexe. Pour moi il n'y a que dans le livre de français et celui de géographie où l'on peut découvrir des choses. Le reste me semble mécanique. L'histoire de la forêt où se perdent les accents graves, aigus ou circonflexes me semble la plus incroyable image donnant au langage une prise sur le réel et le sens mystérieux des choses à traverser pour comprendre. Je feuillette mon livre de français en m'efforçant de retenir des bribes.

*

Je suis caché dans la cabane du chien qui me fait si peur. On l'a attaché devant la maison à l'entrée du jardin plein de grosses fraises. Il ne peut donc pas me rejoindre. Dans la cuisine d'été personne ne s'occupe de moi. La route menant au village est déserte. Cette visite de grandes personnes m'annule. Je ne pleure pas. Je me cache. Là, dans cette cabane, tout l'après-midi et plus longtemps encore. Un repli, une idée précise et têtue. Je sais que j'ai pris la décision de me cacher, de disparaître. C'est la première fois que je prends une décision. Je suis calme. Je n'ai rien apporté avec moi dans la niche. Me cacher me suffit. Ils m'appellent. Depuis longtemps déjà je les entends : «Claude, Claude, Claude...» Je ne bouge pas. Des échos. Je crois que je suis bien. Je sors de la niche. Je les regarde. Je ne parle pas. Ils sont heureux. J'ai appris un secret pour la vie.

*

Je suis couché seul dans la chambre à deux lits qui donne d'un côté sur celle de ma grand-mère et de l'autre par une demi-fenêtre sur la cuisine. Mon bras droit est étiré à la renverse sur l'oreiller. C'est les vacances de Noël mais je n'en profite pas. Je me suis brûlé. J'entends constamment le petit crépitement sec qui n'a pourtant duré qu'une fraction de seconde. Pour moi c'est le premier arrêt, ressenti comme tel du moins. C'est la première fois que l'immobilité me vient de l'extérieur. Les heures du jour s'entremêlent. Tout est semblable, interchangeable, doucement indifférencié. Il n'y a que cette idée de la brûlure qui me fasse mal car pour le reste je baigne dans le vide presque euphorique de la chambre. Et je reste là à penser à la brûlure et à penser que je ne fais rien et que c'est bien ainsi. À l'école ça me fera enfin quelque chose à raconter quand les vacances prendront fin. Ce «jeu d'âne» que j'ai gagné le dernier jour du calendrier scolaire m'a été fatal. Les yeux bandés j'ai posé la queue de papier sur le rond noir du poêle. Je me souviens.

*

Je ne sais pas ce que c'est qu'un drame. Je suis sur la galerie et je m'amuse, seul. C'est un jour d'été. Tout le monde s'affole. On court en tous sens le long de la maison de briques brunâtres. Je descends l'escalier, laissant mes feuilles à dessin. Je suis le mouvement sans trop savoir où il me conduit. Là, je comprends d'un coup que l'irrémédiable est une chose possible. Ma mère, mon père, ma grand-mère, mon oncle, ma tante, mon frère, tous s'interpellent. Des cris. Des paroles en éclats. Et le mot «non, non, non», dans ma tête, autour, partout. Le soleil jaune de l'été a viré au feu. Tout est plus présent sous cette lumière qui s'active sur une borne-fontaine rouge, imperturbable à l'angle de deux rues familières. Un obstacle violent et ce qu'il advient du hasard quand il frappe en plein jeu, m'a plongé dans une découverte. Ma soeur, son front blanc, ses cheveux bouclés épaissis de rouge, soudainement. Ce jour-là, j'ai oublié tout le reste.

*

Je me tiens droit dans la pénombre parfumée, au bout de l'allée, tout à la fin d'une longue file longeant les bancs de bois vernis imprégnés des mystères de l'encens et de la langue latine. La musique des grandes orgues est solennelle. Ma bouche arrive à hauteur de la cuvette de marbre du bénitier en forme de coquillage évasé. Je vois cette eau que l'on dit bénite. Elle m'attire. Je la sais froide, plus épaisse il me semble. Mais surtout en fixant bien les courbes de la cuvette, je peux me concentrer sur la scène que nous répétons depuis des semaines et des semaines. Je pense à ce qui va se passer. Je pense à bien faire les choses. Je me dis que je vais faire exactement tout comme pendant les répétitions. Je ferai ce qu'il faut faire. La musique est plus forte. Il faut que j'avance d'un pas. Une petite fille contourne le bénitier placé de l'autre côté de l'allée. Nous voilà symétriquement engagés dans la parade. Dans l'après-midi, des tantes, des parents me diront combien ma mère a pleuré pendant la cérémonie. J'étais le plus grand, le dernier à faire mon entrée, bien droit, sans expression, suivant rigidement la file interminable des premiers communiants.

*

Je regarde par la fenêtre. C'est encore dimanche, cette journée que je trouve toujours plus longue que toutes les autres et même que toute la semaine. Après le dîner je m'assois dans l'escalier sans rien faire, en comptant les marches sans retenir les chiffres. Quand je sens que toutes les traces du dîner sont disparues je rentre dans la maison. Je vais dans la chambre de ma grand-mère et agenouillé sur le panier à linge sale en osier, appuyé sur un coussin en cretonne déposé sur le rebord de la fenêtre, je me mets enfin à observer les allées et venues de la rue en pente qui mène aux magasins. D'autres personnes observent des fenêtres mais je ne m'y intéresse pas. Ce que je suis c'est la lumière et les piétons, ceux que je reconnais surtout. Entrées. Sorties. Menus mouvements d'une vie vue d'un peu plus haut. Ma mère et ma tante sont maintenant sur le trottoir. Elles montent la rue. Elles vont au cinéma. Mon père et mon oncle sont partis aux courses. Je me sens bien et seul. Je redresse l'oreiller. L'après-midi sera encore longue à passer.

*

Je suis avec les autres. C'est un beau samedi matin. Je choisis la «bottine». Ça m'étonne toujours de voir que personne ne veut choisir cette pièce. Moi c'est ma préférée. On est quatre ou cinq. C'est encore une fois le grand jour. Une partie de Monopoly se prépare. Je n'aime pas faire la banque. J'y sens quelque chose d'occulte. Je préfère éprouver les choses sur le champ, à même les gains et les pertes, me réjouissant des uns et me convulsant des autres. Perdre ou gagner m'est égal. J'éprouve un vif plaisir à lancer les dés, à passer à «Go». Ainsi l'effet étrange de l'anglais dans tout cela. Notre jeu est d'interpréter des cartes du centre. Nous rions. Nous nous entendons même sur des sens dont nous ne pouvons vérifier la pertinence. Devant cette langue inconnue nous inventons autre chose. Ainsi nous ne savons jamais très bien que faire avec ce que nous appelons la «lumière» et la «champlure». Mais c'est déjà le dîner. On laisse tout en place. On revient tout de suite après. Pourvu que personne n'ouvre la porte trop vite et pile sur le jeu et mélange nos terrains. Quelle journée!

*

Je suis dans la fumée. Complètement disparu dans le gris opaque qui a recouvert le pont sous lequel la locomotive semble s'immobiliser à tout jamais. J'entends son effort mais je ne peux pas vérifier si elle avance. Je me suis posté bien au centre du pont, là où la fumée est la plus dense. Je connais ce jeu. À tous les midis je me précipite pour ne pas rater le passage pompeux du train qui va je ne sais où. Là au coeur de la fumée il me semble que j'existe intensément. Je garde les yeux grands ouverts. J'imagine que je suis transporté ailleurs, que tout cela se passe dans ma tête, mais que je pourrais partir à ce moment précis si je le voulais vraiment. Dans cet instant il m'arrive souvent de penser à ce que j'aurais été si je n'avais rien été. Toujours cette question revient. Le train et la fumée la rendent encore plus pressante, plus magique aussi. Être une chose plutôt qu'une autre, je le conçois. Mais n'avoir rien été?

*

Je suis seul dans l'entrée du magasin. Le vent s'engouffre en fortes rafales de poudreries qui viennent fouetter les vitrines. Elles semblent vouloir se confondre dans les reflets par lesquels les vêtements et les mannequins se multiplient dans un paysage irréel. Il fait froid. Je suis bien habillé. Je rentre mes mains au centre des gants de laine dont la paume est en cuirette brune. Dans ce tourbillon de neige fine, les lumières de la rue et des étalages dansent comme si elles étaient pour s'envoler. Je me promène dans ce décor depuis une bonne heure. Cette idée de partir comme ça seul par grand froid quand les magasins sont fermés me revient souvent. Dans tout ça je ne sens plus le froid, le vent. Face aux vitrines, j'imagine. Je les réarrange. Je compare tous les détails. Les vitrines de robes et de souliers sont celles qui me troublent le plus. Je fais la rue des deux côtés sans me presser. Souvent je regarde de l'autre côté et j'anticipe ce que je pourrai faire de ces objets sur lesquels se brisent les lumières de ce début de soirée. Et l'hiver alors n'existe plus. Il n'y a que de la lumière changeante et des formes.

*

Je suis les motifs du prélart. Accroupi je ne regarde pas vers le plafond ou plus loin. Avec minutie j'observe les lignes qui dressent la carte d'un empire m'introduisant aux règles de la géométrie du réel. Des losanges, des feuilles d'acanthe imitant des tapis de Perse se perdent dans les itinéraires où je circule à volonté sans me fatiguer, sans but. Pour moi ces routes ne mènent nulle part. Elles sont des lignes et j'aime en suivre le tracé pour ce qu'il a de régulier et de répétitif. Par cette découverte j'entrevois l'ensemble sans oser le résumer. Collé aux lignes, je les redessine avec cette petite voiture en métal. Étrangement la voiture est pour moi sans importance, ce n'est qu'un intermédiaire commode entre ma main et la froideur du dessin. Je reste là pendant des heures à jouer, à jouer. Je ne fais pas de combat, encore moins d'exercices de vitesse. Ce sont les traits du carrelage entrant jusque sous les plinthes débordantes d'épaisses couches de peinture qui m'hypnotisent. En suivant les lignes je me retrouve adossé à un meuble, la télévision. Je lève les yeux et remarque la lampe neuve représentant une gondole et son batelier appuyé sur une perche rectiligne.

*

Je reviens de l'école. Il est 4 heures... Je veux jouer mais seul, sur la galerie aux petites lattes grises. Et c'est encore à l'école que je veux jouer. Ce qui me bouleverse le plus, c'est le cahier noir et épais dans lequel la maîtresse semble écrire tout ce qui se passe et doit se passer. Je pense souvent à ce cahier contenant l'organisation de ma vie. Bien sûr mon cahier n'est pas aussi impressionnant. Sur la couverture deux chatons roulent dans un petit panier d'osier. À gauche en haut de chaque page, j'inscris toujours avec un soin extrême les lettres *J M J* sans lesquelles, j'en suis convaincu, le contenu de la page n'aurait aucune valeur. À 5h 20 c'est le souper. Mon père est arrivé. Je ne parle jamais pendant le souper. Après, je fais mes devoirs. Rapidement. Puis plus rien. Le jour est fini.

*

Il entend la rumeur malgré le temps et les choses qui transforment la mémoire en une profusion de pistes sur lesquelles peuvent se retrouver autant les faits que leurs dérives. Cette voix est encore une sorte d'appel rejouant sa musique à l'intérieur des fibres les plus sensibles. Il entend et découvre qu'il ne peut que transcrire ce qui s'est passé. Il devine la puissance du temps. Le mot s'impose devant lui. Le mot *temps* et son aura. Le mot *temps* comme une chute entraînant tout jusqu'au-delà du sens et des illusions. Cela il croit l'entendre dans les anecdotes qui le harcèlent quand il veut tenter de saisir une émotion ou une image en allées. Il est là, sans fébrilité dans l'enjeu du souvenir. Il transporte dans son silence la passion des événements. Comment ne pas sentir que tout s'organise autour de quelques points qui toujours nous échappent et nous cernent à la fois. Dans cette voix, il retouche l'enfance et ses douleurs meurtrières cachées derrière les jeux et l'innocence. Il refiltre les scènes éparpillées à partir desquelles la trame de sa vie a pris naissance. Il se regarde mais ce n'est pas dans un miroir, c'est dans une ouverture aux confins du regard, poussant dans l'imprévu ses désirs de poursuite. La voix ne le précède pas. Elle le soutient plutôt. Il y a comme une osmose entre la voix et lui. Ce qu'il perçoit de l'horizon n'est pas nécessairement inscrit. Tout n'est pas joué peut-être. Il n'ignore pas que l'enfance est une marque que le temps grave en chacun mais il décide dans son immobilité de traverser les traces, de ruser, de transformer s'il le faut. Et dans le mot *temps* imprimé devant lui il entrevoit d'autres vertiges où accomplir ses gestes contenus dans la pose hiératique qu'il persiste à tenir face à ces surcharges engouffrant les matières avant même qu'elles s'exposent. Il entend tout cela et plutôt qu'à la parole, qui est une réponse perdue dans d'autres versions, il s'applique à l'écriture, elle aussi soumise au temps mais fière et rebelle par le cheminement qu'elle réclame de ceux qui la choisissent. Il entrevoit alors des mots qui ont la forme du mot voix. Ces mots s'élèvent de l'espace. Il ne ressent pas cette décision comme une solution. Il ne fait que concéder quelque chose d'irréparable, d'inouï, travaillant sa mémoire de l'actuel. L'écriture est le réceptacle du temps. Elle s'inscrit à la fois dans et hors des limites qu'il suscite. Alors son enfance n'est plus rien hors des mots. Qu'un effritement. Qu'une nostalgie embellie. C'est par l'écriture que l'enfance perd de son aspect mythique et redevient trajectoire lisible et motif d'un ensemble où elle n'a pas nécessairement un rôle de matrice. L'écriture traverse les étapes d'une vie d'une manière intemporelle. C'est dans la matière des mots que le défi se distribue et devient preuve du pouvoir de la fiction. Il sait cela mais il ne s'y précipite pas nécessairement. Il est là, à revoir et à prévoir. Il soupçonne l'enfance comme sujet, d'être en fait un piège émotionnel. Il connaît et ignore ce qu'il faut dire de l'enfance. Il ne trouve que des mots qui réinventent des faits et par cumul,

disent quelque chose qui ne s'est pas passé mais qui s'écrit comme
illusoirement, témoignage ou restitution. Et il revient à cette
voix, à cette tapisserie recouvrant des murs disparus. Et elle
n'est pas celle de l'enfance. Elle est celle d'une mémoire dont
la consistance dépend du mot *voix*. Et cette tapisserie est un
motif du texte, arabesque du style pointant ses figures. Il
découvre cela qu'il savait. La page comme unique territoire d'une
mémoire partageable dans ses morceaux de transposition. Et
l'enfance comme thème s'en est allée, tout comme le temps de
l'enfance, tout comme la possibilité de retenir quoi que ce soit
dans son état de première perception, immédiatement mis en
déroute par la plus impalpable des notions : le temps. Ce qu'il
sait de son enfance c'est qu'elle n'a été ni heureuse, ni malheureuse. Il sait aussi que ce qu'il en écrit n'est pas ce qu'il a vécu.
D'ailleurs ce qu'il a vécu n'est qu'une mémoire imaginaire fata-
lement autre, altérée. Il entend une voix venue du dedans de
cette fuite. Il ira au cinéma, pour la première fois, avec sa tante
Claire. Il est trop jeune, mais il est grand. Le film s'intitule : *Le
Perroquet vert*. Sa mémoire est une suite de vocables. Il sourit en
écrivant plus tard qu'il ne «s'appelait pas Loulou» et que les plus
beaux textes sont ceux qui l'obligent à se souvenir par coeur de
la voix secrète des mots.

Claude Beausoleil
né le 16 novembre 1948

DENISE BOUCHER

Boule de neige

— Justin, Denise, Marielle, Georges-Étienne, Anne-Marie, Gilles. La prière en famille.

Du balcon arrière du deuxième étage, elle s'époumone.

Ça nous semble chaque fois une impudeur. Dans le parc où nous sommes, tous l'entendent mettre fin à nos jeux.

Nous grimpons l'escalier de sauvetage de l'Hôtel de ville où nous habitons. Mon père est chef de police.

Nous tenons feu et lieu au centre même de la ville de Victoriaville.

— Départ pour Princeville, Plessisville, Laurierville, Lyster, Dosquet, Saint-Étienne, Saint-Rédempteur, Québec.

La litanie du soir monte sous les trois fenêtres de notre chambre et les six enfants de Justine et d'Alexandre reprennent ces noms en choeur. Ensuite, ils chavirent dans le sommeil.

— Départ pour Saint-Albert, Sainte-Clotilde, Notre-Dame-du-Bon-Conseil, Drummondville, Saint-Hyacinthe, Montréal.

Ils rêvent déjà.

Du plus loin que je me souvienne, l'obsession de mes rêves est la maison. Je cherche toujours une maison qui soit une maison.

Peut-être cela n'a-t-il pas de rapport avec mon idée. Avec l'idée que je me fais du sens de ce rêve qui recommence sans cesse en mille variantes. Ma mère en est toujours la méchante. Mon père a besoin d'être sauvé. Moi, je suis impuissante.

Bien sûr, au premier degré, ce rêve ne pose aucune énigme. Mais encore? Toute réponse pose des questions.

Ça n'est pas une maison comme les autres maisons.

Le grand bâtiment victorien de brique s'étale au milieu d'un parc.

Sur quatre étages, on y trouve le terminus d'autobus, la station de pompier, l'unité sanitaire, le bureau du juge municipal, un *barber-shop,* une épicerie, un disquaire, le cinéma, le marché, le bureau de la police, la compagnie de téléphone et une salle de conseil. Quand le maire et les échevins n'y tiennent pas de séance, Lucien Daveluy y répète avec la chorale. Le *Miserere* de qui donc?

La mort m'environne. Miserere.
Déjà l'heure sonne. Miserere.
Eh! bien que je tombe durement dans la tombe.
Vivant dans les cieux.
Vi-i-vant-ant
Dans-an les cieux.
Miserere.

Quand les chanteurs s'en vont, Daveluy père ou Daveluy fils, Raymond, se met au piano pour une grande partie de la nuit.

Nous nichons dans un logement où ce qui manque le moins, c'est l'espace.

Quand il faut en habiller les fenêtres, pour trouver assez de marquisette de soie, ma mère s'adresse directement à la fabrique où elle a ses entrées, grâce au cousin de mon père, curé à Drummondville. Il peut acheter à la Celanese, dans le gros. Et il en faut des verges et des verges — de ces rideaux.

J'en ai gardé le goût du blanc aux fenêtres qui s'ouvrent avec générosité sur le ciel et les arbres.

À partir de 1934, Justine et Alexandre ont des enfants à tous les ans. Les six premiers se suivent et survivent. Les autres, non.

Aucun mot n'est dit sur ces morts.

Mais on voit de fois en fois des petites tombes blanches qui passent une nuit à la maison et qui le lendemain s'en vont. Il ne s'agit pas d'un stoïcisme d'Indiens qu'on aurait pu attraper au passage.

Mais, en ce temps, la mort, la naissance et l'amour ne s'expliquent pas. Le langage n'y passe tout simplement pas par la parole.

On croit, il semble, que l'on est moins touché si ce qui est n'est pas nommé.

Du côté d'Alexandre, on n'est pas du monde jasant.

Ni porté à la réprimande ni au bavassage. On se contient.

Un secret en surplomb sur cette famille alourdit les effusions.

Il avait bien fini par se dire par ma mère. Grand-père Urbain, à la suite d'un coup de soleil, avait viré. Il est mort à Saint-Michel-Archange.

Grand-mère a élevé seule ses huit enfants et fait instruire chacune de ses cinq filles. Tante Adèle, religieuse, a fini supérieure de l'Hôtel-Dieu d'Arthabaska. C'est la star de la famille. Avec mon père.

Comme la ferme de Saint-Paul allait aller à Paul, l'aîné, mon père apprit le métier de coiffeur dont il ne se servit que pour tailler les cheveux de mes frères.

L'un de ces soirs où sa parole vient jusqu'à nous, il raconte l'Ouest canadien et l'ennui sans nom de ces plaines à perte de vue. Il n'a pas de terre à lui. Mais, bûcheron, entailleur d'érables et faiseur de sirop, pêcheur de truites et chasseur de chevreuils et d'orignaux, il en a la connaissance plein la peau. Pour fiancer Justine, il troque des peaux de renard contre un diamant.

Chez les Bélair à Notre-Dame-de-Ham c'est tout autre.

Le grand-père a trois terres plus une terre à bois, un magasin général et il fait dix-neuf enfants à Malvina, une fille unique et instruite et de santé précaire.

Quand ma mère parle de son père et elle ne parle que de lui, elle raconte l'opulence. Tout s'achète chez eux à la poche et à la caisse.

C'est une famille où on chante, où on hurle, où on rit. Où on travaille. Où on s'amuse. Des natures, comme on dit.

Avec mon père, Justine fait connaissance avec le pas beaucoup.

Il lui faudra beaucoup inventer, pour multiplier. Jusqu'à ce que l'on remarque Alexandre pour sa grandeur, ses biceps et son jugement.

Après leur mariage, ils vivent à Arthabaska. À la naissance de Justin, l'aîné, un bébé de treize livres, le médecin glisse le drap sur la tête de ma mère. Il la tient pour morte.

Mon père met le médecin dehors et retire le drap. Puis, il ouvre la bouche de sa femme et y insuffle assez d'air et de désirs pour la ranimer. Un an après, elle est enceinte de moi.

Je nais dans une maison partagée alors avec la soeur de mon père, son mari et leurs deux enfants. Dans les circonstances, je suis du superflu. Pourtant, dans la nuit de ma naissance, en plein hiver, mon père, averti par téléphone, quitte son camp de bûcherons situé à dix milles, descend en trombe à pied dans la tempête pour me rencontrer. Longtemps, je me suis emmiellée de sa longue course pour venir m'apercevoir. Moi, son bébé, sa fille. Mais à l'écrire, le sentiment n'est plus le même.

Il faut bien me rendre à l'évidence : ce qu'il devait être inquiet pour elle! Elle était à lui bien avant moi.

Marielle est née dans une autre maison. Juste à côté du garage où stationnent les camions. Alexandre, routier, travaille maintenant pour Philippe Auger. Ce diable mène le monde comme un enfer. Il ne laisse pas de répit à ses chauffeurs, les maintient sur la route dix-huit heures par jour. Et les gages restent petits. On est en plein dans la crise.

Vient l'Hôtel de ville et la sécurité. Logé, chauffé, éclairé, le père a un bon salaire en plus. Tout s'apaise.

Après le souper, Alexandre retourne le coin du tapis de la table et sur la toile, il repart dans sa jeunesse, en redessinant toujours ce cheval tant aimé. Ce cheval toujours au galop.

Jamais au repos.

C'est l'hiver. À l'heure fragile d'avant souper. Ma mère allume le poêle à bois, situé non dans la cuisine, mais dans la salle à dîner. Elle s'installe dans la chaise berceuse avec sa dernière née dans les bras, Anne-Marie. Nous sommes agglutinés à elle. Nous, les quatre autres. Dans l'obscurité que percent les lueurs du jeu du poêle, Justine chante. Nous entrons en transe. Elle chante des complaintes. L'une d'entre elles nous déchire absolument.

Grand-maman me prit dans sa mante
Comme un oiseau du nid tombé.
Mon père entra dans la tourmente
Et maman pleura son bébé.

Nous étions cinq bébés. Duquel s'agissait-il?

Quand à Barcelone j'ai appris à dire le mot *turmenta* pour tempête, tout ce rituel s'est remis à chanter et à brûler. Laquelle des mamans avait perdu un bébé? La sienne ou la nôtre?

Notre porte de devant s'ouvre sur un hall, juste en face de celle des balcons du cinéma.

J'y ai vu mille fois la danse des petits pains de Charlie Chaplin. *Gone with the Wind* y est présenté sous le titre français de *Graine au vent*. Ça, c'est du cinéma. Beaucoup plus que *les Deux Orphelines* ou *les Deux Gamines* que nous pleurons beaucoup quand même.
On a le cinéma comme nous avons eu ensuite la télévision.
Comme nous étions riches!
Dehors.

Dedans, c'est la famille. Une mère qui lave, qui coud, qui reprise, qui cuisine, qui lange, qui pleure, qui chante. Et l'amour.

Justine a du roux dans les cheveux, du pers dans les yeux et du russe dans l'âme. Sur le nerf, en continuité, elle n'a pas le temps pour les nuances. Elle joue des extrêmes.

Je la vois un jour, après avoir chanté avec langueur,
De beaux yeux noirs
Qui chaque soir
Attendent mon retour
Des baisers
Qui font oublier
l'ennui du jour...
Un coin du ciel bleu
Pour les amoureux

Les amoureux c'était elle avec nous. Même si mon père n'était pas loin, il n'était jamais avec nous. C'était une ombre qui avait son bureau juste en dessous de nous.

Je la vois dans sa chambre devant le *vanity* que lui avait offert son père en cadeau de mariage. Elle s'adresse, les larmes aux yeux, à l'image au-dessus. Celle du Christ au jardin des oliviers. C'était la seule image de la maison.

Le Christ dans l'angoisse jusqu'au sang. Portrait de quelle projection?

Elle le regarde, les mains jointes et le supplie en disant : «Père, père, pourquoi m'avez-vous abandonnée?» Elle me trouble et je tremble.

— Maman, maman, comment on pourrait te sauver? Et de quoi?

C'est décembre, Alexandre surveille les hommes dehors qui creusent un trou dans le parterre. La veille, il est allé repérer un sapin dans la forêt. Un sapin de cent pieds. Pas une épinette. Pas un coton. Une majesté d'arbre. Pour mon anniversaire, je m'imagine. Et pour Noël aussi, bien sûr. Plein de lumières et qu'on voit nous les trois filles et les trois garçons de notre chambre. L'arbre est à nous d'abord et à la ville ensuite.

Ce qu'il y a dans cette maison? Le nid et l'autre circulent sans ambages. Entre les deux mondes, il n'y a aucune distance.

Nous n'avons pas de jouets d'enfants. Nous jouons au pompier dans un vrai camion de pompier. Nous jouons aux marchands dans le marché lui-même et nous y vendons de vraies carottes. Nous avons notre propre fanfare.

Les soldats sont venus me jouer une aubade
J'aime le son du tambour
Il m'a dit je m'en vais faire une promenade
Moi je compte les jours.

Ma mère dit qu'après avoir marché très tôt, je me suis complètement arrêtée. Pendant deux ans sans que le médecin ne puisse se l'expliquer.

Ce dont je me souviens : soudainement, on s'aperçoit que je sais lire. Et j'ai recommencé à marcher. J'ai quatre ans.

Noémie, une cousine de mon père, maîtresse d'école, se met à me montrer des récitations.

Pour une célébration quelconque, Dick Allaire, le propriétaire du cinéma, monte un spectacle. J'en suis dans une petite jupe écossaise rouge et un pull rouge, cousu main et tricoté par ma mère.

La blonde frisée aux yeux verts va raconter sur la scène l'histoire de la petite fille qui se fait dévorer par le loup parce qu'elle a cru à ce qu'on lui a dit plutôt que de croire à ce qu'elle avait vu de ses yeux vu.

L'histoire du petit chaperon rouge c'est une histoire qui bouleverse les petites filles.

J'en sais le contenu. Et la différence entre ce qui se dit et ce qui est écrit.

La salle est pleine. C'est mon tour. Je m'avance. Quand ils voient une enfant en re-présentation, les adultes rient et lénifient. Je m'en viens leur raconter une histoire d'horreur, ils rient. La panique me saute dessus, je recule en courant dans les coulisses. La salle attendrie, rit. On me pousse.

Je reviens et je débite à froid ma récitation.
Quelle belle diction!
Sous la forme de la peur et de la puissance, une première contradiction se glisse dans mes os.

C'est mon premier public.

Avec Dick Allaire, nous gravons aussi des 78 tours.
Trois anges sont venus ce soir
M'apporter de bien belles roses.

Le propriétaire du cinéma est aussi un disquaire et un compositeur. Tous les 24 juin, la fanfare municipale joue sa *Marche à Maisonneuve* et son *Ode à la Floride* où la fanfare municipale de Miami l'a aussi inscrit à son programme. C'est un artiste international!

Nous sommes ses aventuriers à portée de la main. Pour nous, c'est normal de chanter et d'enregistrer des disques.

Lève les yeux et contemple le lierre.
Qui sait mourir où s'attache son coeur.
Qui sait mourir où s'attache son coeur.

Justin va à la maternelle chez les petites soeurs de Notre-Dame-des-Anges qui sont des douceurs.
Son territoire s'agrandit.

Mais, elles ne prennent que les garçons. C'est la seule maternelle en ville. Ma mère s'inquiète de moi. De toutes mes activités dans l'Hôtel de ville. Je l'entends qui me cherche.

Je suis juste en face avec la téléphoniste qui va parler avec Montréal, qui va parler avec Paris. Un événement à ne pas manquer.

Je sors de ma cachette.

Justine a réussi à convaincre les Dames de la Congrégation à me prendre en première année malgré mes quatre ans. Pour se faire plaindre, elle supplie en disant : «Qu'est-ce que vous voulez qu'une femme fasse avec six enfants, pas de cour, pas de galeries?» Et des enfants en santé!

Nous qui avons tout un parc. Mais elle ne peut pas nous y tenir à l'oeil, bien sûr.

Dans une vieille soutane de frère du Sacré-Coeur, elle me coud ma robe de couvent bordée de dentelle au collet et aux manches.

L'épicerie, c'est un privilège pour découvrir le monde.
Les raisins sont de Corinthe, les dattes de Java.
C'est l'un de mes terrains de lecture.

Les tomates s'y appellent *tomatoes*, les patates, *potatoes*, les pois, *peas* et le jus, *juice*.
C'est la même langue que ma mère retrouve sur la boîte de Corn Starch et dont elle ne peut pas lire le texte parce qu'elle ne connaît pas l'anglais. Ni sur les patrons McCall et Butterick.

C'est pas sa langue. Moi, je l'apprends. À l'oeil, parce que je n'ai pas d'autres choses à lire.

Je rentre de l'école.

Je monte l'escalier qui mène chez nous. Derrière la porte j'entends les rires de Marielle, de Georges-Étienne et de maman. Je l'entends qui dit : «Marielle, lance la balle à maman.» Je m'arrête. Je prends un grand respir de joie. Nous avons une balle.

J'ouvre la porte. Je veux la voir tout de suite. Mais, ça n'était pas une vraie balle. Il ne fut jamais question que l'on ait une balle qui aurait tapé sur la tête du juge en bas.

Maman en avait fait une, cette journée-là, avec de la bourre de laine et du tissu.
Une balle que l'on pouvait se tirer sans faire de train.
Et tout en jouant on pouvait l'entendre chanter.

S'il était quelque part en ce monde
Une personne qui m'aimerait un peu
Ma misère serait moins profonde
Car tout seul on est si malheureux.

Je me rassure. Je nous regarde. Nous sommes là. Elle n'est pas seule. Elle ne peut pas s'échapper de nous. Nous, nous pouvons nous échapper d'elle.

Dans la prison au sous-sol, mon père a posé un matelas par-dessus la paillasse de la cellule. C'est le lit qu'il réserve aux hobos qui lui raconteront des histoires qu'il écoutera en fumant un cigare.

L'un des hobos est mieux reçu que les autres. Il a droit à une chopine de gin. Parce qu'il est peintre et qu'il se laisse regarder peindre par mon père qui finit par apprendre ses techniques de mer et de ciel.

Ceux qui sont là, à Noël, ont droit à notre réveillon familial que ma mère prépare depuis les premiers froids. Sur le balcon arrière surgèlent deux caisses de beignes, cinquante tourtières, trente tartes au sucre, des bidons de ragoût de boulettes et de pattes.

Un jour, un hobo vend son bien à mon père avant de repartir. Alexandre arrive à la maison, en plein après-midi, avec son trésor.

Il l'installe au milieu de la salle à dîner. Il y glisse un disque acheté chez Dick Allaire. Il crinque l'appareil. Il pose l'aiguille sur le disque.
Nous avons un gramophone.

Quand le soleil
Dit bonjour
Aux montagnes.

Chaque fois qu'un visiteur se présente au couvent, la supérieure vient me chercher dans la classe.

Pour le chanoine, le curé, l'évêque, le docteur ou le frère de la mère économe, je lis.

Un méchant loup qui n'avait pas bu depuis la veille vint s'abreuver dans le ruisseau. Tu brouilles l'eau où je vais boire, dit le méchant loup au petit agneau.
Le méchant loup finit par manger le petit agneau qui lui avait pourtant fourni les preuves de son innocence.

Ça les fait rire.
Je ne comprends pas.
Je fais l'acte de lire; c'est ce qui les impressionne.
Ce que je lis n'a pas d'importance.

Lors d'un voyage à Vancouver où l'on me joue, juste avant une conférence donnée au Centre culturel français, une femme vient vers moi.

Après avoir vérifié si j'étais la fille du chef, elle me dit derrière une vision de vison : «J'étais dans ma famille, à Victoriaville, aux Fêtes et l'on parlait de votre famille.

«On disait que c'était curieux que l'une de vos soeurs soit docteur en langue, que votre frère contrôle tout ce qui se fait en ville et que vous, on vous voit à la télé. Comment pouvez-vous écrire? Vous étiez si pauvres!
— Pourquoi dites-vous que nous étions pauvres?
— Parce que vous aviez un jardin», dit-elle.
Ouf! Oui, nous en avons un jardin et quel jardin!

Alexandre règne sur la ville. Tout ce territoire est le sien. Alors, sur le bord de la rivière, il se délimite un emplacement de taille pour notre usage.

Nous y faisons pousser des patates. Assez pour fournir l'école d'aviation au complet.

C'est dans les rangs de ce potager que Marielle, Georges-Étienne, Anne-Marie et Gilles apprennent à marcher et à distinguer le plantin, la moutarde et autres parasites à qui nous passons nos étés à faire la guerre.

Selon les besoins de maman, nous en ramenons des paniers de tomates, de concombres, d'oignons, de maïs et de betteraves. Nos légumes gardent la trace de la terre.

Ce qui leur fait dire que nous sommes trop pauvres pour nous en acheter directement à l'épicerie ou au marché des légumes lavés.
La terre, ça fait pauvre.
Quelle surprise!

Ça faisait pauvre aussi les truites qu'Alexandre allait nous pêcher dans son ruisseau de Saint-Paul et que l'on mangeait au beurre, au petit déjeuner? Est-ce aussi un signe de pauvreté ces cageots de fraises et de framboises qui en saison jonchent la table? Au temps des fraises, nous mangeons des fraises toute la journée à tous les repas. Ça remplace la soupe et la viande et le dessert. On les mange crues, cuites, au sucre ou à la crème. On fait le plein de fraises pendant que maman cuit des confitures dans des vaisseaux que nous appelons *boiler*. Je ne sais pas d'où vient qu'on le dise en anglais. Il n'y a pas un Anglais dans notre ville. Maman explique que c'est parce que ça vient des États-Unis et que nous, nous n'avons pas de mot pour ça.

Je dis que nous avons un cinéma. Mais je mens. Ça ne s'appelle pas un cinéma. C'est écrit en toutes lettres *Theatre Victoria*.
On a beau n'y présenter presque tout le temps que des films, quand on y va, on va au théâtre.
Comme les Américains vont au *Theatre*. Sans un seul Anglais dans la ville.

Notre langue n'est pas notre langue.

En Europe, il y a la guerre. Ici, nous y goûtons par le ration-
nement du sucre, du beurre et de la farine.
La population fait son effort de guerre en venant à l'Hôtel de
ville, sur le parterre de droite, jeter dans un silo de broche à
poule toutes sortes de vaisseaux en métal que l'on fondra pour
fabriquer des armes.

À la maison, nous avons une bouche de plus à nourrir.
Mon oncle Roger, le frère de maman, a déserté l'armée. Il se
cache chez nous. Personne ne viendrait le chercher chez le chef
de police.

Après la mort de grand-père Bélair, grand-mère brise maison
à Notre-Dame et vend toutes ses terres parce que ses garçons
ont pris le large. Elle s'installe non loin de nous avec trois de
ses filles qui, avec leur jeunesse, lui donnent du trouble.
Elles sortent avec des aviateurs.

La guerre change les moeurs amoureuses d'une société.
Le danger augmente avec l'usage.

Elles font des tours en chaloupe sur la rivière Nicolet et elles
vont danser sans surveillance.
Elles sont en perdition. Et, preuve à toute épreuve, elles
commencent même à chanter des chansons en anglais!

J'ai cinq ans. La famille est au complet avec la naissance de Gilles
qui sera notre bébé à tous.

Un jour, Justine commence à me tasser dans les coins et à me
taper dessus. Madame Bourbeau, la voisine de la rue des Forges
l'avertit que dessous le kiosque à fanfare, nous jouons à des
jeux.
Pour sûr, c'est le seul endroit où il y a du sable dans nos environs.

Justine me menace. Elle est dans la colère. Elle veut que je lui
avoue le mal que nous y faisons avec les garçons. Ça me permet
de découvrir les garçons. Pendant des jours, je me creuse les

méninges. Qu'est-ce qu'elle veut que je lui dise? Qu'est-ce que c'est le mal?

Au bout d'une semaine, j'essaie une trouvaille. «Il baisse mes culottes.» Les claques revolent. La rage déferle. Par chance, elle ne m'a pas demandé qui était le «il». J'avais inventé un aviateur. Elle ne m'aurait pas cru. Le truc des «culottes baissées» avait fait son affaire.

Comment ai-je su que le mal devait ainsi se nommer puisque je ne le faisais pas?

C'est le commencement de la guerre avec elle. Elle se méfiera toujours de mon corps. J'ai appris à douter d'elle et à la redouter. C'est ma première peine d'amour.

— C'est de ce temps-là que je garde au coeur une plaie ouverte.

À l'école, on nous prépare pour la première communion et nous apprenons la liste des péchés.

Dans le livre de lecture, il y a une histoire à ce sujet.

Sur l'image, on voit un lit sur lequel est étendue une robe de communiante toute en blancheur.

À côté, sur la commode, il y a des cadeaux enveloppés. Dans la maison, on organise une fête pour l'occasion. Mais, oh! malheur, la fillette sera privée de tout cela. Le texte explique qu'elle a désobéi. Comment? Le matin, par inadvertance, elle se lave les dents. Elle n'est plus à jeun.

Elle ne peut plus communier.
Il est écrit qu'elle est punie pour avoir désobéi.

Je ne comprends pas.
J'essaie de discuter le coup avec Mère Sainte-Philomène, elle s'en tient à la version écrite.
«On ne peut pas douter de ce qui est écrit», dit-elle.

Quand sur ma langue
On posera l'hostie
Le monde entier
Vers moi s'inclinera
Et je verrai
Diviniser ma vie
Viens mon Jésus
Je viens, je cours, je vole à toi.

Ma décision est prise. Je la maintiens. Les religieuses nous font lire dans nos livres des textes qui provoquent.

Le matin de première communion, je me lève, je me lave les dents, j'avale de l'eau. Et je vais communier dans ma robe d'ange devant tous ceux qui nous imaginent dans la pureté et l'innocence.

Mais l'enfance n'est pas ainsi.
N'ont-ils jamais eu cinq ans?

Juste à gauche du hall d'entrée où l'on affiche les photos des films présentés, c'est le bureau du chef de police.

Installée à son pupitre, je tape sur la machine à écrire.
Ma mère paraît dans sa robe d'azur aux boutons d'écaille. Elle triomphe.

De son sac, elle tire le premier chèque des allocations familiales versées aux mères de ce pays.

Jamais avant, de toute sa vie, elle n'avait reçu un chèque à son nom.

Pour la taquiner? Mon père tend la main vers elle et le lui réclame. Même s'il sourit, il semble perplexe. Elle le lui refuse avec désinvolture, en riant.

Elle s'en va à la banque. Puis, toute en beauté, elle ira magasiner. Elle sort.

Mon père se tourne vers moi et me regarde. Nous sommes complices de la joie de ma mère.

Je continue à taper sur la machine. Une femme entre dans le bureau en pleurant. Mon père n'a pas eu le temps de me faire disparaître.

La femme lève sa robe et montre des bleus. Elle déboutonne son corsage pour en faire voir d'autres. Alexandre a beau essayer de la contenir, elle fait vagues. Il s'en occupe et m'oublie.

Le mari de la femme l'a battue afin de l'obliger à endosser son premier chèque des allocations. Les enfants n'ont rien à manger. Il est encore parti boire.

Non, ce n'est pas la première fois qu'il la bat.
C'est un ivrogne. Qu'est-ce qu'elle fait pour changer la situation? Elle en a parlé avec le curé qui lui a recommandé de se taire et d'aller communier tous les matins.

Mon père prend le téléphone et mande d'urgence le curé à son bureau. La femme reprend ses sens, s'intéresse à ce que j'écris. Le curé arrive. Mon père lui dit : «Vous avez dit à cette femme que si elle priait et communiait son mari arrêterait de boire et que les enfants auraient à manger?»
Le curé acquiesce de la tête.
Alexandre l'invite donc à l'épicerie et à la boucherie afin d'acheter un marché pour la famille qui meurt de faim. «Ça leur permettra, dit-il, d'attendre les résultats des prières.»
Le curé est traqué et ne peut refuser. Mon père entraîne la femme à sa suite.

Il me fait un clin d'oeil.

Il va faire déborder le panier.

Je continue à écrire.
C'est la guerre. On dit qu'en cas d'attaque, l'Hôtel de ville deviendrait une cible de choix.

Selon des instructions reçues de l'armée, il faut envisager cette perspective. À fin de camouflage, il faudrait noircir tous les carreaux des fenêtres. On commence à badigeonner. Ma mère n'est pas d'accord. Elle explique que si l'on est attaqué, on n'aura qu'à fermer les lumières.

On lui donne raison. Les fenêtres gardent leur transparence.

Par les actualités que nous voyons au cinéma, nous avons une idée des méfaits de la guerre. Comme il n'est pas question d'imaginer que cela puisse réellement nous arriver, nous nous contentons de trembler pour les autres, pour la France. Et ce, en différé. Maman chante déjà une chanson d'un autre temps.

Vous n'aurez pas l'Alsace et la Lorraine.

Dans son bureau, Alexandre écoute la radio. Les larmes lui montent à l'oeil quand Trenet tourne.

Douce France, chère pays de notre enfance

Les sentiments font des détours en nous. C'est la guerre. Maman cuit le pain. Tous les deux jours. Il lui sert de monnaie d'échange contre du sucre et du beurre. Même sans timbres, elle a ainsi droit aux denrées rationnées. Quand elle arrive en bas, au soussol, chez l'épicier et le boucher, elle met ces hommes à genoux devant la blondeur et la chaleur de ses miches. Alors, tout parfum aidant, elle obtient ce qu'elle veut pour nourrir sa potée.

C'est la guerre.
Alexandre crie au scandale le jour où je lui dis que les religieuses ont épinglé aux murs de toutes les classes les photos de Pétain et de Mussolini.

Alexandre, mon père, est un maître à douter. Justine, pour survivre, a choisi d'avoir la foi qui déplace les obstacles qui pourraient l'empêcher de mener à bien la vie humble aux travaux ennuyeux et faciles dont parle Péguy.
Elle réclame l'obéissance à cris et à fouet à elle-même et à toute autorité.

De mon père l'on apprend que malgré certains signes, aucun être pas même lui n'a droit à ces exigences. Un maire, c'est n'importe qui et ça se trompe. Un curé aussi.

En descendant l'escalier pour aller vaquer à je ne sais quel jeu ou activité, Marie Daveluy m'éloigne de mon projet. Elle monte en haut rejoindre ses soeurs qui ont formé une chorale. Une autre. Marie a sept ans. Le même âge que le mien.

Elle dit qu'elle s'en va répéter une nouvelle pièce. Son père a mis en musique un poème.

Un poème? Qu'est-ce que c'est?
Un poème d'un poète vivant.
Un poète vivant?
Oui, un poème de Nelligan.
Quel poème?

Ce fut un vaisseau d'or
Dont les mâts diaphanes

L'Hôtel de ville est comme ça. Plein de chemins de Damas.

J'ai sept ans. Je sais tout. Je sais tout ce qu'il faut pour commencer à apprendre ce que je veux.

Ma vie passera par les mots. Les trous des mots. La peau des mots. Les mots qui font boule de neige.

J'ai sept ans. Je sais tout.

Denise Boucher
née le 12 décembre 1935

Louis Caron

Les quatre saisons du saule

L'été

J'ai grandi entre les bras d'un saule. C'était au commencement du monde, dans les îles de Sorel, un endroit où Dieu n'était jamais parvenu à s'entendre sur le sens de sa création. Ni terre ni eau, un lacis de canaux et d'ébauches d'îles, porteuses de saules frisés. J'ai grandi dans une île, avec ce que cela peut comporter de rassurant et d'étouffant. J'ai appris, dès le jeune âge, à puiser sans ménagement aux ressources intérieures.

D'ailleurs, chaque soir, mes parents ne veillaient-ils pas dans le noir, assis chacun à son bout de la table, le rougeoiement du feu de leur cigarette marquant seul leur présence? Il s'agissait, apparemment, de ne pas attirer les insectes, en faisant de la lumière. En vérité, la gravité de leur ton confirmait l'aventure d'une île qui, aux creux le plus tendre de la nuit, levait les amarres.

Je suis né en été. J'ai l'intérieur fleuri de l'opulence des frondaisons, la respiration de sable, le coeur me fait des bulles comme il en vient, l'après-midi, sur les berges boueuses, et ma barbe s'agite au moindre souffle.

À cinq, six ou sept ans, je luttais, de jour en jour, pour me lever avant mon père. Une fenêtre, haut placée sur le mur de ma chambre, projetait quatre carreaux de soleil sur le pied de mon lit. Un fourmillement de poussière y dansait. Je me retenais de respirer, le temps de vaincre la mort, puis j'aspirais l'odeur de la fumée de la première cigarette de mon père.

Pour compenser ma défaite, je me précipitais dehors, pieds nus dans la rosée, haranguer les herbes et les buissons de ma taille. Il m'est arrivé, certains matins, de me confronter à des arbustes beaucoup plus grands que moi, à qui je racontais les rêves les plus effrayants de ma nuit.

Mon père déplaçait son potager, d'année en année, pour laisser la terre reprendre souffle. À l'emplacement du jardin de la saison précédente, il semait du sarrasin. Il me semble que tout l'été, un frisson jaune parcourait l'arrière du chalet. J'arrachais une carotte mince comme un fil, et je suçais plus que je ne croquais le légume tendre. Je montais alors sur la plate-forme que mon père avait construite pour donner accès à la corde à linge et de là-haut, je dominais le jour. Il s'étendait, interminable, hors de proportion avec la notion de temps que je pouvais avoir, et j'entrevoyais, chaque fois, la perspective d'une enfance qui ne finirait jamais.

Mon père élevait deux douzaines de canards domestiques dans une cage, dont une partie grillagée s'avançait dans l'eau. Je présidais à la destinée de ces volatiles. Chaque matin, pour apaiser les klaxons que ces bêtes ne manquaient pas d'élever, en entendant claquer la porte à moustiquaire du chalet, je devais m'enfoncer à la cave, quérir leur nourriture.

C'était un antre d'humidité. Le mal de la terre sévissait à cet endroit. J'avançais sur le bout des orteils, conscient du lent travail de multitudes de vers, sous la surface. Plongeant un seau dans le sac de sarrasin, je m'attendais toujours à ce qu'en surgisse une de ces créatures de la nuit, informe et sans couleur, venue s'y reconstituer. Renversant la moitié de mon grain, je courais jusqu'à la cage des canards. Ces bestioles venaient manger dans ma main, me chatouillaient la paume avec l'extrémité ronde de leur bec dur. Je ne savais pas encore qu'il s'agissait d'un privilège.

Il me semble que c'était toujours dimanche. Le soleil frais du matin montait, imperturbable, à l'assaut de nos espérances. J'avais pour mission de garnir les coffres du bateau. J'inspectais les verres et je rangeais les fourchettes.

Le bateau de mon père avait une grande cabine à quatre banquettes, un carré suffisamment grand pour que nous puissions y manger, et un cockpit où nous nous tenions en famille, l'un ou l'autre de nous remorquant une futile ligne à pêche.

Nous embarquions invariablement, chaque dimanche, pour une traversée qui devait nous mener à l'île Plate.

C'était un paradis oublié, au nord de la branche principale du fleuve, une île sauvage, luttant de toute éternité pour ne pas partir à la dérive sur le lac Saint-Pierre. En son intérieur, mon père avait défriché un emplacement à peu près de la taille de la cuisine d'une maison, où il avait réservé des souches de diverses hauteurs pour nous servir de tables et de bancs.

Il y présidait à des cuissons mystérieuses, sur un feu de bois. Le menu ne variait jamais, patates, oignons crus et tranches de lard salé grillé lentement sur le feu, au bout de branches fourchues. Mon impatience m'incitait à trop abaisser ma baguette. Les flammes s'emparaient subitement du lard qui calcinait sous mes yeux.

Plus tard, beaucoup plus tard, j'ai appris le sens de ces cérémonies rituelles du dimanche. J'en ai retrouvé l'usage dans des livres très anciens, notamment dans tous ceux où il est fait mention d'une armée, campant sous les murs d'une ville ennemie. On appelle cela élever vers les cieux le fumet d'offrandes riches, pour apaiser la colère des dieux.

Je ne savais pas encore, à cet âge, qu'une sourde menace pèse sur la destinée humaine. À quarante-cinq ans, je reprends parfois la cérémonie avec mon fils, convaincu de sa futilité mais déterminé en même temps à transmettre à cet enfant, le sens de la démesure que m'a légué mon père. À cette seule condition, me semble-t-il, acquerra-t-il le courage de grandir sans heurter violemment le mur de l'absurdité.

L'automne

Une des plus anciennes photos dont je me souvienne, et dont le négatif s'est à jamais gravé dans ma mémoire, représente notre chalet, ceinturé d'une couronne de canards et de sarcelles sauvages, vingt-cinq, peut-être trente oiseaux, le cou cassé, le bec dérisoire, devant lesquels mon père pose fièrement, revêtu de longues bottes de chasse, le fusil à la main. La moustache fière, le feutre rejeté en arrière, son gros chandail de laine bleu sous sa vareuse, mon père regarde, derrière ses petites lunettes rondes, l'espace démesuré des îles où il s'est enfoncé, la veille, pour affronter ce qui me semble bien être aujourd'hui, le destin. À quoi cela servirait-il d'autre, en effet, d'aller coucher au large, comme il disait, dans l'inconfort d'une barque à fond plat, recouverte de branches de cèdres, attendant sans dormir vraiment, que le jour se lève, pour mitrailler les oiseaux de l'aube, à quoi cela servirait-il, sinon à défier les dieux sur leur propre territoire?

Vers huit, neuf ou dix ans, chaque automne, mon père et moi, nous affrontions nos monstres respectifs. Je devais me bourrer le crâne de conjugaisons dont l'exception était la règle, tandis que lui refaisait les gestes de l'homme primitif. Je possède encore la pipe qu'il fumait à cette occasion. Le fourneau en est imprégné de l'odeur acérée du tabac Alouette. Je la bourre parfois, certains soirs d'automne que les grands vents secouent, et je me retrouve en compagnie du fantôme de mon père, au royaume des îles, rêvant que l'âge nous a confondus. Il est mort avant que je puisse l'accompagner à la chasse. Aussi, n'ai-je jamais vu d'intérêt à la chose.

Pendant ce temps, ma mère présidait aux cuissons. «Qu'est-ce qu'on mange aujourd'hui?» «Du canard.» «Pas encore du canard!» Je gueulais, ignorant mon privilège. Je ne pouvais encore savoir, en raison de mon manque de perspective, que des vertus s'attachent à la consommation de la viande sauvage. Aujourd'hui, coulent dans mon sang la sève et le suc que j'ai ingérés en ces temps bénis où on me gavait de liberté.

L'automne cependant, marquait chez nous comme ailleurs, le repli vers des lieux mieux protégés. Le rituel culminait alors que nous remorquions le quai vers la terre ferme, chez l'homme engagé. C'était un grand Indien démesuré que les gens des îles appelaient «Bébé», par dérision sans doute. On le disait capable des pires méfaits. Seul, mon père lui vouait une confiance absolue. En aucune circonstance, même après s'être enivré à la ville, n'a-t-il failli à son dévouement à l'endroit de mon père. Une amitié indéfectible me semble avoir lié les deux hommes. Mon père, petit, gratte-papier chez un architecte, incapable de grosse dépense physique, et ce «Bébé» énorme, emporté par ses gestes, tiraient ensemble sur le câble qui reliait le bateau au quai qu'on remorquait. Moi, debout sur le pont de planches, je défilais, triomphal, devant la dépouille de l'été.

On replaçait soigneusement dans l'armoire haute les accessoires de l'été, les fusils, les cannes à pêche, les cartouches et les ballons confondus. Dans ma chambre, on ouvrait la trappe qui donnait accès à l'arrière du poêle de la cuisine. Je veillais ainsi quelques derniers soirs heureux, dans le crépitement du bois, tandis que mon père et ma mère commentaient, dans le rougeoiement de leur cigarette, les accomplissements de l'été.

Chez «Bébé», de l'autre côté du canal, les canards avaient pris leurs quartiers d'hiver. Confinés à une petite cabane sans lumière, ils s'y reproduiraient dans un frissonnement de paille, de plumes et de duvet.

Moi, j'hivernais chez les soeurs. Recroquevillé dans mon lit étroit, la tête pleine et le coeur lourd, j'égrenais mes souvenirs de l'été comme d'autres faisaient le tour de leur chapelet. Le jour, dans la cour de récréation, je bourrais mes poches des glands des chênes qui existaient encore à l'époque. J'ignorais à quel usage. L'instinct m'y poussait.

J'appris à m'en faire des armes. À l'aide d'une aiguille à coudre, je forais un trou minuscule à l'intérieur d'un de ces petits fruits. J'y enfilais la corde verte d'un jeu de mécano. L'instrument me permettait d'atteindre, à distance, l'arrière de la tête de l'un ou l'autre de mes confrères, et de rétracter l'objet sans être surpris. «Chou, genou, caillou, hibou, chou... et autres ou-ou.» Paf! Le gars d'en avant sursautait. Moi, les mains repliées sur la poitrine, la tête penchée sur mon cahier, je cheminais laborieusement dans le labyrinthe de la connaissance. «Qui a fait ça?» Personne!

En fin d'automne, quand une épaisse couche de feuilles mortes recouvrait la cour, j'y dessinais des passages, dégageant des chambres, des antichambres et des vestibules. J'architecturais mon territoire. Mes îles, à la dérive sur l'ennui, je craignais de ne jamais les revoir. En réaction, j'encadrais mon rêve. Je n'y donnais accès à personne.

Certains soirs, après souper, alors que nous déambulions à quatre ou cinq, dans un coin obscur de la cour, j'appris à tutoyer la soeur Saint-Albini. Elle se prénommait Reine, et elle était originaire d'Abitibi. Je n'ai jamais su qui l'avait découvert. Contrainte sous sa cornette, la malheureuse femme s'abandonnait à nos jeux d'enfants comme à un péché. Et nous insistions : «Bonjour Reine. Comment ça va, Reine?» Plus tard, dans son lit de soeur, elle devait en pleurer.

Avec mon cousin René, j'échafaudais des plans d'évasion. Il y avait, sur la galerie arrière du chalet, de quoi nous chauffer tout l'hiver. Personne ne songerait à venir nous y dénicher! Nous mangerions, nous mangerions... Nous n'avons jamais mis nos plans à exécution, parce que dans nos rêves les plus fous, nous ne sommes jamais parvenus à passer l'hiver.

L'hiver

Je n'ai jamais aimé l'hiver, sauf quelques nuits, alors que j'avais onze, douze ou treize ans, au clair de lune, sur la neige croûtée. J'y présidais à des cérémonies étranges.

Il me fallait d'abord m'habiller et sortir de la maison sans être entendu. Ce n'était pas une mince affaire. La porte de mon placard grinçait, le plancher craquait, la porte extérieure résistait, et mes pas résonnaient sur la galerie. Les quelques dernières enjambées, je les franchissais presque en courant, l'épine dorsale raide. Je devais encore passer devant la fenêtre de la chambre de mes parents. Beaucoup plus tard, vers vingt ans, ma mère me fit l'aveu qu'elle avait bien souvent surpris mon manège, et qu'elle avait choisi de se taire pour ne pas inquiéter mon père, dont la condition cardiaque laissait présager le pire. Lui non plus ne devait pas dormir. Peut-être enviait-il mon sort? Je me plais à le croire.

La maison d'hiver de mes parents se dressait à proximité d'une rivière. C'est là que je dirigeais instinctivement mes pas. Je descendais sur l'épaisse couche de glace recouverte de neige. Mes pas froissaient le silence. Je m'alignais sur le reflet du rayon de la lune.

J'avançais, raide et maladroit, le coeur exalté, jusqu'aux bosquets de saules de la rive d'en face. Une prière muette s'élevait de leur persistance. Je frissonnais. J'élevais les bras, posant mes mains gourdes sur les branches. La vie... la vie saurait-elle survivre? J'en ai souvent douté.

De retour dans ma chambre, je dressais une tente sur mon lit, en étalant ma couverture sur une chaise. J'y veillais, tremblant, jusqu'à l'aube.

À Noël, mon père payait un entrepreneur en déneigement pour faire dégager la route qui menait au chalet, sur l'île. Nous y grelottions d'impatience, en attendant la naissance du Divin Messie.

Les trois poêles suffisaient à peine à nous tenir chaud. Celui de la cuisine portait une grande marmite remplie d'eau, d'où s'échappait une vapeur salutaire. Celui du salon grondait, bourré de charbon jusqu'à la gueule. Celui de la cave faisait son office à notre insu.

Dieu lui-même hésitait à naître, effrayé par sa propre création. Je n'ai jamais douté qu'il ait regretté à l'occasion des Noëls du Canada, d'avoir donné libre cours à une colère démesurée, au jardin d'éden, pour une simple question de pomme dérobée. Quelque démon malicieux précipitait d'ailleurs habituellement une forte bordée de neige, pour la circonstance, et la veillée de Noël était consacrée à de fines spéculations sur la vraisemblance de se lancer sur les routes, par un temps pareil, pour aller à la messe de minuit.

Nous finissions par nous y rendre. L'odeur d'encens m'enivrait. Je me blottissais contre le manteau de drap de ma mère. Je m'y réfugie encore, mentalement, certains soirs de grande incertitude.

L'enfant naissait. Il allait devoir grandir pour nous tirer des misères de l'hiver. Il m'est arrivé de penser que c'était bien fait pour lui!

Je n'ai jamais aimé l'hiver, et ce n'est pas faute de l'avoir affronté. Vers l'âge de douze ans notamment, une après-midi blanche et grise que rien ne prédestinait à l'aventure, je chaussai les skis qu'un cousin m'avait donnés, et je me lançai sur la rivière. Le froid s'automutilait, me semblait-il. Je m'étais armé de la ferme détermination de glisser jusqu'au large du fleuve, contempler les espaces infinis.

L'équipement dont j'étais doté ne me convenait pas, les skis trop petits, les bottines trop grandes, les fixations inefficaces. Toutes les cinq ou six enjambées, un de mes skis se détachait. Je devais m'agenouiller, retirer mes mitaines, fouiller la neige avec mes doigts pour retrouver la courroie de cuir, et la contraindre à reprendre sa place, derrière le talon de ma bottine. Ce manège dura bien une heure, sans que je me rende compte que le temps passait.

Parvenu au large, j'envisageai l'infini sans aucune satisfaction. Le paysage lunaire n'offrait rien à mon contentement. Je repris le chemin du retour.

J'ai failli y rester. J'avais acquis la conviction que ma vie finirait là, comme celle du missionnaire blanc dont j'avais lu l'édifiante vie dans l'un ou l'autre des livres dont on me gratifiait à la fin de l'année scolaire. Je me consolais en pensant que la mort apaise progressivement ceux que le froid fige. Je me suis effectivement allongé, sur la surface gelée, pour attendre la venue de l'ange.

Je ne sais pas comment je suis revenu chez moi. Mes gestes se sont enchaînés à l'insu de ma volonté. En entrant dans la maison, je pleurais. On me dévêtit entièrement, et ce n'était pas une mince affaire, à cet âge où la pudeur m'habitait. Ma mère poussa un cri d'effroi. J'avais perdu mes attributs d'homme, ou du moins s'étaient-ils résorbés au point où on pouvait craindre qu'ils ne reprendraient jamais des proportions normales. On fit mander le docteur, qui prescrivit la patience. J'avais souvent gémi, en revenant de la patinoire, alors que mes pieds dégelaient. Jamais je n'aurais cru qu'un jour, je bondirais de douleur en attendant que mon membre prétendument viril reprenne sa forme, sous l'effet de la chaleur.

J'en voue, depuis, une haine mortelle à l'hiver.

Le printemps

La démesure de l'hiver trouvait son apothéose au printemps. Les brise-glace n'ouvraient pas le chenal du fleuve, en hiver, à cette époque. En conséquence, le printemps venait tard, bourré d'impatience.

Des embâcles se formaient, hauts comme des édifices de cinq ou six étages. On le savait, mais on ne les avait jamais vus. Personne ne se serait aventuré au milieu de ce formidable travail de la nature.

L'expédition se préparait depuis plusieurs jours. Ma mère résistait toujours un peu. Mon père ne pouvait plus tenir. Il annonçait que nous irions au chalet dès le samedi venu. Ce n'était pas une petite entreprise.

Déjà, à mi-chemin de la route, l'eau menaçait d'envahir le moteur de la voiture. Nous montions dans une chaloupe que mon père laissait, à cet effet, chez un habitant de l'endroit. Nous y chargions nos provisions. L'embarcation s'avançait majestueuse, sur la route inondée. Un bourdonnement m'emplissait l'âme.

Plus loin, nous avions accès au bateau qui avait été mené là par les soins de l'Indien. Nous y transportions toutes nos affaires et peu après, nous naviguions avec circonspection entre les arbres, les maisons, les granges et les piquets de clôture, sur une mer surprenante.

Il faut l'avoir vécu pour le croire, naviguer sur les champs, franchir les routes, frôler les saules et aborder le chalet inondé jusqu'au ventre, où nous entrions par les fenêtres de la véranda.

Il y avait de l'eau sur le plancher, le pot de chambre de mon petit frère flottant dérisoirement au milieu de la cuisine. Revêtus de hautes bottes de caoutchouc, nous déambulions dans l'eau glacée, saisis d'une humidité insidieuse. J'ai dormi plus d'une fois sur un divan posé sur la table de la salle à manger. Quelle exaltation, pour un garçon de quatorze, quinze ou seize ans!

Mon père se levait la nuit. J'entendais le flic-floc de ses bottes, à mesure qu'il s'avançait vers le salon. Il bourrait le poêle dont les pattes trempaient dans l'eau. Le vent secouait le chalet. Sa lampe de poche à la main, mon père s'approchait des fenêtres pour examiner la progression des glaces. Plus d'une fois, je l'ai vu, armé d'une des gaffes du bateau, repousser un morceau de glace qui menaçait d'enfoncer la véranda.

Quand l'eau se retirait, l'île se retrouvait couverte de débris. Nous chaufferions longtemps, l'automne suivant, avec le bois mort que nous aurions recueilli aux alentours. C'était une tâche ennuyeuse à laquelle mon père nous contraignait. Nous allions recueillir le bois jusque sur les îles avoisinantes, en emplissant de pleines chaloupes qu'il fallait vider, au retour, branches tordues, planches méconnaissables et bouts de quais emportés par l'inondation. Ce bois, il fallait encore le couper, mon frère et moi, à l'aide d'une grosse scie à dos sur laquelle nous tirions et poussions alternativement, le charger sur notre voiturette et l'empiler sur la galerie. De quoi maudire le sort de l'enfance!

Cependant, dans le fourneau du poêle de la cuisine, ma mère faisait éclore des oeufs de canards. D'invraisemblables bêtes duvetées en sortaient, que nous prenions dans nos mains, saisis d'une irrépressible envie de serrer. Mon père fouillait les entrailles de gros dorés, sur des sections de journaux, sur la table.

Un cheval fessu était bientôt attelé à un treuil compliqué dont les câbles s'enroulaient aux saules, et le bateau glissait à l'eau, son berceau s'enlisant dans la boue suceuse. Mon père n'avait que quelques minutes pour mener l'embarcation sous le petit pont de l'île, pour le hisser sous sa structure, à l'aide de quelque cric surprenant. C'est dans cette position confortable que, debout dans une barque à fond plat, il en calfeutrait la coque à l'aide d'une pâte de plomb.

Moi, j'apprenais à réduire l'espace à mesure que ma taille s'élevait. Mon royaume rétrécissait. J'en souffrais. Les dernières années, je n'ai plus accompagné mes parents au chalet. Des occupations autrement plus sérieuses me retenaient. J'avais toute une vie d'homme à tricoter et à revêtir.

Mon père sentait sa fin prochaine et prématurée. Un printemps, il fit remorquer le bateau, désormais dépouillé de son moteur, au milieu du lac Saint-Pierre, et le dévoué Indien y mit le feu, comme il lui avait été enjoint de le faire. Mon père mourut, le chalet fut vendu.

Quelques années plus tard, je retournai sur les lieux. Le chalet avait été rasé. Seul, le saule de mon enfance subsistait. J'y grimpai. Dans ma mémoire, un grand héron bleu veillait sur moi. Soudain, un butor effaroucha l'air de ses ailes.

J'apprenais le monde.

Louis Caron
né le 21 juillet 1942

PAUL CHAMBERLAND

Comme un agneau immaculé

1

Un instant je me laisse prendre au souvenir : ce sont mes mains d'enfant. Des mains d'enfant flottent comme une oriflamme dans le vent de la mémoire. Voici le désir qui ne sait rien de lui-même. Ces mains pures palpent le «lin candide» des linges liturgiques et le brocart des vêtements sacerdotaux. L'enfant de choeur se tient droit, oublieux de lui-même, fasciné par les volutes dorées au retable baroque du maître-autel. Le très saint sacrement est exalté dans l'ostensoir.

Mais ne serait-ce pas là un trucage? Une reconstruction? Il ne serait pas possible de reprendre sans plus, naïvement, le souvenir. De raconter tel-que-ça-se-serait-passé. Comme si l'enfance, ou la jeunesse, était terminée. Et si, au contraire, c'était du pas révolu, de l'inachevé. Oui, plutôt, l'enfance a été interrompue (quand? comment?), avant que... Au-devant de quoi se portait cet enfant? C'est assez tardivement que je commencerai à l'entrevoir. Je me souviens, durablement, de l'enfant que je n'ai jamais été...

Le désir de reprendre, de refaire, là où ça a été interrompu, appelle une reconstruction. En tout cas, pas d'innocence, pas de naïveté : impossible de croire à l'intact d'un passé. Je ne dénierai pas ce que l'écriture entraîne de trucage. De fiction. Comment pourrait-on distinguer le souvenir de la fiction? L'échec du désir, sa non-réalisation, ne dissuade pas le désir, il l'attise. Donc je ne peux pas tenir d'autre posture que celle-ci :

reprendre le possible interrompu en refusant de décider qu'il soit, ou non, l'impossible.

2

Un désir profond de refaire l'enfance. Comme on reprendrait un examen. Si je dis profond ce désir, c'est bien parce que je l'apprends du rêve. Ce rêve-là en particulier, si souvent refait : retourner à l'école, au collège; recommencer, comme si elles n'avaient jamais été terminées, les années d'apprentissage.

Cette fois pourtant, je sais, dans le rêve, que je suis en train de le rêver une fois de plus. Non, je n'entrerai pas dans la classe où une voix claire ânonne : b, bé. Tiens, quelqu'un vient de griffonner un avis qu'il affiche. L'envie me prend de le réécrire en le calligraphiant. Revenu au lieu ancien, j'ai conscience d'y avoir mon âge actuel. Non, aucun doute. Au tournant d'un escalier, immobile près d'une fenêtre, voici ce confrère d'alors, cet ironique confrère, qui me reconnaît : un adulte en salue un autre. Échec avéré du rêve, qui se dissout aussitôt. Mais l'échec, en ce cas, ne serait-il pas justement la réussite attendue?

3

Le dégel, le printemps, mai, juin. L'enfant palpe avec contentement la riche terre noire du Richelieu. Les semences, les jeunes pousses, l'explosion végétale, et toutes ces odeurs fraîchement lâchées. Bientôt, la table des prés : le foin, l'avoine, le seigle, l'orge, le blé, toutes les nuances de l'or. L'«extase matérielle», l'innocence de la sensation.

Le solstice d'été est proche, vient la *Fête-Dieu*. On a dressé le reposoir en plein air. L'année de mes douze ans, c'est dans la cour de l'école : un arc immense fait de rameaux d'épinettes. Le lent cortège nocturne par les rues du village. Les cantiques, les hymnes. Les odeurs de lilas, d'encens, de la cire. Sous la célébration catholique, la fête paysanne — païenne. Quand je verrai l'allure joviale et malicieuse des garçons musiciens de la *Cantoria* de Lucca della Robbia à Florence, je croirai m'en souvenir avec émoi.

4

L'idée la plus haute s'est imposée à moi très tôt : je voulais devenir un saint. Le secret orgueil d'une *mise à part*, d'une *élection* accompagne, en son éveil graduel, la conscience de mon identité. L'institution sociale, alors, tient toute prête la forme qu'il convient de donner à pareille aspiration : je serai prêtre. Est-ce que je ne porte pas un nom d'apôtre, de *l'*Apôtre? Telle avait été la volonté expresse de mes parents à mon baptême. Prédestiné, consacré dès ma naissance.

5

La Bible s'ouvre pour moi à douze ans sur la grandiose terreur des commencements. Mon père venait de se procurer la version «de Jérusalem», alors toute récente. Ce n'est pas une vantardise, je la lis d'un couvert à l'autre sans reprendre haleine.

Déjà, plus jeune, j'avais lu et relu ce très vieux livre à la tranche d'or défraîchie : un martyrologe. À chaque page, pour chaque jour, une gravure à la taille soignée comme on les faisait encore au siècle dernier. J'étais émerveillé. Parmi les diverses catégories de saints, ceux qui m'intriguaient le plus étaient les «Pères du désert», les ermites ou les cénobites de la Thébaïde : saint Antoine, saint Pacôme, saint Jérôme, saint Simon... Ceux que les corbeaux pourvoyaient de pain, ou encore ceux qui vivaient au sommet des colonnes et qu'on dénommait «stylites». J'ignorais, bien sûr, que «Thébaïde» désignait les vallées désertiques de la haute Égypte et, à plus forte raison, que, parmi ces «intellectuels» retirés d'un monde impérial pourrissant, se trouvaient les gnostiques voués à tous les diables par l'orthodoxie chrétienne.

Mais, du martyrologe, les saints qui retenaient le plus mon intérêt, c'étaient les martyrs. J'étais fasciné moins par la minutieuse description de leurs supplices que par leur miraculeuse résistance : pour en finir avec eux, il fallait immanquablement leur trancher la tête. J'admirais la performance que seul rendait possible la grâce accordée à qui s'offrait en victime consentante. Mon saint patron n'était-il pas lui-même un martyr? Devenir un saint, un héros, le modèle m'était tout tracé.

J'ignorais qu'au faîte lumineux correspondait un obscur versant, dont l'accès m'était barré par un nom en qui se condense tout ce qui doit être abhorré : l'enfer.

6

La cour de l'école. Tous ces garçons, fils de ruraux pour la plupart. Rudes, bagarreurs, délurés, rieurs. Je suis exclu de la complicité licencieuse qui lie les petits mâles. Je les désire en secret. Certes je ne viens pas du même milieu, je suis un transplanté. Mais, dans cette direction-là, l'explication serait insuffisante. Ma famille est de la classe moyenne, pas même l'aisance ne nous distingue. Non, ce n'est pas ça. J'ai la douceur et la délicatesse des filles, c'est bien évident. Du reste, pas de frère, l'aîné de trois soeurs — et toutes ces tantes, ces cousines qui viennent si souvent à la maison : j'ai vécu toute mon enfance dans l'élément du féminin.

La mise à part de la sainteté me trace à l'avance un destin, mais l'exclusion du milieu des garçons n'agit pas moins qu'un arrêt de la fatalité. On voit tout de suite l'écart : l'une est socialement valorisée avec le rôle prestigieux du prêtre alors que la fixation de l'appétit sexuel porte sur un objet à ce point interdit qu'il ne passe même pas le seuil de la nomination. Innommable, le désir capture tout l'ordre du langage dans la difficulté. C'est dans et par l'écriture que je trouverai ma première pratique de rébellion. C'est beaucoup plus tard que la puissance de l'écriture prendra toute son envergure, quand me seront révélées les obscures «racines enchevêtrées» du désir qui lient inséparablement les formes opposées d'un destin d'exclusion. À treize ans, bien entendu, je ne soupçonne rien de la sévère division qui commande mes choix. J'entre comme pensionnaire dans un petit séminaire. J'intérioriserai l'enfermement sanctificateur pendant neuf ans. Toutes les «sublimations» sont autorisées : l'étude, la musique, la poésie, la ferveur mystique.

Le régime dissocié du désir tel que je l'ai subi durant toute ma jeunesse a failli détruire mon équilibre psychique et mental. De dix-huit à vingt ans, les assauts de l'angoisse se multiplient et s'aggravent à ce point que je vis dans un état de tourment presque continuel. Le milieu ne m'apporte ni aide ni compréhension; une fois connue la gravité de mon état, on m'expulse comme un corps étranger. J'ai vingt et un ans. J'entre à l'université. Quelques mois plus tard je deviendrai athée sans douleur en lisant la *Critique de la raison pure*. J'allais trouver pour la première fois un milieu d'appartenance intensif, celui de la camaraderie militante. Mais ce ne serait là qu'une étape sur la voie du désensorcellement.

Le régime dissocié du désir, avec sa coupante polarisation ciel-enfer, a été voulu et entretenu dans la mesure même où il était affecté de méconnaissance : la morale est la faiblesse de la cervelle, a si bien dit Rimbaud. C'est qu'une telle dissociation est opérée pour qu'une part soit jouée contre l'autre. Il ne suffit pas de dire que le désir pour l'autre garçon a été durement réprimé. Ce que *devait* obtenir et garantir la répression, c'était bien l'exacerbation des pulsions obturées de telle sorte que l'énergie ainsi «libérée» et détournée soit engagée dans la sublime performance de la sainteté. J'ai cru sans réserve à cette efficace machination, dont nul, du reste, alors, ne pouvait soupçonner les dessous. La morale reste en grande partie le dressage de l'animal humain, de la bête de troupeau, comme le savent très bien les leaders de ces formations grégaires que sont les églises et les partis.

7

J'ouvre l'Apocalypse aux chapitres 5 et 6. Voici : «Alors j'aperçus un Agneau comme égorgé... J'aperçus sous l'autel les âmes de ceux qui furent égorgés pour la Parole de Dieu et le témoignage qu'ils avaient rendu... On leur donna à chacun une robe blanche en leur disant de patienter encore un peu, le temps que fussent au complet leurs compagnons de service et leurs frères qui doivent être mis à mort comme eux.» Au chapitre 14, on dit des «compagnons de l'Agneau» qu'ils sont «ceux-là qui ne se sont pas souillés avec des femmes, ils sont vierges, ils suivent l'Agneau. Jamais leur bouche ne connut le mensonge : ils sont immaculés».

Le catholicisme moralisateur, tel que je l'ai connu dans mon enfance, évitait soigneusement toute référence un peu appuyée au dernier livre des Écritures. Les excès des mouvements millénaristes de la fin du moyen âge ont amené l'orthodoxie catholique à mettre en veilleuse la prophétie eschatologique. De la contre-réforme jusqu'à nos jours, l'effet en a persisté.

L'icône suprêmement attractive de l'Agneau égorgé, de la victime promise au triomphe de la Parousie, sans doute cette image se sera-t-elle fixée en moi de manière subliminale. Ce qui prévaut manifestement de la symbolique de la robe nuptiale et du sacrifice, c'est l'impératif de correction morale. Mais comment ne pas soupçonner que la force de cette constellation symbolique n'en agit que mieux d'être occultée? La hantise de la chasteté va tourner en désir de plus en plus impérieux de l'extase mystique. Le déni infligé aux pulsions, martyre intériorisé, je parviendrai à le soutenir en y voyant l'indispensable épreuve de la «nuit obscure» minutieusement décrite par saint Jean de la Croix dans sa *Montée du mont Carmel*.

L'ouverture mystique à l'inconditionné, au tout autre, et la volonté de fusion qu'elle engage absorbent, quand j'atteins dix-neuf ans, toute mon aspiration à la sainteté. Mais j'ignore à quel point j'entre ainsi en dissidence avec mon milieu. Est-ce que la voie mystique ne s'autorise pas de grandes figures de saints, de saintes? Mais ce milieu est foncièrement réfractaire à ce qu'il ne peut tenir que pour une exaltation morbide. La dégradation du religieux en moralisme rigide, en obsession du péché, entre en composition avec les valeurs «matérialistes» de la «société de consommation» en plein essor dans les années 50. Chercher le confort sur terre et prendre une assurance sur l'au-delà, tel est le conformisme ambiant avec lequel j'entre en conflit. Je n'aperçois pas encore que cette «religion» est celle de l'existence servile et que son Dieu est le garant de l'ordre des intérêts. Un univers religieux presque entièrement capté dans l'orbite du profane. La vague de déchristianisation des années 60 n'emportera que du déchet.

L'extase mystique se désigne comme une dépense inconditionnelle de l'être qui conteste à sa racine un ordre socio-économique fondé sur le calcul, sur l'asservissement au souci impérieux de l'avenir. Par la voie de l'union mystique, je suis entré en contact avec l'élément du sacré qui, de lui-même, exige la perte des êtres, la suppression de la mesure et du temps réglé de l'existence servile. Le sacré, c'est la «part maudite» comme le désigne Georges Bataille. Cette première «contamination» du sacré va s'avérer, après maints détours, irréversible et toujours plus radicale : «hérétique». Je n'ai jamais cessé, depuis mon enfance, de vouloir devenir un saint. Seulement il me faudra du temps pour découvrir que, selon la formule de Bataille, «la sainteté qui vient aspire au mal».

8

Dès que je tourne, à vingt et un ans, la page de mon adolescence dévote, je prends vite pour acquis la dissolution de l'illusion transcendante et j'adhère sans réserve à l'immanence du champ terrestre, social, historique. Ou, en d'autres termes, je n'admets plus d'autre voie de transcendance que celle qui mène à la libération complète des humains hors de toute forme d'oppression, d'exploitation et de domination. Et pourtant. Il ne me faudra que quelques années pour m'apercevoir que les pratiques militantes, avec les impératifs de rationalité et d'efficacité qui les commandent, entrent, elles aussi, en compromission avec l'existence servile et connaissent, difficilement évitable, la chute dans le mensonge, la bêtise, l'indignité.

Une fois de plus, je deviens l'hérétique d'une orthodoxie pas moins odieuse que la religion de mon enfance puisqu'elle conduit, là où elle triomphe, au totalitarisme. Il m'est alors possible de reconnaître que c'est l'*élément d'utopie* qui a «motivé» ma foi révolutionnaire. C'est lui qui, à mon insu, a capté et cristallisé la volonté de sainteté, en tant qu'aspiration au sacré ou, en d'autres termes, à l'existence souveraine.

L'utopie socialiste révolutionnaire, si on la soustrait à la rationalité scientifique dont Marx, Engels, Lénine l'ont recouverte, révèle la filiation qui la rattache au millénarisme libertaire et anarchiste auquel mettra fin la Réforme luthérienne. Au centre de Münster, devenu la Nouvelle Jérusalem, on a installé, pour le «roi» Jean de Leyde, le Trône de l'Agneau.

Je découvrirai en 1969, dans le roman de Marguerite Yourcenar, *l'Œuvre au noir*, l'existence des frères du Libre Esprit, l'un des courants les plus radicaux du messianisme médiéval. Découverte pour moi capitale puisqu'elle me permet de comprendre, enfin, ce que j'ai depuis toujours désiré et pressenti : les figures dissociées du désir, qui ont hanté mon enfance et mon adolescence, apparaissent pour la première fois dans la lumière d'une réconciliation possible. La chair et le sang, le corps d'amour est sacré : l'effusion de l'Esprit inaugure, ici-bas, sur terre, sans délai, le Royaume et, nous rendant l'innocence, lève tous les interdits.

9

Le Saint-Esprit! Très jeune, j'ai été étonné du peu de cas qu'on en faisait. Je trouvais franchement désolant qu'on réduise sa fonction à celle de dispenser de «bonnes inspirations». Par chance, on ne peut pas annuler la puissance symbolique des Écritures et de la liturgie. *Veni Creator Spiritus,* c'est quand même autre chose que la platitude moralisante.

«Je vous enverrai un autre Paraclet.» Être chrétien, à la fin de mon adolescence, cela représentait vivre dans l'attente, la hâte de l'invasion de l'Esprit, de son effusion sur toute chair. Le misérabilisme qui stoppait la révélation au vendredi saint m'indignait. «L'Esprit souffle où il veut», quel vigoureux rappel de la liberté. Le Souffle venu d'en haut envahit la maison et répand les langues de feu sur les apôtres de la primitive église. L'Esprit les rend saouls d'enthousiasme et les pousse au-dehors, au-devant des peuples auxquels ils communiquent, dans toutes les langues, la «bonne nouvelle» de l'affranchissement. Je n'ai pas tiré d'une autre source ma première conception de la poésie : transport de l'âme et connaissance savoureuse, sapience, qui rend libre.

10

Je n'oublierai jamais ce sermon dominical assez inhabituel fait par un jeune prêtre de passage. Je n'avais pas plus de treize ans. C'était l'un des dimanches après Pâques, le printemps éclatait au-dehors. Le sermon décrivait les propriétés du corps de résurrection. L'incorruptibilité, l'ubiquité, la subtilité (le pouvoir de passer à travers les murs). J'étais ébloui!

Le corps glorieux : fructification échue au terme de la longue épreuve. L'expression «résignation chrétienne» m'a toujours paru impliquer une méprise : comme si le Christ n'était pas *déjà* ressuscité. Si la sanctification était désirable, c'était bien comme processus de transfiguration. «Et il me sera loisible de posséder la vérité dans une âme et un corps», ces dernières paroles d'*Une saison en enfer* ont toujours évoqué pour moi l'obtention effective du corps glorieux.

11

J'ai cinq ans. Par la fenêtre ouverte de ma chambre, j'aperçois la lune, pleine, au-dessus de l'horizon. Mais je ne sais pas que c'est la lune. Je suis sûr qu'il s'agit d'une «planète» immense, jamais vue, sinon dans la page illustrée de la rubrique «astronomie» de l'*Encyclopédie* familiale. Les gens sont dehors, dans la rue. Il y a beaucoup d'animation, ce qui me paraît hors de l'ordinaire (Longueuil est une petite ville paisible). Une nuit d'été, claire, un reste de pâleur, c'est l'interminable couchant solsticial. Je n'arrive pas à dormir, la stimulation est trop vive. Le sentiment de la fête, ce sera toujours comme cette fois-là : dans la nuit claire et parfumée, sous le signe de l'astre nouveau, tous sont dehors, exaucés, heureux dans le grand jardin. Oui, «une nuit de juin à jamais éternelle».

Cinq, six ans. On m'a conduit à l'église. Une vaste église obscure où les lampes, les cierges, çà et là, font de mystérieuses clairières. Des êtres passent à travers un mur qui me paraît fait de braises. Ce sont des anges, et je les vois!

Dans la même église, à une autre occasion, je suis pris d'une crise nerveuse à la vue d'un crucifix grandeur nature, corps blafard, fustigé, tordu, ruisselant de sang.

Cette église est celle de Saint-Antoine-de-Padoue à Longueuil, où j'ai été baptisé. Saint Antoine à la bure franciscaine, et qui tient, ébloui, l'enfant divin dans ses bras.

Un garçon mort-né m'avait précédé de onze mois dans l'existence. Mon nom fut d'abord le sien. On m'a dit qu'à ma naissance la ressemblance était saisissante. Je porte depuis toujours le deuil de mon frère jumeau.

À quinze ans, un rêve. L'un des plus prodigieux qui me soient jamais venus. J'avance dans l'or vert luminescent d'une prairie, mon jumeau, mon aîné me précède et me guide.

La fusion gémellaire est, pour moi, la figure élective du désir, de l'éros. Depuis toujours. Son nom : soleil ou étoile double. Les mythologies rappellent universellement ce singulier archétype. Seule l'indigence d'imagination de ma propre culture aura fait que j'en aie eu si tardivement l'intelligence.

Le primat de l'existence profane signifie : régression.

12

Dans le foin de la grange. Nous avons douze, treize ans. Nous venons de courir à perdre haleine, nous sommes en sueur. Ti-Toine me prend la tête en étau entre ses cuisses. Je supplie. Il rit, resserre la prise. J'étouffe contre son sexe durci. Un coup de reins et il défait la prise, contenté. Nous sommes des enfants. Le plaisir est simple. Nous ne savons pas encore.

Je monte à l'autel. Les saints ont les yeux fixés sur la lumière tombée d'en haut. Un ange se penche par la nue entrouverte. L'extase est un nom inconnu. J'irai certainement au ciel... si je me garde pur.

L'intensité attractive, prochaine, du Corps glorieux se nourrit d'un cadavre. Ceci est mon corps, ceci est mon sang. Telle est la gênante vérité du catholicisme. Qu'il n'a su maintenir, depuis des siècles, qu'au prix d'incessantes édulcorations.

On ne franchit le seuil de l'interdit qu'en risquant la déréliction. Je suis certainement un hérétique, j'encourrais la peine du bûcher. Ceux qui osent lever un coin de voile trouvent immanquablement les bourreaux du Christ. Tel Pasolini. «La sainteté qui vient aspire au mal.»

L'élément raréfié du sacré dissimule inévitablement sa provenance, son substrat : l'abîme des pulsions. Mais la gloire n'éclate, terrassant les gardiens du tombeau, que d'avoir absorbé tout le déchet. La sainteté n'est obtenue que par fusion au brasier sexuel. Voilà, exactement, ce que ne veut pas savoir une humanité moderne, profane, «émancipée». Elle gère son sexe hygiénique comme tout le reste pour ravaler sa peur du débordement transfigurateur, qui seul exaucerait son appétit spécifique. Le refus de la sainteté, de la gloire, de la souveraineté : elle ne veut pas aller voir ce qui lui tord le ventre. Elle fait confiance aux spécialistes du placebo. Elle fait manger des pierres à ses enfants en claironnant : progrès! Elle feint l'étonnement devant les catastrophes qui risquent de l'emporter et qui ne sont qu'évacuation du poison fécal qu'elle entasse bien à couvert sous sa morale de gestionnaire et ses obsessions prophylactiques.

Le catholicisme doit durer parce qu'il est encore le seul à ne pas détourner la vue du cadavre, ressource de la résurrection. Ceci est mon corps, ceci est mon sang.

13

Au chapitre 6 de l'Apocalypse, il est dit que le Grand Jour de la colère de l'Agneau est enfin venu, qui consommera la déroute «des rois de la terre, et des hauts personnages, et des grands capitaines, et des gens enrichis, et des gens influents». La colère de l'Agneau conclut, exauce l'appel à la vengeance de «ceux qui furent égorgés pour la Parole de Dieu».

L'Agneau qu'on égorge en sacrifice, c'est bien la figure de la victime innocente et sans défense dans toute sa force archétypique. «Doux comme un agneau» est la formule superlative, l'hyperbole de la douceur. Un cantique usuel me proposait en refrain : «Jésus, doux et humble de coeur, Rendez mon coeur semblable au vôtre.» Naturellement, la mièvrerie du sois gentil, obéissant, servile. Mais l'intériorisation du modèle proposé, à la faveur du contenu manifeste débile, préserve, assure la castration dans l'ordre du symbolique. Constellation de l'horreur et du sublime. Le seul spectacle de la violence des garçons me paralysait de peur et j'étais fasciné par leur superbe fougue : les racines enchevêtrées du désir. J'en ai vu récemment la magnifique projection dans les flagellations et «dérisions» du Christ peintes par Annibale Carrache : le corps livide, abandonné à la transe tétanique du consentement absolu, attise l'euphorique fureur des bourreaux.

La figure de l'Agneau. Mais n'est-ce pas du fait même d'être sans défense, d'interposer la parfaite posture de la non-violence qu'il peut attirer à lui, sur lui, tout l'élément de la violence, pour le condenser et l'annuler au point de sa culmination?

C'est dans sa colère que le mystère de l'Agneau se fait le plus impénétrable.

Ce mystère, j'en suis encore et toujours au seuil. Mais comment approcher l'énigme de la réciprocité de la violence et de la non-violence? De la non-violence en tant qu'elle fait que la violence parvienne à un comble qui termine, extermine le cycle du sang, de la dette et de la vengeance — passage de la Loi à la Grâce, *pâque.* La non-violence *insoumise,* qui enraye le cercle de la fureur mimétique des opposés, des semblables rivaux, scellant dans le sang de la victime émissaire leur réconciliation.

14

Voici. Désormais, si tardivement, l'enfant au regard extasié à la vue du Corps ressuscité, glorieux, *sait* que ce corps est celui de l'autre garçon. Mais l'autre garçon, lui, ne le sait pas. Le corps d'amour ne peut être encore rassemblé, réunifié. Et ce savoir est comme s'il n'était pas : il est sans cesse au bord de se dénier comme impossible — comme imposture.

L'éclat jumeau des dissemblables, de l'ange pensif et de la jeune bête fougueuse, n'est connu ni de l'un ni de l'autre. Ils ne savent pas qu'ils s'aiment, ils ne se mesurent que dans leur exclusion réciproque. Chacun détient la part de l'autre, mais, divisés, ils ne peuvent que méconnaître l'attraction qui les destine l'un à l'autre. Ainsi se reproduit, de siècle en siècle, le massacre des Innocents.

Comment penser ceci : que la colère de l'Agneau éclate comme joie, fureur et joie de la Réconciliation, — supérieure violence de la non-violence qui surmonte et supprime la violence en en transmutant le déchet. Le cadavre de l'immolé pourrit pendant des millénaires; les compagnons de l'Agneau patientent, et tiennent par toute la force de leur insoumission, jusqu'à ce que le compte y soit et qu'ils forment de leur total le Corps d'amour en qui se conjoignent la force de ce qui est en haut et la force de ce qui est en bas.

Je sais. «La sainteté qui vient aspire au mal.» Au risque de m'y perdre, j'irai au plus bas dans l'obscur et le maudit, là où le cadavre de l'humanité n'arrête pas de pourrir. Ce savoir en moi veut résolument incarner le cadavre parce que c'est de la putréfaction poussée jusqu'à son terme que le renversement transmutatoire peut advenir. Le Christ descend aux enfers et séjourne trois jours chez les morts avant d'obtenir son corps glorieux. Jamais, au cours de mon enfance, personne n'a su ni même voulu rendre compte de ce mystère pourtant retenu et proposé comme un article du Credo. Comme tant d'autres chercheurs avant moi, j'ai dû trouver mon chemin tout seul, ce qui veut dire dans la déréliction, comme un proscrit. Et cela dure obstinément du fait même de semblables qui se déclarent affranchis de toute «superstition». Mais, à la fin, modernité et aveuglement, cela revient au même.

Paul Chamberland
né le 16 mai 1939

François Charron

Apparitions

Guerres... orages... Plus loin, dans la description de ce souvenir, de cette chose qui n'a pas d'importance, et se maintient. Je ne suis pas venu au monde, le cortège s'achève... La défection, les défauts du langage font rage. Plus tard, l'univers, le mur pâle, on attend, on ne dit mot. Une explication pourrait suffire. Plus tard, mon regard s'arrête à nouveau. Je ne peux vraiment le dire. Je le dis. De loin en loin, seulement, pressé par le vent, les vieux papiers... À coups de pelle dans les jours, pressé de communiquer mon message : guerres... orages...

Ici les jours sur mes paupières. Quelqu'un, ici, les jours. À partir de là, on pose un pied, puis l'autre. Le jour va bientôt tomber. Le jour est tombé. Ça doit être comme ça. La forteresse, tout à coup, éclate comme une futaille dans la flamme. Quelqu'un, n'importe qui, se rue dans l'éternel automne, avec une explication nécessaire, une explication requise. J'écris ceci, tantôt ici, tantôt là, sans honte ni espérance. Au bout de ma fuite je découvre le cahier noir qui flotte dans ma bouche. Ce cahier était présent depuis toujours, on ne sait comment, mes dents mordant les lettres, mes poumons respirant les lettres, sans pouvoir les reconnaître pourtant. Au coeur de ma petite chambre, moi, le garçon, avec une terre, avec une tête, là où jamais le paysage des réponses ne se montre, je découvris le cahier enténébré qui parfois sortait pour longer les objets durant le sommeil.

J'écris ceci, les jours, les saisons, le temps qui passe... Pour cela, il n'y a ni raison, ni comment, ni pourquoi. L'avalanche des jours, le sentiment des jours, la furie des jours, pour arriver dans la chambre, au milieu de la nuit, la lumière colorant mes chaussures et mes gants, glissant à la surface de mes jouets. Le cahier, lui, pour n'importe qui, pour tout le monde, franchit les obstacles, attaque les cloisons, reste introuvable entre les planches. Nul ne s'en étonne. Nous aurons fouillé la maison, les armoires, les coffres, sans trouver rien d'autre que des reflets blafards...

J'avance parmi les alluvions, les téguments, dans ce dernier oubli m'indiquant les barrages de l'Histoire. Je veux courir, déserter les immeubles, enjamber la descendance commune. Je veux m'alanguir pour être celui qui refuse d'avoir d'autre origine que celle de ses mains non arrivées, non construites. J'avance en déplaçant chaque image accrochée contre les placards ou sur les rideaux, décevant les personnes mortes, habillées et mortes. Si je m'arrête, une incertitude troublante s'installe aux creux de mes membres pour me convaincre de l'omniprésence du mur.

L'esprit humain peut dire oui, l'esprit humain peut dire non, l'esprit humain apporte doucement ses cadavres qui implorent. Avez-vous entendu? Les jours se dissolvent... leurs rites... leurs colères... Une hypothèse brouillée dépouille les victimes de leurs valeurs. Ma petite chambre remplie de feuilles sèches et de gouttes d'eau s'épuise à voir ce qu'elle voit. N'importe qui devrait pouvoir rester intact et se replier dans ces moments-là.

Je fauche la lumière. Je pénètre la lumière. La lumière sur mon front, la lumière dans ma poitrine. Tout est insuffisant lorsqu'on y pense. J'apparais. Je disparais. Il n'y a jamais de mensonge. La lampe s'allume. La nature humaine, indéfinissable derrière les meubles, expose ses images qui accouchent du jour. Elle les colle, elle les épingle, elle les affiche, je viens de vous en faire part. Elle nous donne ce qu'on appelle du courage. Une équation de plus... une explication de plus... à proximité de soi, dans notre silence...

Nous sommes là, près d'une chapelle. Nous avons peut-être quitté la petite chambre, mais ce n'est rien de sûr. Alors, une chapelle, ça sert à quoi? Pour le moment la chapelle s'égare dans les méandres de l'aventure. Nous y reviendrons, sans doute, plus tard. Une entaille profonde, un désert, éloignent définitivement la chapelle. La grande foule s'avance et proclame : *Le souvenir est contenu dans la boîte, mais le sang n'est pas dans la boîte.*

La grande foule, aussitôt, s'éparpille au seuil de la blancheur. Je la regarde longuement, négligeant peu à peu l'entaille, le désert, la chapelle.

Je me lève. Je dessine des forêts à deux coins opposés de la pièce. Peine perdue, les forêts immobiles finissent par frémir, distribuer leurs échos, s'évaporer dans l'espace. Je suppose alors que la mémoire hors de moi se refuse. Je recommence. Je peins des bateaux sur des morceaux de bois, des bateaux que je fais circuler autour des divans, à travers les couloirs. Les bateaux font aussitôt naufrage. Peine perdue. Je voudrais inventer autre chose, tailler des émeraudes, bâtir des escaliers, élaborer des théories pour mille jours, mille années. C'est ce que je pense, moi, le garçon. Demain, face à un mur, quelqu'un, peut-être.

Le lieu, la scène où les ongles et les dents illuminent le corps absent... l'étendue silencieuse... Suivez-moi bien : la nuit, le crayon, les modifications lentes de l'intrigue. Ce n'était pas ça... c'était... était-ce?... Mes bras et mes jambes parcourent des contrées sans mesure, ratissent les marécages. Suis-je advenu? Est-ce que c'est l'heure? Les forêts, les bateaux, c'est inutile. Il ne faut cependant pas perdre de vue la plate-forme, les passerelles, la destination inconnue. C'est comme ça.

Je me retrouve à côté d'une fille, auprès d'un corps, auprès de l'air naissant. Je peux le dire. Tantôt là, à même la lenteur, avec le mur des choses sur lequel il faut s'entendre. Maintenant, à nouveau, pour demain, quelqu'un protège la lumière lointaine et terrible... la lumière, notre seul dieu... Ça je le dis. Son coeur, mon coeur, la lumière... c'est impressionnant, je le crois.

Les projecteurs s'allument. Nous allons bientôt parler. La mémoire près du mur, la foule près du mur, vous le voyez, n'est-ce pas? Les jours se renversent, noircissent mes paupières. Quelqu'un... ici... les jours... Ça doit être comme ça. Que va-t-elle me demander? Que va-t-elle m'annoncer? Le temps qui se sauve... personne... Le vent effleure le miroir, dénude les reins, le pubis. L'horloge est coincée, l'écriture ameute la nature humaine... À gauche ou à droite, son ventre à la surface du miroir... énorme miroir où la chair s'épuise, où le cri frappe le vide, où les ressemblances revendiquent l'impossible appropriation des âges... Si je parle d'elle je dis : *Sa langue, son identité, s'agrippent contre les coulisses quelquefois...* Une autre histoire... la même histoire... sa marge de liberté, d'obscurité... Aucun vivant n'en sait plus long.

Je touche le sein, je lis le livre. On peut seulement affirmer qu'il y a une chose, ou un lieu, et que c'est ça, que c'est bien ça.

Nous existons. Nous explorons au hasard les éléments d'une figure que déterminent les sons. Un ralliement plus loin, là-bas, debout, en train de prier l'héritage des siècles incrusté au mur. Nous penchons la tête, nous appuyons le front contre le mur, nous laissons cela derrière. Il n'y a rien derrière.

Nous aspirons aux mêmes rives, aux mêmes îles durant dix secondes. Nous ne savons pas ce que nous avons décidé ensuite.

Mercredi (appuyons-nous sur mercredi) nous nous sommes endormis au-dessus du gouffre. Nous avons offensé les marchands en contemplant le trou du ciel. Nous, ou n'importe qui, ou tout le monde, durant dix ou onze secondes. Il y a toujours une seconde de plus ou de moins. Les cloches de la chapelle, le cimetière, le froid, nos doigts s'engourdissent. À notre insu, des serrures s'accumulent, descendent en nous, scellent nos voix...

Les cloches, le cimetière, la première neige se dépose nonchalamment. Elle demeure tout à fait close, immanente. Je m'allonge sur elle. Je fouille la neige qui fond. La banalité de la neige. Le mur ou les cloches, ou la neige, au pied du lit, tapie dans la pénombre grise de la chambre. Des vestiges innombrables qui nous heurtent parfois. Ensuite, une dépêche suppliante, déchiffrée et engouffrée dans le sac. Le sac est précipité au fond d'une mare. Elle et moi et la société qui tiendra ses promesses, l'esprit humain doit le savoir.

La neige abonde et plus tard elle devient de l'eau. Le mieux, c'est de s'en aller doucement.

Il est huit heures du soir. Il y a les actes humains, puis les bords de notre faim imprudente. L'éclairage, les denrées, les costumes habituels. Je les prends entre mes bras, je souffle sur leurs propriétés mortelles. Là où se déroule cette scène on doit croire à l'endurance de quelque chose, à la marche qui progresse, qu'on se représente : le groupe... le sens... la patience de la matière... Tout ceci, la profondeur de la Cause, l'accomplissement futur de la Cause... Notre haleine gardée, protégée, réclamant les enceintes, les façades, les clôtures... On ne peut l'écarter à proprement dire. Immédiatement, dans l'acceptation de l'identité, cette parole soustraite au silence... toujours... déjà...

Devant l'ombre, devant la boîte et son ombre, à peine un chuintement, à peine une rumeur pour nous aider à ne pas oublier les déductions logiques de notre parcours. Quelle vérité, délicatement, se déchire pour nous plonger dans ce désarroi, cette crise? Pour le moment, notre position, notre jeu, déplacent les serments, reçoivent l'événement subitement enseveli et futile. La haine, l'amour, brûlent sans deviner pourquoi. La famille humaine refuse de savoir, et pourtant elle s'étale à nos côtés, si faible, si musicale... Elle vient partager malgré elle notre clandestinité dépourvue de sens. Ce qu'il reste à dire : les cordes encore pleines de noeuds, des cavernes sans porte ni vie antérieure, des caresses qui se mêlent aux arbres la nuit... Qui sait tout ça? Et pourquoi?

La Voie invisible et tranquille, son détachement secret nous dévisage. Quelqu'un sanglote face au changement des choses. Il faut tâcher de trouver les mots, le supporter. L'absence de tout guide, l'absence de toute flèche... Le scandale de ce dévoiement se manifeste et prend forme avec lenteur, comme une énigme. Il n'y a pas d'énigme, et, avec un seul mot, un seul visage, nous passons d'un soleil à un autre, d'un noyau à un autre, en pivotant sur nous-mêmes...

L'attention... le calcul... un seul mot, un seul visage, pour passer d'un point à un autre.

Une fois la petite cour recensée, j'examine chaque pas, chaque écueil. J'utilise le tournevis, les ciseaux, la lampe de poche. J'exagère beaucoup. Un ruban me couvre la face, je remue les cils, quelque chose se conjugue autrement. Je finis par graver le mot *fin* sur un rectangle et le mot descend au centre de mon oeil et ne me conduit nulle part. La parole en feu, la parole transitoire, comme coupée au couteau...

La brise tiède, sans motif, susurre à travers l'herbe. Je poursuis la pensée qui s'agite, la couleur lointaine, la lumière meurtrie, anonyme. Dehors, les pieds dans la cour, mais d'une manière si peu visible, je déloge un petit coin du jour. Le tombeau justifiant la chapelle, ou les pieds dans la cour, et le ciel assez bas pour s'affranchir de toute loi. Le tombeau, la cour, ces lois rejetées par le ciel... La proposition, à supposer qu'il y en ait une, est invraisemblable, elle fait fi des rapports qui façonnent les êtres. Que dire de la douleur, de la joie, de l'écoulement du sang lorsque vous êtes en train de grandir et que ces phrases vous parlent?...

Une démarche impensable, une insouciance qui évite les fenêtres, les dialogues. Et puis l'on arrive à reconnaître quelqu'un, à s'adresser à quelqu'un. C'est comme ça que ça commence, que ça pourrait commencer : la voix qui renoue avec l'architecture, le souvenir dorénavant démontrable.

Un peu troublés en bordure de la route, la fille, le garçon, deux silhouettes sous la lune pour les hommes, pour leur utilité, pour leur salut. Le tombeau... la cour... une cage... *À quoi jongles-tu?* me demande la fille. Ma tête est légèrement inclinée, l'illusion qui nous dirige affame les hommes. Je prends un escabeau pour aller cueillir un fruit, pour aller nier l'illusion des hommes en cueillant un fruit. J'essaie, je soupire. J'écoute le murmure de la nuit, le murmure de cette nuit au centre du fruit que je lui donne. La langue négative, exceptionnelle, existe pour soi seul. Incontrôlable défaite du temps, de l'espace... La vie indevinable...

La direction, nous sommes reconduits de nouveau à une direction. Voilà notre fatalité humaine. Et ça s'écrit là, aux abords d'une boîte de carton, ou agenouillés devant le tombeau avant la prière, la prière irremplaçable. Le ciel instable glissé dans l'oreille de la communauté... Les besoins... les contrats... la prière jusqu'à épuisement des images... Nous abaissons les yeux, nous sommes en face du lit, la chronologie secourable balbutie les conventions obligatoires. La cérémonie, vue de l'extérieur, ressemble à une légende qui se convulse involontairement, discrètement, innocemment...

Un mal se dissimule et persiste et ne cède pas. Jurer... espérer... attendre... Mon âme, de temps en temps, lorsque j'y pense, me fait sentir la base et le sommet. Le lendemain, l'impression sèche, se couvre de craquelures. L'impression s'avère dépassée.

La main brassant la boîte ou fouillant la chapelle. Puis, tout reste stagnant. À quoi sert la chapelle?

Il y a pourtant des accointances, un déroulement, une première personne, une deuxième personne... Oui, bien sûr. Il faut continuer à parler, malgré la tempête, malgré le cercueil. J'ajoute quelques remarques, plus bas, encore. Une sensation d'effroi m'ordonne d'abandonner mon discours, de me retenir, de me calmer. J'en arrive quand même à cette affirmation : la procréation, le cercueil.

Le cahier dans la bouche... l'ampoule allumée... le pays appelle ses membres au-dessus comme au-dessous. Les alliances anciennes, on les aime, on les emporte avec soi. On emporte le pays avec soi. Moi, mon enfance, le mobilier, les effigies, des odeurs que nul ne peut voir, ma salive réinventant les étoiles. L'affirmation intolérable : la procréation, le cercueil.

Je répète les mêmes signes, les mêmes flétrissures. Je piétine, je ne suppose rien. La maman... les anges... mille anges... J'ai cru rattraper une route entre deux corps. Sa peau, son ange, ses lèvres mangées par les anges... Le délire est sans usage et jamais retrouvé. Penchée sur le berceau la maman se décompose, sa perte se marque sur mon sexe, assassine ma main. Le mur derrière elle se change en rêve fou. Vite, je découpe un châssis, je colore un châssis par touches convulsives, inattendues.

Au départ il n'y a que du blanc, qu'une caisse floue, dissipée, qui me captive. Puis elle se dépense, se matérialise. Je commence seulement à intuitionner par où le baiser débute, par où sa chaleur me frôle et me rassemble. J'aboutis progressivement au berceau, compose une attention, taille un sourire. Je pourrais pleurer facilement. Je pleure. La prise de vue change maintes et maintes fois sans réussir à m'apaiser. Le moule... l'étalement des règles... la fondation de la distance et de l'ouïe... La nature humaine enveloppe la terre de sa bonté. Une ambiguïté me requiert... une fascination...

La fille lèche ma salive, mesure ma chair. Ses pupilles fendues, enflammées, déversent du sable sur la blessure émerveillée. Ni mâle, ni femelle... La mémoire se brise... On veut bien croire n'importe quoi... Au tréfonds de nos muscles l'espace nous prête ses facultés, on ne distingue plus le bout d'une ligne. Où se dirige l'espace? Que manigance la ligne? C'est ainsi, voilà tout.

J'embrasse la fille, la dévêts au fond de la chapelle. Moi, le garçon, je l'étreins et la griffe, touche les parois où résonne toute poésie. Je renvoie la chapelle, bouscule la caisse, passe une éponge sur le lac. C'est comme on veut.

En fait, on ne retrouve rien, on ne paye rien. Les vagues nous aveuglent, le public jette son or, les prévisions entre mardi et vendredi s'avèrent inexactes. La maman... son ange... mille anges... J'ai cru conserver quelque chose qui s'abolit devant moi, quelque chose qui boit l'alcool impossible du réel. Les avions se tuent entre les arbres, la maman se tue. J'examine les restes, déterre les larmes, la sueur, essuie les déchets avec un chiffon. Mon épiderme d'enfant est plus vrai que le nombre des branches. La maman se tue, les arbres s'ouvrent, on pénètre l'inconnu...

Un beau jour, dimanche, la fille vient me rejoindre. Elle vient s'asseoir sur la chaise, ou autre chose, ou pas autre chose. Nos lèvres s'annulent, la chaise se disperse, on assiste à une opération sans précédent, ici, n'importe où, en ce même jour où parlent les arbres. C'est impressionnant.

Un beau jour, le dimanche, avec une fille et la chaise, on en arrive là : seul devant l'ombre, devant la boîte et son ombre... pour ravaler sa planète... ses sanctuaires... sous la lumière effritée, non signifiante...

Sa nuque courbée sous l'astre du mystère, mes deux doigts branlant la fente. Une plainte qui la renverse, une plainte qui monte du sol pour aller toucher l'espace le plus simple. La grande fièvre nocturne s'échappe vivante de la chambre.

Le souvenir épouvanté roule sur le parquet. La chapelle, le pays, apparaissent semblables à des outils trop vieux, décevants. La vérité s'est trompée de site. La plaine immense ou la rivière limpide nous conduit à la lisière des sentiments, des stigmates. Cinq pas... dix pas... vingt pas... Je redis qu'il y a un mur blanchi au lait de chaux, que l'être se rassure ou se mortifie auprès du mur. Soudain, il n'y a plus de pays ni de chapelle. Reste le portrait de l'absente contre le mur ou sur une chaise, peut-être... Le portrait avec du brouillard et presque avalé par le brouillard...

À l'intérieur d'une bâtisse, sous un clair de lune, une idée se cherche parmi les mythologies, les sacrifices, les cultes rendus à l'idole. Le trou de la chaise reste muet... Je m'en éloigne... je m'en rapproche... Je maintiens le portrait, puis l'arrache, puis le serre très fort avant de le mordre, le déchirer, le répandre aux quatre vents... L'opération se bâtit au centre de mon corps. Les objets qui sont proches rendent cette pensée visible.

Les paroles sont vastes, les paroles sont vives, les paroles sont comme une soif qui s'empare de nous et nous fait chanceler. J'invoque la poudre et nous devenons peu à peu cette immense faiblesse recouvrant la surface intelligible. Il n'y a plus de victoire, plus de souffrance... La pensée communie avec une gloire si libre, si clairvoyante... Notre non-identité est toujours généreuse, toujours exacte. Je murmure : *L'arbitraire c'est pour nous... L'intensité c'est pour nous...* Les objets se consument sur le papier, les preuves de notre séjour sur terre ne cessent de se lamenter. On entend le portrait, à gauche, qui résonne.

Elle me donne à contempler sa robe et sa façon de me la montrer fait que je sens la patience de l'air autour des choses. Je relève le bas de sa robe, son jupon... minuit sonne. Il n'y a personne ou il y a quelqu'un. La maison s'allonge, s'atténue, se dérobe. Il faut faire attention.

Je prends les ciseaux, découpe le coffre brillant rempli de syllabes et de clameurs. Ou plutôt, la main sur ses fesses, je bave dans sa bouche, je parodie l'accomplissement de l'explication. L'oeuvre se poursuit, plus intacte, plus inéluctable, plus indiscernable que jamais...

Loin... toujours plus loin... l'humanité nous abandonne. Avec nos douceurs, avec notre linge fragile, nous entrons comme des voleurs dans la communion des races et des continents. Après l'orage, après la guerre, après le vrai déluge, nous sommes renvoyés au travail des ressemblances, aux mécanismes d'enregistrement, à la fonction de choisir et retrancher... là où l'esprit retient et détruit, là où la matière trahit la matière...

Les rues se perdent, la boîte s'agite en tous sens. Le portrait est digéré par la chaise, la chaise dévorée par la boîte... Nos joues franchissent le fond des divergences. Il n'y a pas d'acte, pas d'avertissement. La révélation est permanente.

Nous ne marchons pas. L'univers en arrive toujours là... Les mêmes associations, les mêmes éclipses, le même engouffrement vorace.

Le cercueil au premier plan... l'existence au centre de mon oeil... la clarté se fractionne au même moment.

Je frôle ses membres, recommence ses yeux, épelle la nuit contre son ventre. À côté de nous l'ampoule saigne sur le sol. Qui sait combien d'individualités s'écroulent lorsque l'ampoule saigne et macule le sol?

Quelques phrases, quelques mots qui nous regardent intensément. Une chaise, un portrait, une chapelle... Le silence a libéré toutes les portes. Sur un petit banc, devant le mur : le garçon, la fille, le lieu irrésolu... La matière n'est nulle part...

L'éternité ne se connaît pas... Personne n'aura parlé... Le souvenir est quelque chose que nous attendons à la veille de partir et pour pouvoir partir. Le récit, immobile, en arrive finalement là.

François Charron
né le 22 février 1952

Normand de Bellefeuille

Bluff avec dames

La première carte glisse, flottant presque, réussissant sur elle-même, d'un bout à l'autre du vieux ciré vert de la table, une exacte rotation. La main d'Alice est certainement la plus habile à ce petit exercice. Elle donne, toujours silencieuse, levant à peine les yeux vers Gabrielle, ma mère, et lui lance la première carte qui glisse, flottant presque, exécutant sur elle-même une exacte, une parfaite rotation; elle menace même tout à coup de se retourner vers la fin de sa trajectoire et de révéler alors aux autres joueuses sa couleur, peut-être même, qui sait, sa figure, mais heureusement, freinant sec contre la monnaie soigneusement empilée, elle s'immobilise.

— Mise, Cécile!

Le court claquement de la carte contre les pièces a fait sursauter Gabrielle qui maintenant, sans la relever, sans même en imaginer, en deviner la couleur ou la figure, regarde cette carte toujours retournée contre le ciré vert et, sans la toucher encore, y examine l'image de cette jument à tête triplée, le flanc barré de sept flèches. Elle ferme un peu les yeux, revoit tout à coup la campagne, la petite fête sous le chêne de Sarlat, goûte à nouveau dans ses joues le vin trop tiède, trop doux et le pâté truffé; puis, de son doigt, lentement, très lentement, elle retrace, sur cette carte devant elle, immobile, la silhouette de la bête de Lascaux. Au même moment, la seconde carte s'y superpose presque sans faute! Alice sourit, les autres s'étonnent toujours de son adresse à disperser ainsi, avec tant de soin, tant de précision, les cartes autour de la table.

— Mise donc, Cécile!

Cécile oublie encore, c'est son habitude, qu'étant à ce coup la suivante de la donneuse, il s'agit cette fois de sa «mise», de sa «pisse» aime à dire Madeleine, ce qui chaque fois scandalise un peu ma mère. S'excusant, timide toujours, Cécile avance, de toute sa main, les pièces. Les autres rient de sa distraction. Presque honteuse, rougissant, croirait-on, elle ramasse rapidement, trop rapidement, les deux cartes déjà données. Je suis tout près de Gabrielle, assis même sur elle parfois pour lui tenir son jeu. Je lui montre du doigt, flanc à flanc, oubliées presque, ses deux premières cartes qu'elle relève enfin, révélant, trèfle et coeur, quatre et dame, le mauvais jeu qui s'annonce. Surtout n'en rien dire — ne me l'a-t-elle pas assez répété! — ni laisser paraître ma déception. Et pourtant, comment deux bêtes si semblables, me disais-je, toutes deux jument à tête triplée, le ventre également barré de sept flèches, peuvent-elles donc dissimuler un quatre de trèfle et une dame de coeur, deux cartes si différentes, trop différentes déjà pour donner tantôt le jeu gagnant? Alors, peut-être pour louer ma discrétion, ma mère m'embrasse juste là où la tête, légèrement inclinée, forme un angle si étrange, presque désagréable avec le cou. Et c'est toujours à cet instant précis que l'une des joueuses, invariablement, dit :

— Que cet enfant te ressemble en vieillissant, Gabrielle!

C'est Madeleine cette fois. Hier, Alice. Plus rarement Cécile. Beaucoup plus rarement Cécile. Mais l'allusion, chaque fois, me trouble.

— ... vraiment tout le portrait de sa mère...

— ... surtout la bouche, regardez ce pli...

— ... étonnant, tout à fait étonnant lorsqu'il sourit...

— ... le cher petit... le cher petit...

Bruyamment, la petite colonne de pièces de monnaie s'écroule sous la force d'envoi de la troisième carte. Alice s'excuse, insiste, trop sérieuse cependant :

— Je deviens si maladroite en vieillissant...

Sept de pique. La main de ma mère est de plus en plus vide, presque blanche désormais malgré les trois juments identiques qui illustrent les cartes. Mais cela, maintenant, n'importe plus vraiment. «Le cher petit» voit bien le jeu que sa mère prépare. Il le devine au léger tressaillement du genou gauche de Gabrielle. Les adversaires, si distraites pour le moment par cette ressemblance de la mère et du fils, ne se doutent pas que l'un et l'autre intriguent, elles ne soupçonnent pas qu'ils y jouent dorénavant leurs figures... J'ai neuf ans. J'ai neuf ans et ma mère bluffe.

Alors, lentement, ma mère parle, de tout et de rien, du temps qu'il fait, du livre à lire ou du verre à boire. Quant au jeu, elle y regarde à la dérobée, lasse, comme si tout cela ne l'intéressait plus vraiment. Puis, feignant tout à coup de se souvenir, elle rappelle, avec beaucoup d'enthousiasme, ce voyage qu'elles avaient fait, toutes les quatre, quelques années auparavant. Elle en raconte tout à nouveau : la campagne du Périgord, les grottes où Cécile avait eu si peur, la petite fête qu'elles s'étaient organisée sous le grand chêne de Sarlat, le vin trop tiède, trop doux et le pâté truffé, encore dans ses joues.

— Et Lascaux, Lascaux Gabrielle?

Madeleine rit tant au souvenir de Lascaux qu'elle s'en couvre des deux mains le visage, oubliant la carte, la quatrième, qui vient de se déposer, parfaitement droite devant elle, précisément entre le verre et le cendrier presque plein. Ne s'intéressant plus apparemment qu'à ce souvenir, ma mère parle toujours : de la longue, très longue route qu'elles avaient parcourue pour visiter Lascaux, alors fermée au public depuis plusieurs années, de la stupéfaction d'Alice et de l'amusement, mal dissimulé, de la grosse, si grosse préposée aux souvenirs d'usage; elle évoque aussi le soleil de ce jour-là, la lumière de ce jour-là, la chaleur de ce jour-là, les orangeades bues trop vite, les trente imagesdiapositives qu'elles avaient achetées et qu'au retour, toujours ensemble, elles avaient si souvent, si souvent regardées et puis les cartes, ces cartes à jouer que Cécile aurait tellement aimées si seulement elles avaient eu, chacune, une illustration bien distincte, mais qui, pour les raisons évidentes du jeu, étaient si désespérément identiques : cinquante-deux fois la jument à tête triplée, cinquante-deux fois le flanc barré de sept flèches.

— Figure cent seize sur le plan de la grotte, juste à gauche à l'entrée de la nef, exactement face à l'abside qui mène au puits!

Elles s'amusent beaucoup. Elles en oublient presque leur brasse. Alice, un moment, a même interrompu sa distribution. Et cela ne lui ressemble guère. Ma mère est toute à sa fiction et seul j'y devine la feinte et l'invention fabuleuse du coup. J'ai neuf ans. J'ai neuf ans et ma mère bluffe. Le léger tressaillement du genou gauche a cessé maintenant. Je sais bien désormais le jeu que Gabrielle prépare. De mon ongle le plus long, je soulève à peine la quatrième carte, en cornant un coin je dévoile le dix de carreau. Le jeu pauvre persiste. Nous devrons donc, Gabrielle et moi, ruser avec le pire, tricher jusqu'au récit, tricher jusqu'au sourire que subitement je feins, maladroit, d'échapper à la vue de la carte cornée, dix de carreau, jusqu'au sourire résorbé aussitôt afin que les autres, adversaires et joueuses, ne croient plus pouvoir s'y méprendre : «le cher petit» a souri en voyant la quatrième carte, «le cher petit» voit bien, penseront-elles, que Gabrielle se prépare une belle main. Alice, la donneuse, le tient pour sûr qui reprend alors sa distribution.

Madeleine, toujours curieuse des petits signes, la première s'est laissé berner par le petit sourire tout juste esquissé. Même Cécile — c'est sur son front, vers la tempe gauche, que cela se lit — se promet bien que cette fois l'on ne l'y prendra pas, bien que ce soit son «jeu de mise», à suivre les relances trop longtemps; Gabrielle, de toute évidence, a la main déjà bien trop heureuse. Ma mère, qui n'a rien vu du théâtral sourire de son «cher petit», sagement assis sur ses genoux, s'étonne un peu, s'inquiète même de cette subite attention au jeu. Madeleine, soudainement toute à sa main, plante d'un petit geste précis, presque brusque, la cinquième carte en plein centre de son jeu : on dirait le bruit d'un scalpel au beau milieu de la main. Gabrielle, négligemment — même si je ne vois pas le visage de ma mère, je ne doute pas que la frime soit fameuse — retire sa dernière carte du ciré vert et la place complètement à la droite de son jeu : as en trèfle; elle observe calmement sa main, referme, sans bruit, avec habitude, le petit éventail. Les cinq juments à tête triplée coïncident parfaitement cette fois, une seule scène maintenant, figure cent seize sur le plan de la grotte, juste à gauche à l'entrée de la nef...

— C'est ma «pisse»!

Cécile a déjà misé. Elle peut attendre. Elle aime bien attendre, Cécile. Madeleine hésite, regarde Gabrielle qui, absente, ne semble porter d'attention qu'à la minutieuse reconstruction de sa petite colonne de monnaie. Finalement, provocante, dirait-on, Madeleine lance bruyamment ses pièces, observant toujours ma mère qui doucement, avec une parfaite et discrète régularité, redéploie son jeu entre ses mains : as et quatre en trèfle, dame de coeur, sept de pique, dix de carreau. Cinq figures simples, les quatre couleurs. Blanc. Rien. Le pire. Aucun jeu, «Chance de devenir folle», dirait-elle normalement... Pourtant, elle double la mise de départ, poussant délicatement devant elle le billet vert. «Joli coup!» se dit «le cher petit». Cécile crie presque :

— Je le savais! Je le savais, le petit a souri tantôt en retournant une carte, je me doutais bien que Gabrielle avait une grosse main...

Voilà! Elles me croient toutes coupable maintenant. J'ai neuf ans. J'ai neuf ans et je bluffe. Je baisse les yeux. Je fais la moue. Ma mère, complice et fière, comme si c'était pour me pardonner ma fausse indiscrétion, m'embrasse juste là où la tête, légèrement inclinée, forme un angle étrange, si étrange, presque désagréable avec le cou. Alice paie, n'hésite même pas à jouer malgré la relance insensée de Gabrielle, mais elle jette un peu vite, trop vite, les deux mauvaises cartes de son jeu. Elle s'en veut aussitôt d'avoir aussi naïvement révélé sa main; elle serre les lèvres, la commissure gauche tombe, oh à peine, trop tard cependant : elle a un triplé, cela ne fait plus aucun doute. Même Cécile, habituellement si peu sensible à ce genre de petits détails, rejette son jeu avec dédain et, enfantine, se croise un peu trop fermement les bras, boudant presque :

— Je ne joue pas, j'aime mieux perdre ma mise que...

Elle ne poursuit pas, sourit même; après tout, ce sera un peu elle la gagnante puisqu'elle se l'était si bien promis que l'on ne l'y prendrait pas, cette fois, à suivre les relances trop longtemps. Il ne reste que Madeleine. Indécise, elle fume beaucoup...

— Et puis pourquoi pas! Il doit bien y avoir encore quelques bonnes cartes dans ce tas de juments!

Faussement désinvolte, elle avance au centre du ciré vert ce qu'il manque à sa mise. Trois. Elles ne sont plus que trois désormais au jeu. Cécile, hautaine, presque supérieure dans sa désertion, bavarde. Cécile bavarde, s'étonne que Madeleine, habituellement si prudente, suive ce jeu, alors que le petit a souri :

— Le cher petit a souri, il connaît le jeu voyons, le petit sait jouer, c'est Gabrielle qui le lui a appris, alors...

Juste. Très juste. Le petit sait jouer. C'est bien Gabrielle qui me l'a appris : tout, la paire, la double paire, le triplé, la suite, les couleurs, la main pleine, le carré, la suite en couleur, la suite royale en couleur — les «hautes cartes du coeur» comme aime à dire Gabrielle —, mais surtout la parade, la feinte, la comédie, le jeu de triche. Elle le lui a si bien appris d'ailleurs qu'il devine, «le cher petit», en ce moment précis où Alice se prépare à la deuxième donne, que c'est Cécile, à cette brasse-ci, qui aurait eu la meilleure occasion de déjouer, que la position de mise est la plus favorable au leurre, au piège, n'y a-t-on pas toujours, inévitablement, le dernier mot? Mais Cécile ne «parle» plus; Cécile est «partie»; sa main, morte devant elle, ses cinq juments enchevêtrées, emmêlées en un petit charnier; sa mise payée en vain, maintenant disparue sous les relances; ses bras encore un peu trop fermement enlacés — cela se lit aux poignets qui blanchissent; Cécile ne «parle» plus, Cécile bavarde :

— Et Alice qui n'en a discarté que deux! Tu vois bien qu'elle a triplé! Non, vraiment je me demande bien Madeleine ce que tu as à t'entêter. Enfin, moi j'aime mieux perdre ma mise... Et puis je m'étais bien promis que l'on ne m'y prendrait pas, cette fois, à suivre les relances trop longtemps...

Madeleine, impatiente, lève au front les yeux, fume un peu plus fort. Cécile serre davantage les bras, elle en aura tantôt la main droite engourdie et elle peinera à «donner»; puis elle se tait.

— Trois cartes.

Trois cartes pour Madeleine. Cécile, cette fois, se contente de hocher négativement la tête : Madeleine a défié la relance avec une simple paire! Les trois cartes — on les dirait véritablement rivées l'une à l'autre — quittent la main d'Alice, tournent, la tête triplée, le flanc barré, la tête triplée, le flanc barré, le lob, lent est gracieux, est si haut qu'il permet presque aux joueuses d'en deviner les couleurs et peut-être, qui sait, les figures. Mais la main d'Alice est certainement la plus habile à ce petit exercice et avant même que l'on puisse y lire le trèfle ou le pique, le coeur ou le carreau, un valet, un quatre ou un as, l'engin se pose devant Madeleine dans un inimitable petit bruit d'air. Gabrielle refuse la deuxième donne, tenant son jeu bien fermé sous ses deux mains jointes. Elle garde ses cinq cartes nulles en une étrange prière. Les autres s'exclament. Les autres s'étonnent, même Cécile qui est pourtant hors jeu maintenant. La voix de Madeleine est presque gutturale, sa remarque un peu vulgaire. Le regard d'Alice, incrédule, dirait-on, s'attarde un peu sur celui de ma mère, comme si elle souhaitait secrètement que Gabrielle se ravise et dise : «C'était seulement pour voir la tête que vous feriez, donne-m'en trois moi aussi.» Mais elle se tait, esquisse un modeste sourire et de la main signifie qu'elle ne changera aucune de ses cartes, qu'elles sont toutes «bonnes»... As et quatre en trèfle, dame de coeur, sept de pique, dix de carreau. Cinq figures simples. Blanc. Le pire. «Chance de devenir folle», dirait-elle normalement en se débarrassant rapidement de son jeu... Mais voilà, elle passe cette fois, feint d'avoir une main pleine, la suite ou les couleurs. Alice se résigne :

— Deux cartes pour moi...

Elle se les donne bruyamment, une à une, en regardant toujours ma mère qui, sereine, toute à sa fiction, perfectionne le léger angle, d'environ 80 degrés par rapport à la surface de la table, qu'elle tente depuis tantôt de donner à la colonne de ses dix sous.

— La tour de Pise!

Gabrielle sourit à Cécile. Lui dit «non» de la tête. Et puis «peut-être» des yeux ou «allez, essaie encore» par l'imperceptible clignement du cou...

— Ça y est! J'ai deviné! C'est la stalagmite de la grotte du Sorcier... vous vous rappelez de cette grotte où j'ai eu si peur...?

Elle rit, applaudissant sa victoire, mais personne ne lui répondra et Cécile se recroisera les bras, baissant même la tête cette fois. Le coup s'achève maintenant. Madeleine et Alice n'ont que faire de la grotte du Sorcier et de sa célèbre stalagmite. Ce jour-là pourtant elles s'étaient bien moqué de Cécile qui craignait tant que la colonne, doucement inclinée, ne s'écroule sur Gabrielle qui, pour les besoins de la photo, s'y appuyait, feignant, des deux mains, de la retenir dans sa chute. Mais en ce moment, le dénouement approche et elles ne redoutent plus que ma mère, la main pleine de ma mère, son improbable et vertigineux ouvrage de frime. Gabrielle, quant à elle, n'a plus qu'à attendre. Elle a déjà presque tout joué. Nous avons, ma mère et moi, presque tout joué. Gabrielle a maquillé l'écart qui éloignait sa main de celles de ses voisines, «le cher petit» a maquillé le désas-tre en un léger sourire, tentant ainsi, qu'à ce prix, les autres refusent de payer pour venir y voir. Nous perdions, c'est certain, sans cette fraude. Cécile, qui se l'était si vaillamment promis, a déjà cédé. Madeleine — c'est elle dorénavant la première à «parler» — hésite tant qu'il paraît évident que la seconde donne a ajouté quelque chose à sa pauvre paire de départ. Elle délibère trop pourtant, elle sait bien que même son nouveau jeu ne saurait résister à une main complète. Peut-être a-t-elle doublé sa paire ou alors triplé une carte, tout au plus. Elle n'a donc plus vraiment le choix, elle ne dit rien, elle ne regarde personne et pousse, de deux doigts, les deux pièces constituant la mise initiale. Calme mais rapide, comme si elle en avait déjà assez de ce coup où elle sera inévitablement gagnante, Gabrielle lance presque le billet qui tombe au centre du ciré vert. Elle double! Gabrielle double, une fois de plus. J'ai neuf ans. J'ai neuf ans et ma mère bluffe. «Le cher petit» sait bien que cela est presque fini maintenant. On croirait qu'il s'ennuie tant le dénouement lui paraît prévisible. Madeleine ne résistera pas à cette autre relance. Elle aspirera violemment sur sa cigarette, rejettera son jeu avec une force telle que les cartes se retourneront, dévoilant une tête triplée de dame : une grosse main, habituellement suffisante pour gagner, mais cette fois elle devra en faire son deuil. Alice, qui n'a manifestement pas amélioré son jeu, semblera, pour l'intérêt de l'intrigue, lutter un bref instant. Si elle s'entête, c'est la catastrophe, mais résignée, digne :

— Trop cher, beaucoup trop cher, je pars.

Ses cartes volent aussi très haut, mais ne tournent pas, l'ellipse en est parfaite. Elles se posent avec un inimitable petit bruit d'air. La main d'Alice est vraiment la plus habile à ce petit exercice. Elles «partent». Les joueuses «partent». Elles ne paient pas pour venir y voir. Gabrielle, gagnante, d'une seule main, distraite et lente, enfouit, as et quatre en trèfle, dame de coeur, sept de pique, dix de carreau, les cartes retournées et tire à elle les billets et les pièces. Elles n'en sauront rien. Jamais elles ne soupçonneront que toutes elles nous battaient, ma mère et moi. Oui, notre feinte, cette fois, aura été parfaite : la première donne, la fausse indifférence, la relance assurée, le discret sourire du «cher petit», le refus de la deuxième donne, la seconde relance... Elles n'en connaîtront jamais ni l'amour, ni la connivence.

Les yeux rougis et la voix brisée d'avoir tant parlé, trop ri, crié même, dans ce profond fumoir qu'est devenue la petite pièce, elles arrêteront bientôt leur partie. Alors, je le sais, elles iront à la cuisine où ma mère, sans un mot, installera sur une chaise l'étrange appareil. Dans l'obscurité, toujours silencieuse, elle y glissera la première image — la main de Gabrielle est certainement la plus habile à ce petit exercice — et au mur blanc de la cuisine surgira un défilé de crinières roses; puis, une à une, sur la paroi trop verticale et lisse du mur de la cuisine, apparaîtront ces images de Lascaux qu'ensemble toujours elles ont si souvent regardées, toutes : le petit cheval chinois, la «licorne» où Alice ne voit chaque fois qu'une autre vache, plus grasse au ventre, le taureau au trident, la frise des cerfs et même celle-là où Gabrielle, des deux mains, s'appuie sur la grande stalagmite de la grotte du Sorcier, feignant ainsi de la retenir dans sa chute. Elles en riront encore, se moqueront toujours de Cécile, devinant même parfois, qui sait, au faisceau lumineux de l'appareil, des bêtes inconnues dans les poussières un moment suspendues. Enfin, bien sûr, paraîtra la jument, tête triplée, le flanc barré de sept flèches. Alors je m'approcherai du mur puis, de mon doigt, lentement, très lentement je retracerai sur la paroi trop verticale et lisse la silhouette de la bête de Lascaux. Tandis que je reviendrai vers ma mère, l'une d'elles inévitablement dira :

— Que cet enfant te ressemble en vieillissant, Gabrielle!

Alice cette fois. Hier Madeleine. Beaucoup plus rarement Cécile. Je m'assoirai tout près d'elle, parfois même sur ma mère pour tenir les petites images. Souriant de mon trouble, elle ploiera un peu le dos pour m'embrasser là, juste là où la tête, légèrement inclinée, forme un angle étrange, si étrange, presque désagréable avec le cou...

Normand de Bellefeuille
né le 31 décembre 1948

CLAIRE DE LAMIRANDE

La Grande Ourse

Il y a des choses qui nous restent en mémoire. On ne sait trop pourquoi. Ou des personnes. Ou même des phrases.

On n'arrive pas vraiment à les digérer. Ça nous revient presque tel quel, des années plus tard.

J'ai en tête une directrice d'école que je n'ai jamais oubliée. Elle jouissait de son pouvoir. C'est maintenant que je m'en rends compte. Elle était partout dans cette école à trois étages. Dire qu'elle trônait serait faux. Elle n'était pas fixe. Même quand elle était assise ou plantée quelque part, on sentait qu'elle pourrait bouger.

Et elle avait l'oeil pour certaines choses. L'essentiel était dans les détails. Pour elle, presque toute la moralité était dans la longueur des jupes. Il fallait couvrir les genoux.

Moi, j'étais à l'âge où je grandissais à vue d'oeil. Je me rendais bien compte que je sortais de tous mes vêtements. Mon frère était mort et ma mère n'avait pas le coeur à la couture. La tête non plus. Elle se faisait d'amers reproches. Ils auraient dû aller consulter le meilleur chirurgien de Montréal. Ils auraient dû, il aurait fallu... Elle se rongeait les sangs. Que mes jupes raccourcissent de mois en mois n'avait vraiment aucune importance à ses yeux. Moi, j'en étais aux stratégies les plus subtiles pour passer sans accroc l'inspection du matin. Car elle se tenait à la porte du vestiaire, la directrice. Pas vraiment à la porte. Un peu en retrait, assise dans un fauteuil noir, la règle à la main.

Selon un arbitraire peu compréhensible, elle nous interpellait ou non. Je m'en étais souvent sauvée. Ce matin-là, j'avais la robe que j'aimais. En lainage bleu foncé, de style un peu marin, mais pas trop, avec des boutons de chaque côté. Courte. Très courte. Elle nous disait qu'on avait l'air de grandes sauterelles quand nos jupes ne descendaient pas sous le genou. C'était facile de se faire une idée juste. Il suffisait de s'agenouiller. Si la jupe touchait la terre, tout était pour le mieux.

J'ai su que je ne passerais pas devant elle sans me faire mesurer. Pas de haine dans ses yeux. Pas de haine nulle part. Rien qu'une manie bénigne qu'elle avait. Rien qu'un besoin de savoir. Presque huit pouces! Il manquait huit pouces à ma robe. Elle n'en revenait pas elle-même. Huit pouces bien mesurés. Elle restait là, sans me dire de me relever. Et moi, j'étais fascinée. Je restais à genoux, là, à la regarder. Grasse, myope et tavelée. Elle n'avait rien pour elle. Je n'aurais pas voulu lui faire de peine. J'en avais vu des élèves lui rire au nez, lui grimacer dans le dos. Elle savait tout ça, elle ne pouvait pas ne pas le savoir.

Elle m'avait fait signe de me lever et m'avait dit en soupirant que la seule chose à faire était de poser un large ruban bleu-blanc-rouge dans le bas de la robe. J'ai failli sourire, sûre qu'elle n'était pas sérieuse. Mais elle ne riait pas du tout. Elle était bel et bien sérieuse.

Je traînais une peine familiale, si on peut dire. Maman n'en revenait pas, de la mort de Germain. Papa entrait dans les reproches qu'elle ne cessait de leur faire à tous les deux. Lui aussi aurait dû savoir qu'ils auraient dû aller consulter un chirurgien de Montréal... Elle passait son temps à raconter la mort de Germain. À tout le monde. Moi, je ne voulais pas écouter, je ne voulais plus entendre ça. J'écoutais quand même. Je faisais mes devoirs dans la salle à manger, mais je l'entendais. Sans trop le savoir, je sentais des larmes me couler le long des joues, le long du cou.

En revenant, ce jour-là, je m'étais juré de faire rire ma mère. Je lui rapporterais avec tous les détails et tout mon sérieux les conseils de grande couturière de la directrice. Ça me chatouillait en m'en revenant par le raccourci. Je supportais mal de revenir par la rue, même si c'était conseillé, fortement conseillé de le faire. Le raccourci était sombre, accidenté, plein de ce qu'on appelait des ventres de boeuf. Sortes de trous de boue que les plus grandes disaient sans fond et aspirants comme des sables mouvants. Mais moi, je savais le raccourci par coeur. J'aurais pu être aveugle, tant j'en savais les moindres trous, les moindres accidents.

J'étais restée après la classe pour une réunion de je ne sais plus quelle organisation étudiante. Il faisait très noir. Au ciel, la Grande Ourse. Longtemps je me suis dit que j'avais des affinités avec cette constellation. Toujours facile à repérer, même quand deux ou trois étoiles sont invisibles. Une émotion terrible. Comme si j'étais aspirée par le haut, par des cieux mouvants. Je tombais dans le ciel. J'avais dû m'asseoir sur un tas de pierres. Le temps de revenir sur terre.

L'idée de faire rire ma mère s'était estompée. Ça me paraissait tout d'un coup absolument impossible. La veille c'était congé, et il avait fallu aller prier sur la tombe de Germain. J'avais des répulsions jusque dans la gorge. Elle avait récité des prières que j'avais toutes désamorcées à mesure qu'elle les faisait. J'aurais voulu crier que j'étais là, moi. Elle avait tant de peine. Il ne fallait pas empirer encore cette peine. Mais les larmes que je sentais sourdre étaient des larmes d'épuisement, des larmes de rage, des larmes d'envie.

Elle l'aimait encore plus depuis qu'il était mort. Je me le suis dit. Je me suis demandé si elle aurait une peine aussi grande si c'était moi qui étais morte.

Je serais là, sous terre, sous ses pieds. Je me demandais sérieusement si Germain serait venu prier sur ma tombe, lui. Je me demandais si elle aurait raconté sans arrêt ma mort avec des sanglots dans la voix en faisant toutes sortes de belles variations.

Ils étaient à table quand je suis arrivée. J'étais en retard. Je m'étais attardée. J'étais peut-être restée longtemps en aspiration sous la Grande Ourse. Elle m'avait fait des reproches. Je ne sais plus ce qu'elle m'avait dit. C'est là que je lui ai parlé, non pas des recommandations douces de la directrice, non pas des soupirs de la mesureuse, non. Avec tout le sérieux dont j'étais capable et à ce moment-là, je n'ai pas eu d'effort à faire, j'avais attrapé un mortel sérieux en repensant au cimetière, avec ma voix la plus posée, je lui ai dit que la directrice m'avait donné l'ordre de poser un ruban bleu-blanc-rouge à ma robe, d'au moins huit pouces.

L'espace d'un moment, j'ai retrouvé ma mère. Le rire dans les yeux de ma mère. Elle a ri comme elle n'avait plus ri depuis une éternité. Elle a ri aux larmes, il faut bien le dire. La larme drôle avait amorcé l'autre. Mais moi, j'ai pu rire en face d'elle enfin. Les autres ont pu rire aussi, sans remords et sans retenue. Le son que ça produisait, tous nos rires larmoyants, devait avoir quelque chose de sinistre. J'ai oublié le son que ça produisait. Je me rappelle le rire de ses yeux à elle où je me sentais aspirée, sucée en entier, corps et âme, comme par un ventre sans fond.

On devait aller à Montréal le lendemain. Il fallait se coucher de bonne heure. Mon père avait du goût pour les petits matins. Partir en voyage au petit matin devait lui rappeler de bons souvenirs. Pour lui, partir en voyage après sept heures, c'était gâcher tout son plaisir.

Et je n'avais pas fait ma composition. Le reste ne m'inquiétait pas. Celle qui nous enseignait passait son temps à tout répéter. Pour celles qui ne comprenaient pas ou pour celles qui partaient pour la lune plus souvent qu'à leur tour. Mais la composition, il fallait la faire.

Assise à la table de la salle à manger, une table massive en vieux chêne égratigné, je me rendais compte avec un étonnement nouveau que je n'avais pas une seule chose à dire sur le printemps. C'était pourtant un beau sujet. Les autres s'étaient couchés. Maman m'avait dit de me dépêcher. Elle ne dormirait bien que lorsque je serais couchée, moi aussi.

Qu'est-ce qu'on peut faire dans un pareil cas? Et la directrice qui devait venir lire nos compositions en classe. Pas une idée. Je tentais de trouver au moins des mots printaniers. Il me venait des couleurs. Mais pas des couleurs pures. Une mode sévissait dans ma classe. Dire qu'une chose était bleue, verte ou jaune c'était vraiment trop simple, vraiment sans allure. Il fallait parler de ciel bleuâtre, de pelouse verdâtre, de soleil jaunâtre. Nos compositions avaient toutes quelque chose de macabre.

J'étais allée boire pour me réveiller. Je m'endormais, en plus. Que faire? Le chat, enfermé dans le sous-sol, sentait bien que quelqu'un ne dormait pas. Pourquoi fallait-il qu'il soit là tout seul, lui? C'est juste, ça?

En douce, je l'avais fait monter. Il était venu se coucher sur mon cahier. Pour lui, c'était le comble du bonheur. De temps en temps, il entrouvrait les yeux d'une ligne et je ne voyais que du blanc. Il ronronnait d'un ronron bas, assourdi. Sans prévenir il s'était retourné sur le dos, les pattes molles à ne pas le croire et la queue remontée jusqu'au museau. Les pattes moelleuses de Tico dans les doigts, j'ai ri toutes les larmes de mon corps. De temps en temps il ouvrait un oeil, mais la confiance régnait et il le refermait.

Que faire? J'avais ouvert mon livre de *Textes français* comme ça, pour chercher quelques mots où m'appuyer pour commencer ma composition. Je ne pouvais pas me contenter de dire qu'au printemps les feuilles sont verdâtres.

À la page 198, il y avait un texte de je ne sais plus quel auteur : «Automne.» Une grande nostalgie planait sur cette page et c'était plein de couleurs plus ou moins pures, de vents plus ou moins légers, de ciels plus ou moins pâles. L'automne est une saison. Le printemps est une saison aussi.

Je savais qu'il était tard. Un épuisement me prenait au dos. J'avais une barre douloureuse à la taille. Je digérais mal depuis quelque temps. Je prenais du bicarbonate dans de l'eau de différentes températures, selon les jours et les circonstances. J'en étais venue, comme mon amie Jacqueline, à trouver que c'était un breuvage délicieux. Je m'étais créé, comme elle, un besoin.

J'étais allée à la cuisine en prendre un verre à l'eau froide. Ça me guérirait en même temps du mal de coeur. Que faire? J'enviais l'auteur de mes *Textes français* d'avoir eu tant d'idées, tant de mots.

Ma mère s'était levée. En voyant le chat couché en plein milieu de mon cahier, elle avait compris beaucoup de choses. Elle m'aurait menacée de ne pas aller à Montréal, de rester à Sherbrooke avec le chat que j'aurais bu la punition avec plaisir. Elle m'a donné vingt minutes pour écrire ma page. Elle avait pris le chat dans ses bras, l'avait retourné au sous-sol. Il n'avait pas protesté. Trop endormi. Trop repu de caresses.

Le cadran en face de moi, il fallait que j'écrive ma page sur le printemps. Tous les écrivains ont eu des maîtres. Celle qui nous enseignait le français nous parlait de loin en loin des maîtres qu'elle aimait. Elle nous parlait beaucoup de Victor Hugo. Parfois même de Voltaire. Il n'y avait rien à son épreuve. Elle nous disait qu'il avait écrit de très belles pages sur la langue française. Si les autres avaient des maîtres, pourquoi pas moi?

J'avais laissé mon livre de *Textes français* ouvert à la page d'«Automne». J'écrivais mon «Printemps» en lorgnant l'«Automne». Non, non, je ne copiais pas. Je m'inspirais d'«Automne». Les couleurs changeaient. Le vent ne soufflait pas de la même façon. La nostalgie n'était pas encore là, mais on sentait qu'elle viendrait, que rien n'était sûr, que rien n'était assuré. Rien n'était éternel. Sous les bourgeons, on sentait quelque chose de mordoré. L'orangé forçait sous le vert tendre. À mesure que je posais mon «Printemps» sur la page d'«Automne», toute une vie se mettait à pousser. Tout redevenait possible. J'étais émue. J'avais envie de rire, envie de courir, envie d'aller jouer au hockey avec le chat au sous-sol. Complètement réveillée.

Je ne sais plus rien de ce voyage à Montréal qu'on avait fait cette fin de semaine-là. Je me souviens du lundi. La directrice était venue vers la fin de l'après-midi lire des compositions de son choix. Elle avait du goût pour cette sorte de chose. Elle était arrivée, grasse, myope et tavelée. L'autre cédait sa place derrière le pupitre. Elle n'avait pas le choix. On sentait bien qu'elle l'envoyait au diable dans ce que ma mère appelait son for intérieur.

La directrice s'était assise et avait marqué l'importance de l'événement qui allait sûrement suivre par un silence ponctué d'un éclair souriant dans les yeux.

Le coeur me battait. J'aurais voulu être la dernière sous la pile de compositions. Je savais que j'étais sur le dessus. Je me suis retenue de perdre connaissance. C'est une mauvaise habitude que j'avais prise depuis quelques mois. Je faussais compagnie aux difficultés, aux problèmes. Je fuyais, je perdais connaissance. J'espérais, contre toute espérance qu'elle lirait la composition de Carmen, celle de Jeanne. Celle de Jeannine aussi, pour faire plaisir à la mère de Jeannine qui choyait toute la classe régulièrement en envoyant des gâteaux, des biscuits ou de la crème glacée à l'heure de la collation.

La directrice avait soulevé la feuille en question. La mienne. En transparence, je reconnaissais mon écriture.

Et elle lisait. Lentement, avec un air de goûter, de savourer, de sentir. J'ai dû résister à la tentation de m'évanouir au moins dix fois. Car les élèves s'exclamaient, ne savaient pas qui regarder car les favorites faisaient signe que non, non, non, ce n'était pas leur composition.

Et la directrice avait posé le dernier mot d'une voix pleine de compliments implicites. Je suis morte ce jour-là, ce lundi après-midi-là. Elle a fini par prononcer mon nom et je me souviens des exclamations de surprise, je me souviens des bourrades d'Irène et de Pearl avec qui je revenais toujours de l'école. Presque toujours. Quand je n'avais pas de réunions spéciales. Celle qui nous enseignait le français ne m'avait pas félicitée, elle. D'aucune façon. Elle n'avait rien dit du tout. Je savais pourquoi.

C'était la fin de la classe. Avec Irène et Pearl, je revenais par le raccourci. On riait tellement en revenant de l'école qu'on pliait en deux. On s'arrêtait pour rire. Tous les prétextes étaient bons. La directrice et sa règle à mesurer, Manon qui avait une peur maladive du tonnerre, Muguette qui se frisait les cheveux tous les soirs ou la grosse Micheline qui nous faisait venir l'eau à la bouche en nous racontant en détail tout ce qu'elle allait manger en arrivant à la maison.

On finissait par rentrer.

Le soir de ce lundi-là, le coeur me battait tout le temps. J'avais décidé de ne pas perdre connaissance. Ça aurait été très facile. Non. J'avais mangé en silence, j'avais écouté un roman à la radio, j'avais étudié mes leçons avec soin, ce que je ne faisais jamais.

Tout le monde était sorti. Je ne sais pas où tout le monde était allé. Je me suis sentie tellement seule que j'ai appelé le chat qui était reparti courir les rues. Il est arrivé tout excité, les yeux pleins de questions. Il ne pouvait pas être si tard!

Je ne sais pas pourquoi j'ai fait ce que j'ai fait ce soir-là. Ça m'est resté en mémoire. De temps en temps j'y repense. Ce n'est pas moi qui ai inventé l'expression «impulsion irrésistible». J'ai dû avoir une impulsion irrésistible.

De temps en temps, on jouait des tours au téléphone. On choisissait une maison sans parents. Quand les parents de Pearl sortaient, elle nous invitait. On jouait des tours au téléphone. On disait n'importe quoi. Ou bien on faisait des peurs aux mères trop possessives : leurs fils couraient les filles dangereusement, surtout une certain Dorothy. Ou bien on faisait des jeux de mots faciles. À un Gérard Pruneau, on disait que le gouvernement avait besoin de lui pour faire de la confiture de pruneaux. Une mauvaise habitude qui a duré ce que durent les mauvaises habitudes, ou les modes stupides : l'espace d'une saison.

J'étais seule. Le chat dormait sur la chaise berçante. J'ai trouvé une liste d'une organisation étudiante où j'avais les numéros de téléphone de toutes les élèves de la classe. Je les ai toutes appelées, l'une après l'autre, en prenant la voix de la directrice. La voix, l'intonation, le vocabulaire, les tics et tout et tout. Je leur disais que celle qui leur enseignait le français était morte et qu'il fallait absolument qu'elles aillent toutes à la messe de sept heures le lendemain matin prier pour le repos de son âme. Je ne donnais aucun détail. Elles n'en demandaient pas d'ailleurs. Quand l'élève n'était pas là, je faisais le message à la mère ou au père et je les sentais timides, nerveux au bout du fil. Parler à la directrice de l'école, c'était gênant.

Le lendemain, il y avait affluence à la messe de sept heures. Carmen était présidente de la classe. Elle avait deux ans de plus que moi. Et elle était vieille pour son âge. Tout le monde le disait. Elle avait flairé quelque chose d'insolite dans cette histoire-là et s'était dépêchée d'appeler celle qui nous enseignait le français pour lui demander un renseignement. Mais elle s'était bien gardée de vendre la mèche. Elle s'en promettait pour le lendemain, sur le perron de l'église. Elle ferait une enquête digne d'Hercule Poirot.

Elle demandait à toutes les élèves de lui répéter mot pour mot ce que la fausse directrice leur avait dit. Elle devait compter que la coupable donnerait quelque signe de détresse. Mais non. J'ai fait celle qui ne se souvient pas au juste. Il m'a semblé qu'elle me fixait drôlement mais elle n'osait croire que je pourrais faire une pareille chose. Pas moi. Irène et Pearl riaient tellement d'ailleurs que je ne pouvais pas ne pas rire, moi aussi.

Elle était là devant la classe, celle qui nous enseignait le français. Comme une seule femme! Pas triste du tout. Elle ne pouvait s'empêcher de trouver la chose très drôle. Après tout, nous disait-elle, en se retenant de continuer de rire, ça ne pouvait que faire du bien à son âme, toutes ces messes offertes pour elle.

J'ai vu qu'elle n'avait pas l'intention de faire d'enquête d'aucune sorte. Je me dépêchais de penser à autre chose moi aussi. Je prenais, en mon for intérieur, de grandes résolutions. Jamais plus je ne poserais mon Printemps sur l'Automne de qui que ce soit. Je me sentais bien. Faible d'une bienheureuse faiblesse. Comme si j'avais passé avec succès une terrible épreuve. Une épreuve de force. Et je n'avais pas perdu connaissance. À aucun moment. Malgré toutes les tentations.

Mais j'avais compté sans la directrice. Grasse, myope et encore plus tavelée que d'habitude, elle avait lancé des directives à toute l'école. Car la coupable de l'infamie pouvait être l'une des grandes qui se moquaient d'elle ouvertement : elle et sa règle à mesurer les jupes! Ça pouvait être n'importe laquelle, la coupable.

De la plus petite à la plus grande, elle avait réuni tout le monde devant le grand crucifix. La face tournée, le regard levé, telle devait être l'attitude de tout le monde. Montée sur un piédestal, elle a parlé, la directrice. Elle a bien parlé. Elle ne riait pas du tout. On ne sentait même pas qu'elle pouvait rire, qu'elle aurait pu rire. Une impossibilité! Et pourtant elle n'était pas triste non plus. Elle semblait nager dans une sorte d'euphorie. Comme si elle avait enfin trouvé son élément, un élément digne d'elle. Une tragédie à la mesure de son talent.

Elle a tellement bien parlé que je me suis sentie émue. Je ne sais plus ce qu'elle a dit au juste mais ses paroles étaient belles, dignes. Tragiques même. J'en avais oublié, l'espace d'un moment, que j'avais eu un rôle à jouer dans l'affaire en question. Un rôle de toute importance.

Il fallait que la coupable se déclare à la face du Christ qui nous regardait.

Je me souviens du silence. Personne ne devait tourner la tête. Montée comme elle l'était sur son piédestal, les lunettes dûment posées sur le nez, elle voulait être la première à savoir qui avait osé la personnifier pour annoncer la terrible nouvelle de la mort du professeur de français.

J'ai levé la main, le bras très haut. Dans un état entre l'inconscience et l'illumination. Comme aspirée par elle. Encore une fois, j'étais irrémédiablement tirée vers le haut. Il y a toutes sortes de Grandes Ourses.

Elle a été prise de court. Elle regardait ma main. Tout le monde a suivi son regard et s'est tourné vers moi. Je me suis sentie à la fois écrasée et comme exaltée. Je ne pense pas avoir continué de porter à terre. Un silence total. Une surprise. Que j'aie osé faire une pareille chose!

La directrice est descendue de ses hauteurs. Elle est venue vers moi. Moi, j'ai baissé le bras. Comme à regret. Elle m'a regardée avec une douceur, une gentillesse insoupçonnable. Et elle a dit à voix basse: «Vous, vous êtes noble!»

Je n'ai pas compris ce qu'elle disait. Je ne comprends pas encore. Pourquoi a-t-elle dit une pareille chose? Je m'attendais à une colère, à des reproches effrayants. C'est tout ce que j'avais : une phrase incongrue, déplacée.

Une insatisfaction profonde! C'est ce que j'ai ressenti. Une sorte d'incrédulité aussi. Cette phrase m'est restée en mémoire telle quelle. Comme un météorite qui serait tombé sur ma planète. Comme un bloc erratique.

Claire de Lamirande
née le 6 août 1929

DENISE DESAUTELS

La Blessure

«J'ai su très jeune qu'il en irait toujours ainsi. Qu'était-ce au juste, ce sentiment de l'inguérissable?»

Paul Chamberland

«(Je ne puis montrer la Photo du jardin d'Hiver. Elle n'existe que pour moi. Pour vous, elle ne serait rien d'autre qu'une photo indifférente, l'une des mille manifestations du «quelconque»; [...] tout au plus intéresserait-elle votre *studium :* époque, vêtements, photogénie; mais en elle, pour vous, aucune blessure.)»

Roland Barthes,
La Chambre claire.

Souvenir : «Ce qui revient ou peut revenir à l'esprit des expériences passées; image que garde ou fournit la mémoire.»

Je raconte un souvenir d'enfance, je dis : autobiographique, vérifiable; je me raconte publiquement, je m'étale et m'affiche, et en cherche la raison? Rien ni personne (l'événement? l'ambiance dans laquelle il s'inscrit? l'émotion qui s'en dégage? les larmes? l'apitoiement?). Rien ni personne. Le témoignage n'intéresse pas, pas vraiment.

Écrire. J'essaie de rendre compte par l'*écriture* de cette marque commune; je dis : cette blessure du souvenir, de la photographie. Une image du temps et de la perte. Je dis : l'autobiographie dans la mesure où elle cerne cette blessure. Uniquement cette blessure.

Je raconte un souvenir d'enfance ou plutôt je raconte, d'une certaine manière, l'enfance.

Juin 1950. Les mères : «Nos petites filles ont le même âge», et elles sourient en penchant la tête. Cinq ans. Là, près d'un banc de parc, la persistance d'une image. Du grain de mémoire. Côte à côte, au centre de la photo, les mères. Si jeunes. N'ont pas encore quarante ans. Aux deux extrémités, leurs petites filles les tenant par la main. Elles sourient. Des esquisses de sourires et de l'éclat. Le plus beau jour de juin. Une image de femmes. Complices. Une image intime. Des femmes et la complicité de la tendresse avant la lettre.

Juin 1950 : photographie d'une première rencontre. Nous avons cinq ans.

Il m'arrive de fermer les yeux : de légères rotations du bout des doigts sur le papier jauni; l'expérience tactile de la mémoire, de son intimité; l'événement intact chargé d'ambiance et d'émotion; le réel intégral sans intermédiaire. Sans blessure, hormis celle de l'instant présent.

«Dis que nous serons là éternellement?» L'enfant appréhende la perte.

Des événements ont lieu contre lesquels on ne peut rien. Des traces, une accumulation de traces. Apparemment l'oubli. La petite fille grandit vite et bien; sans histoire, elle oublie. Et, pourtant, de la souffrance tardive, inexplicable : «Voyez, j'en suis là, après coup, à rechercher les bonnes raisons.» Du bout des doigts, les yeux fermés, l'envers et l'endroit de la mémoire, l'impossible lenteur du retour. Puis, les faits et les gestes, les situations, les états d'âme, les vertiges. Je suis envahie. D'un événement à un autre, à un autre, l'émotion tisse sa toile : la vie, la mort, la confusion. Tout s'embrouille quand il s'agit de pointer du doigt le souvenir apparemment inoffensif.

Juin 1950 : je suis la brune et tu es la blonde, au milieu d'un parc, sans rien dire. Des bas trop courts dans des sandales, des jupes trop longues, nous nous ressemblons. Pendant que nos mères parlent, nous restons à distance, discrètes, étrangères. Nos regards se croisent entre les lignes, entre les formes : des arbres, des bancs, des balançoires, des bras de femmes, les robes de nos mères. La mienne, vêtue de noir.

Soudainement tes yeux en arrêt se posent sur le tissu léger : noir. Les mots que l'on murmure autour de toi : «Du sombre en signe de deuil...» Le signe. Repérable à l'oeil nu. La marque avouée du désastre. On se promène dans un parc, et cela se voit. Ce jour-là encore, je suis orpheline. Tu le sais. Je détourne le regard.

Hors du cadre, ta mère s'est approchée de la mienne, penchée : «Je sais, j'ai appris par...» Deux corps de femmes si près se touchent. Nous étions là, un peu en retrait : des étrangères contemplent le tableau sans rien dire. Si attentives aux mouvements, aux mots. Des murmures : «On m'a raconté...» Lentement tu as tourné les yeux vers moi. Le lien ou le noeud : ces phrases qu'on s'échange en secret autour de toi, de moi; que je connais par coeur. Sujets : la maladie, la mort; les événements et les circonstances dans lesquelles ils s'inscrivent; leur aspect inattendu; la mère, l'enfant fragiles; ce qu'il adviendra d'elles, dépourvues; qui les assistera? qui veillera? Un temps, se relayer à leurs côtés. Un certain temps.

Je me réveille la nuit parce que j'entends des bruits de sirènes. À chaque fois, ma mère («Ce n'est rien... je suis là...») étendue près de moi, me retient, sa main dans mes cheveux contourne l'oreille : inlassablement sa main, ses doigts, de la joue à la nuque, caressent. Un soir : «Le chant de la petite sirène ensorcelle les mauvais rêves.» Elle chante pour moi, pour elle, avec des intonations dans la voix qui me troublent. Sa voix essentielle à la surface du drame. Cela est faux. Une histoire simplement. Je ne résiste pas.

Juin 1950. Si près l'une de l'autre, se touchent. Des murmures. Leur bouche rouge, leurs lèvres entrouvertes. «Je sais...», a répété ta mère à voix basse. Tandis que ton père s'éloignait pour prendre la photo, tu m'as regardée différemment. «Il vous faut beaucoup de courage.» Ma mère pleurait, je crois. La tienne l'a serrée contre elle, l'a peut-être embrassée : «Le temps, le temps, vous savez...» Des murmures. Nous étions là, les mains libres, démunies. Le temps en arrêt, un dimanche sans doute. L'après-midi, à cause de la lumière au milieu des arbres, des objets, des corps.

Je te dirai un jour : «Je n'aime pas les dimanches. Les fins d'après-midi. L'été.» Beaucoup plus tard, quand la mémoire accumulée éclatera d'elle-même, au moment du vertige, à l'avènement des mots. Je ferai des fouilles intensives et t'écrirai : «Me voilà devenue archéologue.» En alternance, la descente vertigineuse et les paliers de sens qui écorchent. De brusques intermèdes pendant lesquels je cherche à décoder le vertige, ses ruptures : «La mémoire toujours dans des textes mouvants.»

La mort. Répétitive. Le coeur comme le temps en arrêt. «Litanie : ton père, ta grand-mère, ton oncle Paul, Rita et sa fille : un accident; ton petit-cousin Gilles : le cercueil tout blanc, tout petit; ton grand-père paternel, maternel; une amie intime de maman; et les autres.» Le dimanche, nous achetons de magnifiques bouquets de fleurs chez madame L'Espérance et nous allons à la montagne les déposer sur les pierres tombales. «Le dimanche, nous allons au cimetière» en insistant sur l'«e» muet, en allongeant le mot, et nous faisons des prières qui font pleurer ma mère. Le dimanche, la mort.

Je me souviens qu'il pleuvait souvent. Je me souviens que nous nous arrêtions à l'Oratoire au retour. J'invente peut-être que l'air était irrespirable.

La mémoire. La main lente jusqu'à la blessure. La main trace des signes avec effroi. Je tourne autour, puis m'enfonce les yeux ouverts, les yeux lucides dans la confusion des images. Est-ce le souvenir, ou sa transposition photographique, ou sa gauchissure au fil du temps, ou l'imagination fertile? Les mots simplement en terrain miné.

Ton père s'est éloigné de nous; il a préféré attendre pour prendre la photo. Il nous laisse entre nous. Et tu le regardes s'éloigner sans rien dire. Peut-être regrettes-tu de ne pouvoir l'accompagner? Je n'ai jamais osé te poser la question. Je n'ai jamais voulu savoir.

6 mai 1950. On te murmure à l'oreille : «Elle n'a plus de père. Cette nuit, elle est devenue orpheline.» Des mots. Tu répètes : «orpheline», comme un secret. «Orpheline.» Tu apprends le sens de ce mot à ce moment précis à cause de la voix, de son ton pathétique. Ta mère te murmure à l'oreille des mots qu'on

ne répète pas, un secret. Son souffle, sa voix dans ton cou font bouger tes cheveux. Tu ne veux pas qu'elle s'arrête, qu'elle s'éloigne, qu'elle te quitte. Tu la retiens. Sa voix, sa bouche dans tes cheveux. La douceur de ces moments-là. Ta mère te raconte une histoire en prenant le bon ton. Des mots murmurés. Ce soir-là : «Ce n'est pas une histoire.» Au son de sa voix, tu le sais. Tu ne dis pas que tu sais. Tu ne dis rien, ne bouges pas. Tu laisses les mots t'effleurer. Le souffle, la voix.

Peut-être t'es-tu demandé si les orphelines avaient le droit de jouer, de courir, si elles étaient différentes des autres enfants, si elles étaient toujours vêtues de noir. Tu n'as pas osé poser la question.

6 mai 1950. Il y a tant de monde à la maison. Je me souviens des larmes et des caresses de ma mère; des chuchotements tout autour; une ambiance de corps agités, démesurés; des effusions; des bras gigantesques au bord du gouffre; des bras, des mains, des doigts crispés sur les épaules de ma mère; de l'excès : «Ne pleure pas, ne pleure plus» en pleurant. Le sens de la tragédie. «Que tu sois forte...» des grands-mères, des tantes. Pendant que l'on parle à voix basse, je ne regarde pas ma mère dans les yeux. On a sonné : des amis, des voisins. Il n'y a plus de place. Il pourrait s'agir d'une fête avec des larmes de joie. Il y aurait des chants et des danses. Je pourrais voir ma mère danser. Ma mère : je suis là accrochée, retenue. Le temps interminable ponctué de mots, toujours les mêmes. On les contourne. Peut-être ai-je désiré que la conversation glisse sur autre chose; que les voix montent; que quelqu'un se mette à rire subitement; qu'on me raconte une histoire; qu'on oublie tout. Tout. La vie comme avant.

Avant. La maladie de mon père. Ma mère partant, me quittant, disant : «Papa...» La voiture ralentit; quelqu'un lève le bras très haut : «La chambre de ton père, là très haut.» J'ai dit que je voyais. Avant. À Sainte-Rose au bord d'un lac. Je suis dans ses bras parce que je me suis blessée ou je suis dans ses bras, grelottant, encore effrayée, épuisée par mes cris. Une voix hurle : «L'enfant se noie.» J'ai dit que je voulais dormir. Des images de ville. Un parc. La silhouette de mon père. Son visage comme sur les photos. Une odeur, un son, quand il ouvre la porte. La fragmentation du réel. Le lien si ténu entre le souvenir et la fiction. Ma mère dit, répète... Les mots de ma mère. Sa voix recouvre l'événement. Le son de sa voix : ce que le temps métamorphose.

Plus tard, des mots dans les trous noirs suggèrent une continuité : l'avant et l'après, maintenant, beaucoup plus tard. Ce qu'il en reste. La terrible obstination de l'enfance, de cette mémoire si particulière qui prend de l'ampleur au moindre vertige. Avec le temps. Une question d'ambiance. Amplifiée au premier signe, au premier rappel. J'ai appris que toute ressemblance effraie. La forte tentation de fermer portes et fenêtres, de refuser. Je suis une femme contaminée. La tentation de me laisser glisser fragile, si fragile en toutes circonstances.

Et, pourtant, les mots contre les refuges, les mots épinglés sur les murs de mémoire : de face, de profil, la catastrophe. Et l'affirmation lucide d'un désir.

Juin 1950. Rien n'était prévu.

La surface sensible de la mémoire. Le temps déjà. Son insertion dans l'émulsion photographique. Nous n'en savions rien. Rien du temps ni de sa blessure ni de ce qui allait bouleverser nos vies : le souvenir d'une première rencontre, son inscription intime. Cela a été. Cela est. Un parc comme point de repère. Mille et une fois, nous le traverserons, nous jouerons dans les feuilles, nous nous roulerons dans la neige, nous rêverons assises sur des balançoires, nous irons à la bibliothèque municipale et reviendrons en courant, chantant, pour exorciser la peur : des arbres et des hommes.

Une mise en scène tardive. Répertoire de gestes, de mots, d'images que nous feuilletons encore certains soirs. «Tu vois...», nous étions là. Étrangères. Nous hésitons sur le ton, sur la voix, selon les circonstances. Fragiles. Nous y entrons sur la pointe des pieds. Un jour, tu es penchée, de profil, tu n'es plus là : noyée dans l'image. Les yeux fermés. «Ne pleure pas.» Je te dis : «Tu es toujours aussi blonde.» Tu me murmures à l'oreille : «Je suis orpheline», comme un secret. Je ne trouve pas les mots. Ou si peu. Te raconter une histoire. Des bribes d'enfance bout à bout, d'adolescence. Ton arrivée. Ton départ. Nos lettres de vacances. L'une sans l'autre. Nos étés interminables à la ville ou à la campagne. Septembre, chaque fois, la rue Fabre, la rue Marie-Anne, l'école Marie-Immaculée. Puis, l'hiver de nos treize ans, nous tournons en rond, sur la glace artificielle du parc Lafontaine, princesses charmantes inutilement.

Un jour, un verre brisé sur la table : l'une est blessée, l'autre volontairement se blesse; à la vie, à la mort : nos sangs se mêlant, mon frère hurle dans la cuisine.

Pendant que ma main, mes doigts, entre les larmes sur ta joue, dans tes cheveux; pendant que tu répètes la fin du monde, te raconter une histoire. Vraie. Il arrive souvent que la vérité ait des allures de fiction.

Juin 1950. Ce jour-là, nous regardons les gens et les choses s'organiser, se placer autour de nous. Du théâtre. Une mise en scène improvisée dans un cadre naturel. Un parc. Printemps 1950. Depuis cinq ans... Et la pièce commence. Du hasard ou de la fiction. Une première rencontre. Les personnages principales : la brune et la blonde. Étrangères encore sinon par ouï-dire. Plus tard : des amies d'enfance. De l'éclat. De la détresse. Ta mère s'est approchée de la mienne, s'est penchée. Le plus beau jour de juin. L'intrusion du tragique. Le terrain connu. La répétition. Ce pourrait être le soleil qui fait pleurer ma mère. Du théâtre.

Elle se remet lentement à sourire pendant que la tienne, promenant son regard de la brune à la blonde, échafaude des projets d'avenir. Le ton intime de sa voix. «Quand nous serons là... la petite cour derrière la maison... le grand parc...» Elle dit : «Ce sera si facile.» Elle dit : «Des amies d'enfance...» Je crois que nous avons timidement souri en détournant la tête. Elle répète : «Des amies d'enfance.» Cela me rassure. Elle parle de nous, et je finis par ne plus entendre que le son de sa voix. Le soleil est aveuglant. J'aurais le goût de l'embrasser. Je ne dis rien. Je regarde sa bouche articuler les mots.

Ton père s'est rapproché de nous.

Photographie d'une première rencontre : nos mères côte à côte, souriant, nous tenant par la main; aux deux extrémités, nous penchons légèrement la tête vers elles. Ton père insiste : «Souriez... le petit oiseau...», avant d'appuyer sur le bouton de l'appareil.

Je sais maintenant que nous avons souri.

Le temps. Sur du papier jauni, l'image pourrait lentement disparaître. S'estomperaient les sourires, les visages, les différences entre les gris et les noirs, les tissus et les corps. Ne resterait que ce bloc compact traversé de rayons, que cette pyramide tronquée occupant tout l'espace. Une forme habitée. Illisible et secrète. Ne resterait que le souvenir. Ses métamorphoses. Le temps, telle une blessure. Quelqu'une dirait : «Nous étions là.» Resterait la fiction. Des promeneuses dans un parc. Éternellement là, présentes. D'un dimanche à l'autre. Rejouant la scène initiale au milieu des lignes, des formes, des odeurs, des murmures. Répétant les regards et les gestes. Le moindre frémissement. Ta mère se rapproche, se penche vers la mienne. Des murmures.

Lieux de désir : écriture et blessure. Souvenir d'enfance : une page de fiction et un parc. Les mots, contre tout ce qui se perd. *La Promeneuse et l'oiseau,* notre histoire vraie.

Il m'arrive encore de douter de l'efficacité des mots. Je ne raconte probablement que ma version des faits. Je m'épanche. Le petit détail. L'histoire d'une blessure : la mienne. Il m'arrive de vouloir tout effacer. Repartir à zéro en évacuant l'anecdote : ce qui relève de l'intime, du particulier. Il m'arrive de mettre en doute les pouvoirs analogiques du langage.

Reprendre au début. Une autre fiction. Le geste anonyme. Solitaire. Quelqu'un, quelqu'une feuillette son album de photographies. Puis s'arrête, les yeux fermés. Ressent la blessure. Se met à dériver.

Denise Desautels
née le 4 avril 1945

Daniel Gagnon

Associé de canot

Né à Giffard en 1946, je meurs presque, deux ans plus tard,
d'une appendicite aiguë, sous un mouchoir d'éther à l'hôpital
Saint-Vincent-de-Paul de Sherbrooke. Mais je ressuscite et je
passe trois mois à l'hôpital. Maman vient me visiter tous les deux
jours de Magog par autobus, je l'attends dans la salle du bout
du couloir; j'y vois des accidentés momifiés dans des bandelettes
blanches, les jambes hissées à des poulies, la tête enturbannée;
parfois papa vient avec maman et il me dit de ne pas pleurer;
je me souviens encore exactement du visage de mon infirmière
préférée, je l'appelle la marmalade au lieu de la garde-malade;
je regarde la côte King par où doit venir maman, je guette
pendant des heures. Carolle, ma soeur, me suit de quatorze
mois : je la vois dans les bras de mon père le dimanche; mon
père l'a tout de suite adorée et m'a abandonné, comme il
m'abandonnera encore une deuxième fois à la naissance de
Pierre, mon frère de cinq ans et demi de moins que moi; à vingt-
huit ans, quand je me suis séparé de Thérèse, ma première
femme, pour passer ma crise d'adolescence, beaucoup de
femmes ont vu dans mon lit ma longue cicatrice au bas-ventre.
Je crois aujourd'hui que cette appendicite m'a marqué profondément; elle a fait de moi un sauvage, un paria; j'ai vu, derrière
les fenêtres de l'hôpital, passer la vie; je suis allé au Royaume
des morts, sous le masque d'éther puant. Quand je suis revenu
à la vie, j'avais tout perdu, j'étais sorti du paradis. Cette échan-
crure dans mon bas-côté m'a rendu conscient de ma faiblesse,
tout comme mon oeil gauche presque aveugle l'a fait; je n'ai
jamais pu être sportif comme les autres; pourtant excellent

skieur, je n'arrivais pas dans les compétitions à bien prendre les portes de gauche du tracé de slalom, mon oeil me trahissait, mon oeil écrasé par les forceps que le médecin m'a appliqués en pleine face pour m'expulser de ma mère.

De ma mère j'ai énormément profité, car mon père travaillait pour l'Anglo Pulp à Forestville comme commis mesureur de bois et disparaissait pendant quinze jours à trois cents milles au nord de Québec; quand, une fin de semaine sur deux, il avait le bonheur de rejoindre sa femme à Giffard, je hurlais de jalousie pendant tout le temps de sa visite. Mon paradis avec ma mère n'a pas duré; mon père quitte l'Anglo Pulp et vient chercher du travail dans le sud à Magog sur les chantiers de construction. Il fait venir ma mère qui me laisse pendant trois semaines à sa soeur, ma tante Isabelle. À Magog, Carolle vient au monde. C'est en 1947, j'ai un an et deux mois. Nous habitons rue John, devant le moulin à scie; j'entends encore la lame écorcher les billots verts, je me souviens de l'odeur du bran de scie. De l'autre côté de la rue, ma mère s'occupe de moi avec tendresse. Aujourd'hui, elle me voit écrire ces lignes, elle est au Ciel depuis sept années, morte de leucémie à l'âge de cinquante-cinq ans le 9 janvier 1980; elle aurait voulu que je fasse un prêtre, j'ai fait un raté; sur son lit de mort, elle m'aime de ses beaux yeux tendres, mais elle ne peut pas accepter que je n'aie pas encore ma maison ni que je sois assisté social. Elle souffre; son corps, si beau encore quelques semaines auparavant, s'est gonflé et est devenu noir. J'essaie de me rappeler son extraordinaire visage de jeune mère. À sa mort, je ne prie pas, je suis dans mes années noires, j'oublie de prier; petit, j'ai prié sans cesse, j'ai prié pour faire le prêtre qu'elle voulait, j'ai prié pour les pauvres de la terre. Maman m'avait dit que j'avais déjà arrêté une pluie diluvienne sur la route, grâce à une prière à voix haute à la bonne sainte Anne, faite à quatre ans dans l'auto de mes tantes. L'appendicite m'a appris à prier dans la solitude, à demander et à espérer; à deux ans, à l'hôpital, je priais intérieurement, maman me l'avait appris; je priais pour les revoir, elle, papa et Carolle, mais je priais aussi pour avoir une présence, pour avoir quelqu'un à qui parler, pour ne pas être seul au monde. Toute mon enfance en fut une d'enfant de prières. Enfant de choeur à l'église Saint-Patrice de Magog, je perdais connaissance dans la sacristie; à jeun, levé depuis cinq heures et demie du matin, je m'effondrais après avoir servi trois messes. Le vicaire se penchait sur moi et me tapotait les joues.

J'ai mis le feu à mon surplis un dimanche au début de la grand-messe; j'allumais les bougies en rang, mais ayant commencé par celles du bas, ma manche traînait dans le feu alors que j'allumais celles du haut.

Était-ce mon appendicite? j'aimais l'église, les livres, l'étude, l'encens, la prière, tout cela que j'allais rejeter à l'adolescence. Quand je commence à skier au mont Orford avec les gars de Magog, Bélanger, St-Jacques, Gagnon, Pépin, Longpré, et à penser à Manon, à Mireille et à Maryse, je ne prie plus, mais je contemple, je rêve.

À cinq ans, en 1951, je rêve tout haut avec mon premier grand ami; je pense encore souvent à lui aujourd'hui avec émotion et j'ai peur qu'il ne soit mort, car il avait une santé fragile; il ne pouvait pas, par exemple, manger de patates chips, le sel lui était interdit. Où est-il maintenant? Où es-tu, Laurent Gendron? Il demeurait au coin des rues Collège et Somers, non loin de chez nous, et je passais par là parfois avec mon tricycle; nous nous sommes connus parce qu'il m'a sauvé d'une meute de chiens enragés en me faisant monter chez lui et en m'invitant même à dîner. Le premier jour de notre première année, nous descendons la rue Collège en nous tenant par la main; Laurent pleure, il ne veut pas entrer dans la classe du frère Herman; il y en a d'autres qui pleurent comme lui, je me surprends de ne pas pleurer, c'est sans doute que mon appendicite m'en a fait voir bien d'autres; le frère Herman sort son violon et se met à jouer, la tête couchée sur son instrument tendrement; et tous nous l'écoutons, il nous berce; debout derrière son pupitre, il fait chanter toute l'école; Laurent a cessé de pleurer et découvre que sa classe, loin de sa maison et de sa mère, ne sera pas toujours l'ennui et la solitude; il y a les frères Tarzan, doubleurs incapables d'écrire mais fort capables de casser les crayons, il y a Caron qui fait pipi sur son banc à tous les jours; il y a le frère directeur, un gros rouge qui frappe les enfants avec une courroie s'il est fâché et qui donne des bonbons s'il est content; je me souviens des belles boiseries des escaliers de l'école, du parloir et de la chapelle; je me souviens de leur odeur, de leur parfum de vernis, je regarde les cadres aux murs, je rêve aux grandes personnes, je rêve à leur vie. Le dimanche, je chante avec la manécanterie à l'église, en haut, près des grandes orgues, au troisième jubé; je voudrais chanter, moi aussi, en solo comme André Charbonneau ou Jacques Girard, mais je fausse, le frère Marc me dit d'ouvrir la bouche et de me taire. Il y a le frère Claudius aussi qui me fait réciter mes réponses de messe sur ses genoux et qui me tire doucement les oreilles; je sens sous moi la barre dure de son gros pipi de frère.

Dans ma rue, la rue Georges à Magog, je grimpe aux arbres et je joue au cow-boy avec les Boutin et les Casavant; j'ai sept ans, mais pas tout à fait l'âge de raison. Un jour, avec mon couteau neuf, j'entaille et taillade toutes les planches de la belle clôture neuve en bois de monsieur Boutin; nous nous battons dans les champs; je mets le feu derrière le garage de mon père avec des allumettes trouvées sur le trottoir et les pompiers, alertés par les voisins, éteignent de justesse l'incendie; nous parlons des seins de madame Corriveau en haut de la rue, des fesses de madame St-Jean qui se promènerait nue tous les soirs; je fais des rêves dans mon lit, la pinouche dressée tout de suite après avoir prié le Bon Dieu de faire de moi un prêtre; je rêve de mes cousines, je rêve que je suis fait prisonnier et que je suis forcé de me déshabiller avec les filles. Ce n'est pas seulement un rêve, parce qu'avec ma cousine Louise, j'essaie de faire rentrer un petit bâton dans son sexe qu'elle me montre, sous une couverture dans sa cour; pendant qu'elle touche au mien, qu'elle le soupèse et l'examine avec surprise, en ne sachant pas trop quoi faire de ce robinet, sa mère, ma tante Lucille, nous demande, du haut de son balcon, ce que nous faisons. Dans le garage en arrière, les Bilodeau, les cousines de ma cousine, sont en visite de Montréal; elles ont besoin d'un médecin, elles demandent que je les suive au deuxième dans la paille et que je les soigne; en montant l'échelle derrière ces cousines plus vieilles que moi, je me rends compte qu'elles ont enlevé leurs sous-vêtements.

Je rêve dans mon lit et je me frotte; il ne sort encore que de l'eau de mon côté, cela me fait penser à Jésus-Christ sur la croix, percé d'une lance. J'ai peur. J'ai une peur atroce de la mort; j'écoute mon coeur battre dans la nuit; je ne m'endors pas, je pense à mes camarades de classe, les chanceux qui dorment; j'essaie d'en imaginer un qui ne dort pas comme moi, pour avoir un compagnon d'infortune; j'entends mon coeur cogner dans mes oreilles, j'ai peur de mourir; je vois des ombres bouger sous mes paupières, je suis en sueur, je ne trouve pas de position dans mon lit; j'entends mes jeunes frères, Pierre et Alain, respirer dans leur sommeil, je les envie; j'ai le goût de crier pour les réveiller; je n'ose pas m'asseoir dans mon lit, je suis paralysé, je prie doucement sans penser, sans croire que j'arriverai à m'endormir; je ne sais pas ce que j'ai, je ne suis pas comme les autres enfants.

J'ai onze ans quand grand-papa Barbeau meurt le premier décembre 1957 à l'âge de soixante-seize ans; paralysé, il est assis depuis dix-sept ans dans son énorme chaise de cuirette, près de sa fenêtre dans sa maison de la rue de la Lande, à Giffard; il joue à la main avec moi; je mets ma main sur le bras du fauteuil et je dois l'enlever le plus vite possible avant que sa grosse main droite, tachée et veinée, sa grosse main bonne et chaude, s'abatte sur la mienne. Nous rions, et depuis longtemps, à ce jeu. Nous nous aimons. Il retient souvent ma petite main dans la sienne; c'est sa seule main, l'autre est inerte et morte, je la regarde sortir de sa manche sur l'autre bras du fauteuil, blanche et figée. Je ne me gêne pas avec lui et il ne me gêne pas; je peux lui poser les questions que je veux, je peux le regarder quand je veux; je suis son fou du roi, et je lui ai souvent demandé dans le passé pourquoi il ne bougeait pas sa main gauche, pourquoi il restait toujours assis; il m'a même permis de toucher à son bras paralysé; il n'y a qu'une chose qui le contrarie : c'est quand je le vois aller aux toilettes; grand-maman le prend sur elle d'un côté et de l'autre il avance avec sa béquille; c'est au moment où elle doit lui essuyer les fesses, le pantalon et les bretelles sur les genoux, que je vois grand-papa tout nu; il bougonne; mais s'il veut le savoir, je n'ai jamais vraiment vu son vieux sexe ni ses fesses, je ne me souviens que de ces pans de chemise et peut-être d'un peu de poil blanc; je me souviens de son visage humilié surtout, de celui de grand-maman résignée à le torcher depuis dix-sept ans; je les revois dans la petite bécosse sans lavabo, penchés tous les deux, et derrière eux des piles de ce que grand-maman appelle la gazette; c'est avec ce papier qu'elle essuie grand-papa, des coupures toutes de la même grandeur du journal *le Soleil* de Québec.

Un jour, nous montons d'urgence de Magog à Giffard, toute la famille dans le Studebaker de papa; c'est samedi le

30 novembre 1957; grand-papa Barbeau nous attend pour mourir; il a demandé Suzanne toute la semaine; maman est la seule de ses enfants qui reste à l'extérieur de Québec, et c'est aussi sa préférée; et il y a moi aussi qui suis son chouchou. Le lendemain, dimanche le 1er décembre, nous entrons dans la chambre de grand-papa pour la séance finale; il sait que nous sommes là; maman lui parle, elle lui tient la main, elle dit «pâpâ, pâpâ». Nous entourons le lit. Il repose. Puis tout à coup, il étouffe, il se dresse sur son séant; il agonise. Je suis près de lui et je me demande où il ira après qu'il ne sera plus. Il a un dernier soubresaut; il se soulève dans un râle profond et terrifiant, comme dans un film. Je suis bouleversé, c'est la première fois que je vois mourir quelqu'un. Puis le passage se fait, je vois le moment exact où il passe; c'est fini, il retombe inerte, les yeux ouverts et fixes. Maman est en larmes. Carolle éperdue, demande d'une voix d'amnésique : «Qu'est-ce qu'il a grand-papa?» Grand-maman tout éplorée ferme les yeux de son mari. Maman me permet de mettre ma main sur le front de grand-papa. Je ne pleure pas. C'est silence, puis mes tantes prient, récitent le chapelet en sanglotant. Deux hommes arrivent avec un grand sac de drap blanc et emportent à jamais mon grand ami.

Que nous couchions tous les enfants chez grand-maman Barbeau c'est trop. Moi, je couche chez mon oncle Gratien et ma tante Marthe. Ils n'ont pas d'enfants; elle a accouché d'un enfant mort déjà. C'est austère. Ils gardent la mère de ma tante Marthe; elle a cent ans ou plus, elle ne sort jamais de sa chambre; je ne l'ai jamais vue, je sais seulement qu'elle a peur du tonnerre et qu'elle fait allumer des chandelles pendant les orages; ma tante Marthe a raconté que des enfants dans son temps ont perdu la vue parce qu'ils regardaient dehors pendant qu'il tonnait. Mon oncle Gratien me dit que, si j'échappe encore du pipi sur son banc de toilettes, il le dira à ma mère. La nuit, je ne dors pas. Je pense au premier ministre Antonio Barrette qui vient de mourir et je suis terrorisé. J'ai peur, je fais des bruits dans le noir, des bruits de gorge; je me couche sur le plancher, je suis en train de devenir fou. Je pense à l'enfant mort-né de ma tante Marthe; je n'ose pas aller aux toilettes, j'ai peur de rencontrer la grand-mère; je crois qu'elle ne dort pas. Au matin, je me calme, mon angoisse s'apaise et je réussis à m'endormir. Mon oncle me réveille; il y a de bonnes rôties au goût différent de chez nous, j'en mange avec appétit; je vais m'asseoir un peu au salon, mon oncle lit *le Soleil;* si c'est le dimanche, et c'est souvent le dimanche, nous allons à la messe à pied par la rue Loyola. Il y a d'énormes bancs de neige à Giffard, trois fois plus hauts que ceux de Magog. Ma tante ne vient jamais à la messe, il faut qu'elle garde la grand-mère. Mon oncle va communier, moi je reste à ma place; je me suis confessé il y a deux semaines, mais j'ai accumulé des péchés de masturbation depuis. Je suis gêné. Petit, à Magog, j'ai déjà communié en état de péché mortel et cela m'a pris deux ou trois années avant de me décider à l'avouer dans le confessionnal de notre curé un peu dur d'oreille, monseigneur Bouiller.

Nous allons à la messe à pied le dimanche. Nous partons de la rue Somers à Magog; papa n'a pas fait construire encore sa maison rue Georges où l'on aura une vue sur le lac Memphrémagog et le mont Orford. J'ai cinq ans et Carolle quatre; nous nous tenons par la main, en amour pour toujours. Il y a l'immense épinette au bout de la rue et le soleil s'y couche; je rêve, en le regardant à quand je serai grand. Mon père donne le bras à maman toute chic, ils marchent; papa est fin, il est détendu et heureux, il n'a pas bu; ce sont mes plus beaux souvenirs de lui; le dimanche, il est libre, il est à nous; il prend sa petite Carolle dans ses bras et moi il me donne la main; il m'appelle jeune homme au corps plein d'urine ou encore, associé de canot; lui, qui a fait la drave à seize ans avec ses oncles dans les hauts de Saint-Pacôme de Kamouraska où il est né, n'avait pas besoin de canot; il sautait sur les billots de la rivière Ouelle. Avec lui, maman, Carolle et moi, nous allons nous baigner à la plage Southière ou à la Pointe Merry au lac Memphrémagog. Parfois le frère de papa, mon oncle Gérard, ma tante Quetute (les quetutes, ce sont les «cut out», les bandes dessinées dans les journaux : «passe-moi les quetutes» dit-elle) mon cousin Normand et mes cousines Michèle et Christiane venus de Québec se baignent avec nous; Carolle et moi laissons nos amis Judy, Kate (nous prononçons Cake et traduisons par gâteau) et Shirley, la grosse voisine blonde de mon âge avec qui je me bats et qui m'a mordu si fort une fois dans le bas du dos que j'en conserve encore la marque.

J'ai cinq ans. C'est le plus beau temps de ma vie. L'école n'est pas commencée. Toute la journée, Carolle et moi, nous sommes ensemble, inséparables. Mes parents sont en amour. Le matin, papa se lève en se frottant les mains et allume le poêle dans la cuisine; je monte avec Carolle chez madame Garant, au deuxième, voir le coucou sonner; nous allons ensemble payer le loyer chez monsieur Malouin le propriétaire qui nous donne des bonbons et qui a des poules; une gardienne que nous aimons et qui s'appelle Madeleine vient parfois nous garder. Je n'ai peur de rien pour le moment. L'appendicite est loin derrière; l'école ne nous a pas encore séparés, Carolle et moi. Quand je pars le premier matin avec mon ami Laurent Gendron, c'est la séparation. Plus jamais Carolle et moi ne revivrons ainsi ensemble. La vie commence à nous éloigner pour toujours, puis Pierre vient de naître et je pense que papa l'aime plus que moi. Il ne me reste que maman qui, elle, ne m'abandonnera jamais, c'est moi qui me l'arracherai du corps à coups de filles; je lui briserai le coeur à jamais et je ne ferai pas ce prêtre, son prêtre. Mais aujourd'hui qu'elle est morte et que du Ciel elle me voit écrire ces lignes, elle connaît mon coeur et elle sait que je lui suis toujours profondément resté fidèle et qu'encore certains soirs, je la prie de me guider, de m'éclairer, de me tenir la main et de me garder avec elle.

Daniel Gagnon
né le 7 mai 1946

Madeleine Gagnon

Le sourire de la Dame dans l'image

Depuis quelque temps, ce que je considérais comme les grands souvenirs de mon enfance n'émergent pour ainsi dire jamais du fond de ma mémoire, ce sont de tout petits souvenirs qui affleurent et captent mon attention, de petites choses en apparence insignifiantes et anodines qui surgissent dans mes rêveries, des détails ayant meublé quelques fractions d'heures, ou même de minutes, dans la nappe lisse et longue du temps de l'enfance.

Fait-on une histoire avec d'aussi minimes moments?

Se donne-t-on la peine de raconter une seule image, un seul mot, un seul son parfois? Et si l'image, le mot, le son ont pu, à eux seuls, bouleverser le cours d'une journée, que dis-je, d'une année entière et pourquoi pas d'une vie, comment, dans un long récit, être fidèle à sa brièveté mais aussi à sa force? Comment raconter, par exemple, la foudre, le fracassement de l'éclair, ou encore le son du silence après un tremblement de terre ou bien ce regard muet qui suit le grand cri de la mort quand une petite fille de quatre ans a vu de ses yeux le mort mourir et quand, seule avec sa pensée remplie de mots insolites, elle a saisi d'un coup la mort avec la vie dedans?

Ainsi, ce tout petit souvenir que je vais raconter. Et la petite fille qui l'a vécu, je l'appellerai encore une fois Marie. N'est-ce pas son prénom, mais aussi celui de toutes les petites filles de son village et même, elle l'apprendra plus tard, de son pays? L'autre personnage de mon histoire s'appelle aussi Marie mais elle, elle est différente de toutes les autres. Elle, elle est une image, elle est même plusieurs images et son visage n'est pas toujours le même, parfois elle est triste, parfois elle sourit, parfois elle est vieille, d'autres fois, elle est jeune. Elle peut être blonde ou brune, avoir des yeux bleus ou bruns, ou même noirs ou verts, et elle n'est jamais habillée de la même façon. Cette Marie-là, elle est spéciale, c'est la Marie de Dieu. On dit qu'elle a porté Dieu dans son ventre, que c'est le grand oiseau nommé Esprit qui a placé Dieu dedans, que c'est un jeune homme nommé Gabriel, un ange de beauté, qui est venu lui dire qu'elle allait accoucher de Dieu. On dit aussi qu'elle était immaculée.

Cette grande Marie, la petite Marie l'avait vue souvent, sur toutes sortes d'images et dans les livres. Sa photographie était dans toutes les maisons. La petite Marie affectionnait entre toutes l'image qui se trouvait chez elle, dans la cuisine de sa maison, juste au-dessus du cadre de la porte. C'était une belle dame que Marie trouvait un peu vieille mais, à bien y penser, elle n'avait sans doute pas plus de vingt ans. Bien vêtue et bien coiffée, elle ne portait pas sur la tête ce voile que Marie n'aimait pas, les cheveux châtains légèrement bouclés, les yeux marrons qui vous regardaient droit dans les yeux avec une immense douceur et une tristesse aussi — insondable —, et une bouche qui vous souriait avec bonheur et mélancolie.

Marie regardait souvent la Dame, ravie, fascinée, envoûtée d'autant plus qu'elle ne pouvait jamais vraiment savoir si la Dame douce et charmante était vraiment heureuse ou vraiment triste. Quand on a quatre ans, le moindre regard incertain peut vous plonger dans des mers d'indéfinissables questions.

Marie eût voulu que la Dame lui parlât, mais celle-ci n'en finissait pas d'être muette dans ses yeux captivants et sa bouche d'énigmes. Alors, Marie s'en fit une amie, une alliée, une complice à qui elle s'en vint raconter tous ses secrets, des mois durant, espérant qu'à la fin, la Dame sortirait de son cadre, délaisserait sa tenue figée, bougerait les lèvres et enfin, donnerait à Marie le plus beau cadeau du monde, ouvrant la bouche et en sortant des sons, des mots que Marie attendait depuis si longtemps.

Marie espérait qu'un jour la Dame parlerait.

En attendant, elle ne passait pas sa vie dans ce seul espoir. Elle continuait de vaquer à mille choses, toutes aussi importantes les unes que les autres, il y avait tant d'activités fascinantes, tant de jeux — passe-t-on sa vie à attendre que s'ouvre la bouche d'une image?

À deux ans et demi, puis trois et quatre ans, on a bien d'autres magies et fantaisies qui vous tiennent en suspens d'une seconde à l'autre.

Alors, presque tout le temps, la petite Marie oubliait sa Dame encadrée.

Elle oubliait même, certains jours plus intenses, de la saluer seulement, comme elle en avait pris l'habitude, en passant comme une flèche, de la cuisine à la cour ou du dehors au dedans, entre deux événements fantastiques vers lesquels Marie courait.

Un jour, comme tant d'autres, rempli lui aussi de l'oubli pour la Dame, Marie y fut ramenée de façon tout à fait inattendue.

Ce jour-là, elle avait quatre ans. C'était l'été. Juillet, plus précisément. Elle s'en souvient pour la chaleur, mais aussi parce que c'est le mois de son anniversaire. Sa fête, comme on dit dans son pays. Marie avait été fêtée, la semaine précédant le jour miraculeux, d'un gâteau rose et vert et d'un lion sur roulettes qui lui ressemblait comme un frère. Elle s'était endormie ce soir-là dans les images de la fête et trouvait que c'était une bonne idée de naître puisque la seule mémoire du jour de la naissance apportait réjouissances et cadeaux. Le lendemain, elle avait raconté l'heureux événement à sa Dame qui avait continué de sourire toujours aussi mystérieusement. Marie l'avait alors abandonnée pendant quelques jours, un peu vexée finalement de la sempiternelle impassibilité de sa grande amie.

Ce jour-là, elle n'y pensait plus.

La chaleur était si grande que tous les êtres vivants, humains ou animaux, bougeaient à peine. Tous se mouvaient comme des fantômes. Même l'active mère de Marie, même les enfants sous les vérandas, même les chats qui ronronnaient à l'ombre, même les papillons et les mouches disparus dans leur monde de papillons et de mouches où c'est plus frais sans doute et où dorment les choses jusqu'à la fin des temps. La grand-mère de Marie tricotait dans la cuisine et elle fut si fatiguée dans cette chaleur, de transporter d'une broche à l'autre une maille par heure, qu'elle renonça au travail, laissant tomber sur son gros ventre ses mains gonflées remplies de sueur, bientôt les grains du chapelet remplacèrent le tricot et Marie entendit le ronflement de la grand-mère scandant ce temps mort où même le bébé ne criait plus pour sa tétée.

Devant tant d'inactivités et de sommeils qui venaient alourdir et assombrir ses pensées et ses jeux, Marie décida de descendre à la rivière, accompagnée de son lion. Lui, au moins, n'avait pas changé de mine et d'attitude et là, au moins, quelque chose bougerait car l'eau de la rivière, elle, jamais ne s'arrêtait. L'eau de la rivière venait du ciel, là-bas, au-dessus de la ligne des derniers arbres visibles et retournait au ciel, là, de l'autre côté, juste en dessous des grands nuages. L'eau de la Matapédia était éternelle puisque des deux bouts, elle touchait au ciel et, comme Dieu le père et le fils infini de la mystérieuse Marie, jamais elle ne dormait, ni la nuit, ni dans cette chaleur de fin du monde d'un après-midi de juillet.

Le lion, si brave et si peu fatigué, descendit le ravin sur ses roulettes et attendit calmement Marie sur la grève. Évidemment, il fallait choisir une belle roche plate dans l'eau, mais à l'ombre car en plein soleil, Marie sentait bien qu'elle cuirait, avec son lion, comme un oeuf.

Une roche à l'ombre, les pieds dans l'eau mais l'eau coulait moins vite et était chaude, elle aussi. L'eau n'était donc pas complètement éternelle?

Allongée sur sa roche, Marie s'endormit comme sur une barque, un canot qui l'eût transportée, entre terre et ciel, au bout du dernier filet d'eau, dans une contrée qui ne serait ni d'ici ni de l'éternité, qui existait dans le lointain — Marie le savait — et qui l'émerveillerait le temps venu.

C'est le soleil qui réveilla Marie. Pendant son sommeil, il s'était déplacé jusque dans la cabane d'ombre ouatée qui entourait la roche sous le peuplier.

Marie retira ses pieds brûlants, les fit glisser vers une zone plus fraîche et glissa à son tour, au bruit doux de l'eau, dans la rêverie des choses.

Mille petits bruits émergeaient avec elle de la chaleur dans cette fin d'après-midi qui lentement s'étirait : les oiseaux, mouches et papillons étaient sortis de leur torpeur. Marie écoutait. Le langage des animaux, elle le comprenait tout autant que celui des humains et dans la couverture de vapeur qui descendait du ciel pour recouvrir terre et eau, elle se laissait bercer par les ondes fragiles des sons tout autour. L'eau, dans cette pesanteur, ne parlait plus le même langage, elle chuchotait, on aurait dit, pour ne pas réveiller les feuilles couchées sur elle, sans mouvement.

C'est la voix de sa mère qui sortit Marie de sa contemplation. «Marie, Marie», avait crié sa mère Jeanne, de la fenêtre. Sur le même ton, Marie avait dit «oui» et tous les animaux s'étaient tus. Remontant le sentier de la rivière, Marie était accourue, son lion sous le bras. Sa mère Jeanne voulait l'amener avec elle, pour une affaire importante, dans la maison du gros monsieur Saint-Pierre que Marie aimait tant et qui allait peut-être rendre l'âme aujourd'hui, avait dit sa mère.

La traversée du village se fit lentement, il faisait encore chaud mais les chemins d'ombre étaient beaucoup plus larges qu'à midi. Dans les champs du père Auguste, les vaches somnolaient, collées les unes aux autres, bougeant à peine leurs queues pour chasser les mouches qui s'étaient remises à tournoyer. Les vaches étaient ramassées là, sans regard et sans voix, comme avant les orages. «Il va tonner à soir, il va faire des éclairs», avait dit à la mère Jeanne, en guise de salutation, la mère Auguste. Puis elles avaient rencontré le laitier, le petit Gérard qui pleurait, on ne savait jamais pourquoi, assis sur le seuil de la beurrerie, la maîtresse d'école et la maîtresse de piano qui s'en allaient encore à l'église faire brûler des lampions et avaient vu, de loin, le curé qui lisait son bréviaire, sur le perron du presbytère, côté ombre. La maman Jeanne avait alors dit à Marie, de son air le plus grave : «Il a donné les derniers sacrements à notre bon monsieur Saint-Pierre, avant midi.»

«Les derniers sacrements!» Ce mot, comme celui d'enfer ou de mort ou bien de purgatoire, remplissait Marie d'effroi. Un voyage de corneilles passa au-dessus de leurs têtes, lançant des cris énervés qui chaque fois faisaient frissonner Marie. Les corneilles et corbeaux étaient pour elle les oiseaux de la mort car leur langage était fait de mystère et d'inconnu, contrairement à celui des moineaux, des merles, des grives et des hirondelles.

Dans la maison du gros monsieur Saint-Pierre, il y avait sa femme qui pleurait en disant son chapelet, une ribambelle d'enfants qui jouaient sous la table et les chaises, une dame qui s'affairait autour des fourneaux et le vieux Docteur qui vint dire un secret à la mère de Marie.

La porte de la chambre où reposait monsieur Saint-Pierre était entrouverte et Marie s'y glissa doucement. Elle approcha du lit de son vieil ami et vit qu'il respirait à grand-peine, les yeux ouverts qui ne regardaient rien ni personne, plongés dans un lieu où ça semblait faire très mal et ne plus parler, jamais. Ses vieilles mains reposaient sur son ventre énorme et on avait placé un chapelet dedans. Marie toucha ces mains qui étaient glacées et, par elles, dans cette chaleur pourtant écrasante, Marie comprit une partie de la mort.

Elle ne comprit pas tout et fut à son tour saisie par le grand froid quand, retournant sa tête vers elle, elle vit de ses yeux le mort mourir, rivant sur son regard à elle, le grand vide, soudain, du sien. Elle dut crier, elle ne s'en souvient plus et elle se retrouva dans les bras chauds de sa mère Jeanne qui la consolait pendant que le Docteur fermait les yeux vides du mort et que sa femme hurlait «non, non». Après une prière au corps et des paroles dont le sens échappait tout à fait à Marie, elles quittèrent la petite maison, main dans la main, sa mère et elle.

La route du retour fut lente et douce. Les mots du ciel qui sortaient de la bouche de sa mère, Marie ne les connaissait pas, ne les avait jamais entendus, mais ils étaient dits avec tant de ferveur qu'ils s'étendaient comme un baume sur le coeur de Marie touché au vif par la mort vide. Ils coulaient, les mots que Marie laissait entrer en elle comme des amis étrangers.

Le ciel allait bientôt se vider de sa chaleur. On sentait l'orage tout autour et les feuilles dans les arbres avaient recommencé à se mouvoir. Les oiseaux ne parlaient plus, comme toujours avant l'orage. Ils attendaient leur bain de pluie qui rendrait ruisselantes leurs ailes et claires leurs voix. Marie regardait parler sa mère Jeanne. Qu'elle était belle, sa maman de trente ans qui, cet été encore, portait un bébé dans son ventre, sous sa robe légère de lunes et de fleurs! Combien Marie était heureuse de sa mère, il n'y en avait pas de plus belle, même quand son regard, emporté vers des horizons si lointains, devenait soudain celui de la mystérieuse et triste Dame dans l'image.

«Pourquoi la mort est dans les yeux?» avait seulement demandé Marie. «Certainement pour deux raisons, avait répondu la jeune femme, et sans doute pour d'autres encore plus compliquées. La première, avait-elle dit de sa voix familière, revenant de son étrange royaume de mots mystérieux, c'est parce que les yeux sont le miroir de l'âme, tu comprends? Et la deuxième, c'est à cause du regard éternel de Dieu, celui qui voit tout tout le temps et qui voit quand il faut mettre la mort dans les yeux des mourants pour qu'ils ne voient plus, jusqu'à la Résurrection, l'éternité que lui seul peut voir.»

Tout le long du chemin, Marie, maintenant silencieuse aux côtés de sa mère, si calme et si rassurée par les mots de sa propre réponse, Marie avait jonglé vaguement à toute cette suite de mots qu'elle prendrait une vie à comprendre, les uns par rapport aux autres : yeux, miroir, âme, Dieu, éternité, vision, regard, résurrection, mère et mort.

La chatte, grosse d'une portée prochaine, les attendait, paresseuse, sur le seuil de la porte. Marie la prit dans ses bras et la fit entrer avec elle dans la maison envahie par la cacophonie familière qui remplissait l'espace de la cuisine, chaque soir, avant souper. Mais, ce soir-là, Marie n'avait pas envie de se joindre au concert. Elle voulait fuir ce branle-bas d'humains et d'objets, regagner le grand silence bleu du salon, entre le velours des draperies et la paix laquée du piano, dans l'océan de solitude où peut se traverser le miroir de l'âme, vers des contrées sans rives, sans mémoire et sans nom.

La chatte dans ses bras s'était endormie. Son ronronnement scandait les échos de la maisonnée. Adossée au piano, le rideau de velours la recouvrant comme une mante, Marie vit dans le ciel les premiers dessins d'éclairs, puis, ce fut le lointain grondement du tonnerre, suivi du fracassement, et les nuages s'ouvraient de tout leur long, se déchirant d'abord puis, apaisés, laissèrent se déverser sur la terre toutes les eaux de leur ventre fatigué.

D'autres éclairs et d'autres coups de tonnerre se répondirent et ce fut le calme, le long murmure de la patiente pluie qui avait attendu toutes ces heures pour tomber. Au début, il y avait partout de petits ruisseaux sur la route et la route elle-même devint ruisseau, coulant dans la rivière et coulant avec elle vers les grandes eaux de la mer, là-bas, de l'autre côté du soleil levant. Mais ce soir, point de soleil, que de masses grises d'eau, aucune ligne d'horizon, aucune différence entre le monde du ciel et celui de la terre, tout était pris, emmêlé dans le lisse mouvement des eaux vives et opaques.

C'est après l'orage, pendant la tombée monotone de la pluie que la petite Marie vécut cet extraordinaire événement d'une fraction de seconde. Attentive à l'écoute de l'eau et s'étant abstraite des bruits coutumiers de la cuisine, elle entendit soudain, avec une force et une clarté qui ne laissaient aucune place au doute, son nom deux fois murmuré par la Dame de l'image : «Marie, Marie», disait la Dame, comme si ce prénom d'elle, ainsi prononcé à son oreille, était un appel à la rencontre. «Marie, Marie», répétait la Dame, du haut de son royaume encadré.

D'un seul mouvement et folle de bonheur, Marie se précipita dans la cuisine, sous le portrait de la Dame dans l'image. Les joues en feu et le regard émerveillé, elle dévisagea la Dame et dit, seulement : «Quoi?» Et la Dame ne répondit pas.

Elle n'avait changé ni de regard ni de bouche et le mystère de son visage demeurait entier. Marie la scruta, essayant de voir si quelque chose en elle avait bougé, s'était déplacé : rien, toujours rien. Sa belle Dame était tout aussi muette et tout aussi triste et tout aussi ravissante.

Muette, mais pas morte puisqu'elle n'avait pas ce regard de la mort que Marie maintenant connaissait.

Ni morte ni vivante, mais qui donc était cette femme qui se faisait entendre sans parler, qui vous regardait sans vous voir et qui ne daignait même pas vous répondre, donner suite à son appel et faire bouger cet univers de vitre et de papier dans lequel elle s'était enfermée depuis que le Dieu était sorti de son ventre pour s'en aller dans un pays nommé Ciel que personne au monde n'avait jamais vu?

Et alors, ce fut tout. Ce fut la fin de cette histoire. Marie fit ses adieux à la Dame. Elle lui expliqua calmement pourquoi elle ne la verrait plus et ne la saluerait même pas, en passant. Il y a des limites, se disait Marie dans sa tête, la pluie est plus vivante que celle-ci et les oiseaux et la chatte et même les mouches et mon lion qui lui, au moins, ne fait pas semblant d'être vivant, qui n'a pas de regard, encore moins de sourire et qui sait parler sans mots comme je l'entends.

Il y a des limites, se disait Marie, le vieux monsieur Saint-Pierre est plus mort que celle-ci, au moins son regard qui ne disait plus rien racontait quelque chose, me disait, dans le grand vide qui me fixait : mon âme s'est envolée de mon corps, tu le vois bien dans mes yeux.

Il y a des limites, se disait Marie, même les pleurs du petit Gérard que je ne comprends jamais, même les vaches, dans leur regard langoureux comme la lune, même ma chatte qui dort encore dans mes bras, me parlent, plus que celle-ci.

Alors, ma Dame dans l'image, je te fais mes adieux. Je traverserai les villages, les rivières, les mers et tous les pays et je t'oublierai. Je comprendrai le miroir de l'âme et le regard de la mort quand l'oeil de Dieu prend la place, j'entrerai dans les chemins éternels du regard de ma mère et je t'oublierai.

Par ce regard de ma mère enfoui le plus souvent au fond du secret des choses les plus secrètes, je t'oublierai.

Et quand ton image, celle que j'aimais tant si petite, aura disparu du mur de la cuisine, au-dessus du cadre de la porte, lorsqu'un grand ménage et des travaux abattant cloisons et portes te relégueront, avec d'autres images, dans les souvenirs poussiéreux du grenier ou de la cave, moi, Marie, je t'aurai oubliée.

La mère Jeanne avait vu alors sa petite Marie parler à l'image. Après tous les événements bouleversants de cette journée, elle s'était inquiétée. Elle avait mis sa main sur le front de Marie, tendrement, comme lorsque celle-ci faisait de la fièvre et avait dit, seulement : «À qui tu parles?»

Qu'avait répondu Marie? peu importe. Elle l'a oublié, comme tant de choses qui sont dites pour ne pas rester. Mais elle se souvient d'un souper calme sous la pluie. Elle se souvient aussi d'une nuit pleine de sommeil avec, au beau milieu, un rêve de rivière où, au centre des eaux, se tenait la Dame de l'image, avec un visage qui bougeait et dedans, de beaux grands yeux et le sourire ravissant de sa mère Jeanne.

Madeleine Gagnon
née le 25 juillet 1938

PHILIPPE HAECK

Cinéma intérieur

à Cécile Gagnon
qui m'a donné souvenirs
et photographies

1

Il fait froid. Je ne suis pas né. Le maquignon Gagnon, mon arrière-grand-père, revient chez lui en traîneau; il a son flasque d'alcool pour lutter contre l'hiver. Il a joué aux cartes au village en concluant quelques marchés. Les chevaux connaissent bien le chemin de la maison; derrière la grande maison de campagne de Saint-Éloi le traîneau s'immobilise, leur maître ne descend pas : il est mort, gelé. Sa femme, Victoria Morin, qu'il avait mariée alors qu'elle n'avait que quatorze ans, disait qu'elle avait vieilli trop vite avec tous les enfants qui venaient — elle aurait aimé avoir plus de temps pour aller glisser avec les enfants, pour jouer du piano.

2

«Appelez-moi Omer» dit mon grand-père. Dans toute sa vie il n'a manqué qu'une journée de travail, travaux aux longues heures la plupart du temps dans les chantiers, au port, dans un clos de bois, à l'Hydro-Québec. Il aime les chevaux, les cartes, l'alcool, les femmes, les enfants. Adrienne Dumas et Omer

Gagnon savent raconter, y prennent plaisir : la magie des contes devait transformer le quotidien où il y avait peu de surprises — qu'arrivait-il à Ti-Jean et à ses trois chiens? Omer, s'il a de la difficulté à écrire son nom, connaît des histoires salées : on voit dans ses yeux que les femmes sont aussi belles que des chevaux, qu'elles fouettent comme la mer. En partant avec sa jeune femme à Montréal en 1922 pour aller gagner sa vie, il laisse toutes ses économies, deux mille dollars, à sa mère : elle les lui demande pour sauver la terre où elle demeure avec l'aîné. Il n'en verra plus jamais la couleur, ils n'auront jamais de maison à eux; leur maison ce sera huit enfants vivants : Cécile, Marie-Paule, Guy, Françoise, Hermine, Bérangère, Hubert, France. Omer dit : «Bien manger, bien dormir, je n'en demande pas plus.» Il aime Maurice Duplessis qui n'oublie jamais les gens de la campagne et n'aime pas les syndicats qui empêchent de travailler.

3

Il fait chaud. Je ne suis pas né. Le jardinier Victor Haeck, mon grand-père né près de Bruges en 1875, arrivé au Canada en 1906 avec deux de ses frères qui mettront plus de temps à s'enquébécoiser, vient de se faire casser la jambe par la ruade d'un boeuf. C'est l'homme du jardin parfait, un grand homme plié dans son coeur : les graines et les fleurs n'ont pas de secret pour lui. Il dit le soir : «Je m'en vas aux petites vues»; chacun sait qu'il va marcher jusqu'au bout de la terre pour planifier l'ouvrage du lendemain des hommes engagés : ils sont parfois jusqu'à vingt-cinq et la terre a cinquante arpents. Le dimanche il marche une heure et demie de Côte-de-Liesse à l'église Saint-Alphonse-de-Youville; dans la chambre il y a deux prie-Dieu, l'un pour lui, l'autre pour sa femme, Amanda Nadon : elle n'était pas assez forte pour faire une religieuse — la communauté lui a donné son congé pour raison de santé —, elle a pourtant accouché douze fois; il y a eu sept survivants : Camille, Gérard, Joseph, Lucien, Bernard, Cécile, Thérèse. Mon grand-père avait quarante ans le jour de son mariage, dix de plus que sa compagne. Je suis tout le portrait de mon grand-père, voilà ce que je me dis parfois en arpentant ma bibliothèque lentement, déplaçant, classant les livres pour les travaux à venir. Non attaché à l'argent, n'aimant pas les agents d'assurances, il laisse à sa femme le soin de gérer les revenus; il ne sort pas : il n'a été qu'une fois dans le centre-ville, il ne sortait de son jardin que le dimanche pour aller à l'église; grand marcheur il n'a appris à conduire qu'à soixante-douze ans. Un jour qu'il doit aller coucher chez un cousin qui demeure loin, ma grand-mère lui donne vingt dollars pour ses dépenses : il les donne à la quête le dimanche — la paroisse était pauvre.

4

Je suis né le 27 décembre 1946 à Montréal. Naissance difficile pour ma mère que mon père trouve baignant dans son sang à l'hôpital — une belle boucherie, le gynécologue était sans doute absent! Elle a mis un mois avant de marcher : mon père décide d'utiliser la méthode Ogino pour espacer les enfants. Je suis le premier enfant de Cécile Gagnon (née en 1923) et de Lucien Haeck (né en 1922), mariés le jour où les Américains lancent sur Hiroshima la première bombe atomique; ils auront trois autres enfants : Louis en 1951, Lucie en 1956 et Hélène en 1964. On habite pendant deux ans la grande maison de Côte-de-Liesse; il y a entre quinze et trente personnes selon les saisons : parents, enfants, petits-enfants, servante, hommes engagés de mai à septembre. Je suis assis à côté de la maison sur une couverture : j'ai une grosse tête, mon grand-père : «Espérons qu'il y aura quelque chose dedans.» Joseph, en montant à sa chambre, entre toujours dans celle de mes parents pour me voir. Mon père revient des champs, beau de la terre qui lui colle à la peau, il me soulève comme les joueurs de hockey la coupe Stanley à la fin de la saison. Je colorie dans un cahier la tête d'un enfant, mon grand-père : «Tu dépasses», moi : «Non, il frise.» Puis mes parents s'installent à Sainte-Dorothée sur une terre achetée par mon grand-père; Victor Haeck est toujours malheureux quand les enfants partent : il rêvait d'une commune. À Sainte-Dorothée un soir d'hiver on sonne à la porte : un homme prévient mon père que la cheminée est en feu. Par une nuit d'hiver on sonne à la porte : un homme à moitié endormi explique que son camion-citerne a versé dans le fossé, il s'assoit dans la chaise berçante — ses grands ongles vont laisser des marques dans le vernis; dehors les voisins sont arrivés avec des bidons pour récolter l'essence sur la neige mauve. Une journée d'été j'affirme au voisin Charles que mon père est meilleur que lui : son tracteur n'a pas besoin d'essence mais d'eau. Il pleut abondamment, je suis dans les bras de mon père debout, tranquille à regarder la pluie qui nourrit la terre; pendant que je suis dans ses bras je vois avec surprise des souris qui se faufilent dans le mur du garage. Un jour je me rends chez les voisins qui ont beaucoup d'enfants, je suis encore seul : Louis n'est pas né — c'est ma première fugue; il n'y en aura qu'une autre : je sortirai de la cour de ma grand-mère sans la prévenir, on me trouvera après avoir cherché dans tout le quartier dans la cour d'en face à jouer tranquillement. Pendant cinq ans je suis un enfant unique, souriant, solitaire. Un enfant gâté, gardé par la grand-mère Adrienne pendant que papa maman sont au marché pour vendre les produits de la terre. Elle défendait à ses filles quand j'étais bébé de me prendre dans leurs bras : il fallait me mettre sur un oreiller pour ne pas me casser les reins. Mes jeunes tantes qui ne sont pas encore mariées me comblent de cadeaux. Un petit garçon blond se promène sur un tricycle ou une petite voiture, veut garder chiens et chats qui viennent à la maison, ramasse des feuilles, joue avec un gros camion sous un sapin de Noël, descend avec sa grand-mère dans la cave où se trouvent les gâteaux et les sucreries des fêtes, colorie, barbouille avec application en disant «J'écris». On m'appelle le gros Bill — c'est le titre d'une chanson pour Jean Béliveau —, j'aime la musique, j'aime chanter.

5

À cinq ans le monde change. Il n'y aura plus de campagne, de terre, de journées à suivre papa, il y aura désormais la ville, un balcon ou une cour, des journées à écouter la maîtresse d'école. La première était une femme sèche dont j'avais peur : un coup de baguette sur les doigts si les lettres n'étaient pas bien formées; quand elle approchait de mon bureau je ne savais jamais si mes lettres étaient assez parfaites. La deuxième était bonne, une grand-maman qui donne des sourires et des bonbons.

Après il n'y aura que des hommes jusqu'à la quatrième année d'École normale : de sept ans à dix-huit ans. J'étais un élève docile, appliqué, souvent premier de classe — je n'étais pas plus intelligent, je répétais mieux les leçons du maître; ma mère était contente de voir mon nom dans le bulletin paroissial, de me voir arriver avec médailles et prix. La ville m'a dérangé : je n'aimais pas le bruit, je ne voulais pas aller jouer avec les autres enfants, «des gamins qui lancent des pierres». Mon père avait dû laisser la terre de Sainte-Dorothée à un frère aîné qui n'avait pas d'emploi. À Montréal mon père est émondeur à l'Hydro-Québec; il n'a pas le vertige : combien de fois j'ai peur de le voir tomber dans le fleuve quand il m'amène le dimanche au port pour voir les navires de guerre, il s'amuse à marcher sur le bord du quai sans garde-fous, je me tiens loin et j'ai peur de le voir disparaître : il ne sait pas nager. Il se lève tôt, part en bicyclette avec sa boîte à lunch. Quand nous sommes malades, Louis et moi, il nous berce. Le soir pour nous endormir il nous lit des biographies, je me souviens de celle de Charles le Téméraire à cause d'une illustration : Charles est blessé à mort sur les bords glacés d'un lac (la témérité et la mort sont-elles liées?). Si la nuit je vois un lion dans ma chambre, que des bébés se lamentent sous ma fenêtre, que des bruits dessinent des voleurs, papa se lève pour chasser le lion, changer les bébés en chats, et les voleurs en persiennes qui claquent au vent. Quand je me penche au-dessus des lits de Catherine et de Yannick pour les embrasser afin qu'ils traversent la nuit sans crainte, je ne vois pas un tel geste chez mon père : il ne nous embrassait pas mais sa voix qui nous endormait était peut-être comme un baiser suspendu. Il aime Jeanne d'Arc, Napoléon, les révolutionnaires de 1789, les communards, les patriotes québécois et irlandais, Hitler et ses camps de travail : ouvrier anglophobe il n'accepte pas les inégalités trop grandes entre les classes. Il lit beaucoup sur l'histoire de France et de l'Église; à mon baptême il me donne les prénoms de Louis et de Philippe à cause des rois français qu'il aime. Un jour il décide que Haeck ne rimera plus avec sac mais avec sec — question d'euphonie. Le dimanche après avoir été à la messe il met des disques; mon père aime le pape et les danseuses de *french-cancan*, les fanfares militaires et l'accordéon musette, les discours de Hitler et les chansons d'Édith Piaf. S'il affirme qu'il aime plus Dieu que les hommes, je ne le crois pas, il ne voit pas l'écart entre son discours et sa vie. Long-temps j'ai espéré trouver une statue de Jeanne d'Arc en bronze comme celle qu'il y avait sur mon bureau quand j'étais enfant, habillée en soldat avec un drapeau où était écrit «Jésus Marie Joseph»; aujourd'hui je ne cherche plus, je sais que l'accident qui l'a brisée ne l'a pas détruite en moi : Jeanne d'Arc armée de sa grande épée et de ses prières d'enfant, ça me ressemble encore.

6

Du 9 août 1953 au 18 août 1959 : *le Secret de l'émir, la Couronne d'épines, l'Ombre de Saïno, Pour sauver Leïla.* Les dessins de Pierre Forget pour ces quatre épisodes des *Aventures de Thierry de Royaumont* racontées par Jean Quimper sont un de mes secrets. Un secret ça ne se dit pas, un secret même quand ça se dit, ça ne se dit pas vraiment, ça reste secret. À chaque semaine je recevais *Bayard*, hebdomadaire français publié par la Bonne Presse; c'est dans cette revue pour jeunes que j'ai appris à vivre avec en moi le fier Thierry, le sage Galeran, l'espiègle Sylvain, le solide Gaucher, la sensible Leïla. Galeran et Sylvain avaient ma préférence : le premier pour sa piété, son intelligence, son humilité, le second pour sa gourmandise, ses mensonges, sa gaieté. Le moyen âge chrétien a toujours été pour moi un foyer de lumière avec ces cinq visages, une espèce de combat entre la générosité et l'escroquerie. Le dessin de Pierre Forget m'émeut toujours : châteaux, donjons, abbayes, visages, je sais tout par coeur; ces planches sont la seule trace de mon enfance que j'aie gardée. On joue à la messe : je fais le prêtre, je donne la commu-nion sous forme de biscuits soda — on communie souvent. Le jeune prêtre a un secret : il a menacé son frère avec un couteau : «Si tu parles...» Je ne me souviens plus du secret, seulement du coupe-papier, peut-être parce que Louis en octobre soixante-dix le retourne contre moi : il est dans l'armée canadienne, en cas de conflit il n'hésiterait pas à me passer à la baïonnette si je me trouvais de l'autre côté de la barricade. Le soir je fais ma prière à genoux à côté de mon lit; le matin je me lève tôt pour aller à la messe avant d'aller à l'école : l'enseignant donne des points scolaires pour l'assistance à la messe, on gagne des congés de devoirs — j'ai toujours en moi cette grande église Saint-Vincent-Ferrier dans la lumière grise du matin. À quinze ans quand j'ai dit à ma mère mon envie de devenir moine, elle a pleuré et je n'y ai plus songé; à douze ans un prêtre de la paroisse m'avait parlé de la prêtrise : j'ai dit non, je ne voulais pas aller au collège classique, je n'aimais pas les robes noires — je n'ai jamais été enfant de choeur : les uniformes devaient me déplaire.

7

Qui va lentement se perd : nous n'allons jamais trop vite dans une actualité pressée d'en finir avec aujourd'hui. La neige tombe abondante et j'écarte son rideau pour apercevoir mon enfance et ma jeunesse en sachant bien que ce «mon» et ce «ma» sont vides puisque enfant et jeune nous ne nous possédons pas. Cet après-midi je vois ce jeune Italien anglophone. Je le croisais sur la rue, il restait à trois ou quatre maisons au deuxième étage, il était petit, riait souvent. Un matin sa mère a commencé à crier : il se balançait dans la porte du hangar, pendu. Je n'ai rien à expliquer. Quelqu'un a votre âge et met fin à sa vie et vous avez quinze ans. Je n'ai rien dit mais sa corde frotte mon cou encore. Un jour mon directeur spirituel, j'avais dix-huit ans, me prédit que je vais me suicider — cela me fait plaisir même si ce geste m'apparaît impossible : un chrétien ne se suicide pas. Au presbytère Sainte-Cécile, au deuxième étage, un prêtre occupe deux pièces : un bureau bourré de livres et une chambre avec beaucoup de disques. C'est l'aumônier de l'école normale Ville-Marie où j'étudie; la première fois qu'il nous rencontre, il fait son baratin avec humour et brillant : il sait faire rire. Choqué je vais le rencontrer, comment peut-on parler de Dieu si légèrement, quel contraste avec l'aumônier précédent, prêtre aux cheveux blancs, plein de douceur. L'aumônier à la mode est un stratège : on ne donne pas de perles aux cochons. Il devient mon directeur spirituel, il aime Valéry, le roman policier anglo-saxon et la littérature française. J'ai dix-sept ans, je me confesse à chaque mois. Je suis seul mais n'en souffre pas; dans la nuit il y a des rêves de femmes nues, je sais depuis l'âge de douze ans que cela est normal, que cela transforme le pénis en fontaine, que cela n'a rien à voir avec le péché : notre méde-

cin de famille, un homme au teint basané, à la voix chaleureuse,
m'a appris cela — mon père, à dix ans, me dessine sur un tableau
le ventre d'une femme pour expliquer où apparaissent et où
sortent les bébés : j'ai hâte qu'il termine la leçon, cela ne m'intéresse pas. À seize ans je suis misogyne, si je m'identifie facilement au discours raisonnable de mon père avec qui j'aime
discuter, je suis mal à l'aise avec les éclats de rires ou les crises
de larmes de ma mère : ma mère est trop voyante. Mon père
s'emporte contre le monde, il explique comment il devrait être;
ma mère est affectée par le monde, elle ne peut le tenir à distance
par le discours. Avec ma raison je réduis la peau douce des filles
à des paquets d'atomes, les plaisanteries grivoises de mes tantes
et de mes oncles, je fais semblant de ne pas les comprendre ou
je souris légèrement, je protège au-dedans de moi le visage de
Leïla — j'avais vu ce visage à trois reprises, cela me suffisait.

8

Mes parents ont toujours été des locataires de logements sans
beauté la plupart du temps. Notre première richesse était de
n'avoir pas de dettes, la deuxième la bibliothèque de mon père,
la seule excentricité, la troisième la religion. Nous avons tous
fait des études universitaires; les livres ne nous ont jamais fait
peur, c'était des objets privilégiés par lesquels nous nous gagnions
l'attention du père. À quinze ans en rentrant à l'École normale
j'ai commencé ma bibliothèque : je couvrais tous mes livres avec
de la toile noire ou jaune, chacun avait sa cote Dewey; j'ai toujours
aimé les classifications : les timbres à collectionner, les livres à
identifier, les valeurs à ordonner. Chez nous il n'y avait pas de
Père Noël et d'arbre de Noël — cela n'existait que chez ma
grand-mère Adrienne; il y avait une petite crèche, les discours
de mon père pour nous indiquer le chemin de la vertu : il s'agissait d'économiser, de ne pas gaspiller, il y avait tant d'enfants
qui n'avaient même pas à manger, de penser que nous allions
mourir, de ne pas perdre notre temps, de prier, de ne pas perdre
notre vie. Mon père était choqué par le fou rire qui nous prenait
parfois au milieu du chapelet. Notre ton autoritaire, tranchant,
sévère, vient de cet esprit d'économie et de pauvreté enseigné
par le père; nous sommes les deux moitiés de notre père : Louis,

la moitié droite, fidèle à l'ordre établi, à la loi, aux comman-
dements, vite il a été enfant de choeur, scout, cadet de l'armée;
moi la moitié gauche, soucieux de vérité, prêt à aller contre lois
et coutumes si elles manquent de justesse, de justice.

9

Sur les bras de la galerie il y a un beau collet de neige brillante.
Je suis dans la boîte du camion de Camille avec mon cousin
Pierre : on regarde les étoiles, petits points intenses dans la nuit.
La boîte du camion vide — nous venons de monter les meubles
dans le nouveau logement de mes parents — et le ciel rempli
d'étoiles — comment appartenons-nous à cet infini? J'ai quatre
ans : pieds nus je marche sur l'herbe, l'herbe colle à mes pieds
comme les étoiles à mes yeux, c'est peut-être ça qu'on appelle
l'enfance. Dehors il neige à plein ciel, les flocons s'agitent comme
dans cette petite boule de verre qu'il y avait chez ma grand-
mère : on la secouait et la neige enveloppait la petite maison.
Une oeuvre d'art est-ce autre chose que cette maison enfermée
dans une boule de verre, sur laquelle on peut faire tomber de
la neige même s'il ne neige pas dehors. Le plus bel objet de
mon enfance était un gros gland gigogne en bois foncé sur un
bureau élevé de la chambre obscure de ma grand-mère, il y a
des années que je ne l'ai vu, pourtant je vois un petit garçon,
il ouvre les glands un à un, jusqu'au plus petit, quand il ouvre
le plus petit il n'y a plus rien, alors il remet les deux moitiés
ensemble et refait le gros gland porteur de ses copies. La beauté
c'est aussi tous ces objets multicolores aperçus dans le village de
Caughnawaga que nous traversions pour aller chez Camille, j'aimais les couleurs vives, enfant ma mère me faisait des habits
où couleurs, motifs, dessins sortaient de l'ordinaire.

10

Un petit garçon blond déterre une grosse roche, il travaille
lentement, avec application, sitôt qu'il a fini de manger il
retourne à son ouvrage, patient il creuse tout autour. Il se lave
les mains plusieurs fois par jour monté sur un petit escabeau.

Si vous allez dans sa chambre ne dérangez rien, tout y a une place précise, éclairée par la petite lampe rose donnée par Françoise qui ne cesse de lui apporter crayons et feuilles de toutes couleurs. La plupart du temps il est seul, parle peu, obéit, ne réplique pas. Parfois il se couche sur le lit de papamaman après avoir vidé le fond des verres de vin des invités, d'autres fois il s'envole toujours plus haut sur la balançoire du parc Laurier, poussé par France. Un peu plus grand il aime jouer à la cachette dans la douceur du soir chez Camille, regarder avec Louis les drapeaux dans le dictionnaire — «Lequel aimes-tu le plus?» —, jouer au ballon dans l'herbe avec le cousin Jean-Guy, au hockey, au monopoly avec les voisins, aux cartes avec les grands.

11

Ce qui me surprend dans mon enfance ce sont toutes ces photographies où un petit garçon me regarde avec des yeux taquins, un rire retenu. Comment penser alors qu'un enfant n'a pas d'identité, que c'est une plaine, un désert où il est facile de planter Dieu, fleur bleue qui rassure l'âme, donne des ailes à l'ange gardien, que l'enfance et la jeunesse sont de longs moments où vous ne vous appartenez pas, où le monde tasse en vous, sans que vous l'ayez demandé, ses beautés et ses déchets. Ces yeux taquins me disent qu'il n'y a rien de sûr avec un enfant, qu'on ne sait pas ce qui va arriver : Dieu peut devenir un cactus qui déroute l'esprit; un pont, une grande machine qui peut lancer l'auto de papamaman dans la rivière; la famille, une famine. Ce qui m'intéresse dans l'enfance ce sont mes enfants, les enfants du quartier que j'ai vus jouer aujourd'hui dans la cour d'école; j'ai pensé à la joie des toiles de Bruegel que les enfants ne connaissent pas, les enfants jouent, ils sont à leurs courses, leurs bavardages, leurs rires, ils ne savent rien de la toile de Bruegel, pourtant c'est ça, les enfants sur la cour d'école ne sont pas une masse, une foule, ils sont un grand ensemble mouvant limité par la clôture et les murs, mouvant parce que bourré de cellules d'un, deux, trois, quatre, cinq enfants, rarement plus, dont chacune a ses gestes, ses trajets. Qu'est-ce qu'on plante dans le coeur de ces enfants? Dieu n'est plus l'arbuste universel. Peut-être est-on en train d'y mettre un ordinateur capable de millions d'images, de musiques, de textes. Si j'aime les enfants ce n'est pas à cause de leurs bons mots ou de leurs répétitions parfaites, mais plutôt à cause de leur côté petit animal non pensant, ils me reposent des adultes qui depuis bien long-temps ont cessé de penser, affichent comme pensées les normes de la tribu. Si leur innocence animale me plaît, je n'en ai pas moins hâte qu'ils deviennent des femmes, des hommes prêts à lutter pour leur vie, à en défendre les couleurs. Je veille seule-ment à ce que mes enfants ne soient pas écrasés par telle ou telle autorité, j'aimerais qu'ils se fassent un jardin où nul maître ne viendrait les forcer à pousser de telle ou telle façon. À chaque nuit quand je m'endors, je sais qu'avec moi il y a un petit garçon blond et un homme âgé, des hommes qui regardent la terre, aiment les chevaux, parcourent des bibliothèques, des femmes qui tissent la chaleur, animent la maison, font des voyages. Je dors sur le couvre-pieds de mes parents, et mes enfants sur le mien. Je sais quel feu lie mes carrés d'air, de terre, d'eau. Je sais que mon jardin était commencé avant que je naisse, que d'autres le transformeront après ma vie, que la vie est une tempête de neige pleine d'apparitions.

Philippe Haeck
né le 27 décembre 1946

SUZANNE JACOB

Le voyage à Victoria

La grande demoiselle qui habite la maison de stucco blanc au coin de l'avenue a souri. Elle dit :

— Non, pas à Victoria! À Victoriaville peut-être, mais pas à Victoria. Victoria, c'est très loin, c'est de l'autre côté des montagnes Rocheuses, dans l'océan Pacifique!

Elle ne me croit pas. J'ai beau lui expliquer qu'on prendra un train qui nous mènera jusqu'au bord de l'océan Pacifique justement, elle ne me croit pas. Cette incrédulité qui lui plisse le visage me fait comprendre que nous allons entreprendre un voyage tout à fait hors de l'ordinaire pour les années cinquante.

Le train a dû s'ébranler vers trois heures de l'après-midi, après avoir fait sa provision d'eau. Mon père et mes frères ont dû courir un peu sur le quai de la gare. Nous, les quatre femmes, une mère et ses trois filles, on a dû agiter la main un peu plus longtemps que nécessaire, on a dû regarder la cathédrale d'Amos se rapetisser derrière la rivière Harricana. Une fois Amos disparue, une fois nos adieux faits, on a dû parcourir le train, en compter les wagons, faire l'inventaire, tout repérer, faire connaissance. On a dû découvrir que les courbes de la voie nous permettaient d'apercevoir la locomotive et le wagon de queue. On a dû essayer les chasses d'eau, les serrures, les robinets. Une des trois filles a certainement demandé cent fois à la mère à quel moment le wagon panoramique serait attaché au train. La mère a certainement répondu cent fois, sans jamais perdre patience, que le wagon panoramique serait attaché à Winnipeg. Que Winnipeg arriverait après les Grands Lacs, après avoir dormi deux fois dans les couchettes. On a probablement fait une petite toilette avant de nous diriger à la queue leu leu vers le wagon-restaurant.

Quelque chose m'échappe. Ma mère parle anglais. Les têtes des passagers du wagon-restaurant nous font mourir de rire. Nos fous rires se communiquent à toutes les tables, ils chatouillent tous les dîneurs et les garçons qui vivent en équilibre avec des plateaux dans les mains. Nous rions beaucoup. Cependant, quelque chose m'échappe. Les Grands Lacs me paraissent beaucoup plus abstraits que dans mon livre de géographie. Dans mon livre, on voit bien que les Grands Lacs sont la source du fleuve Saint-Laurent. Ici, on ne voit que des épinettes noires bordant une eau interminablement banale. Ma mère parle anglais. Moi pas. Je ne dois pas perdre ma mère de vue, à Winnipeg surtout, parmi ces milliers de rails et de wagons. Je ne dois pas paniquer parce que notre wagon n'a plus de locomotive et qu'il a l'air oublié sur une voie d'évitement. Le calme revient avec le wagon panoramique. On pourra tout voir de ce dôme transparent. On pourra voir la comète au-dessus des plaines de l'Ouest, les rivières et les chutes, les ravins, les bêtes sauvages et les sommets enneigés, tout. Mais quelque chose m'échappe toujours. Je n'arrive pas à relier ce que mes yeux perçoivent avec ce que j'ai appris dans les livres. Ce ne sont pas mes sens qui perçoivent que nous parcourons une immense plaine, que nous accomplissons une étonnante traversée de tout un continent, c'est la mémoire de ce que j'ai appris à l'école qui m'oriente et me désoriente tout à la fois. Ça me fatigue. Je ne distingue pas très bien ce que j'ai appris de ce que j'apprends. Et en plus, il y a cette autre langue que tout le monde parle et qui tord un peu la bouche de ma mère. Qui nous tord de rire, nous les trois filles.

Enfin, on les aperçoit, les Rocheuses, tout au bout de l'horizon vers lequel on se dirige trop lentement. Lorsqu'on y pénètre finalement, l'excitation est épuisée. J'ai douze ou treize ans. On me demande de regarder de ce côté-ci, d'admirer, de remarquer, de me tourner un peu dans tous les sens. Je m'exerce à ce rituel du voyage. Je n'y parviens pas très bien. Ce voyage à Victoria a une sorte de double intérieur qui me tire à lui, qui me retient dans des pensées tout à fait autres, et qui m'empêche de ressentir ce que les adultes appellent la majesté des Rocheuses.

Qu'est-ce que la Majesté, après tout? Eh bien, c'est un sentiment éprouvé par les adultes à la vue des Rocheuses, qui leur arrache des cris énervés, qui leur creuse l'appétit, et qui s'apaise quand on leur sert l'apéritif.

Le train entre en gare de Banff. On descend se dégourdir les jambes. Soudain, le quai est rempli de gens qui parlent français. Excités aussi, ceux-là. Il y a un jeune homme qui dit à ma mère qu'il a cru un moment qu'elle était notre soeur. Il fait partie d'un groupe de professeurs de français qui s'en vont à leur Congrès à Victoria. Il est drôle. C'est un frère mariste. Il ne porte pas la soutane pour faire le voyage.

Je dors. Une des trois soeurs connaît le ciel par coeur. La comète, Véga, Déneb, Altaïr, tout le visible par le dôme transparent du wagon panoramique. Je dors dans les montagnes Rocheuses, dans une couchette de train, dans un train qui roule vers la mer.

Vancouver. On prend un repas dans la salle à manger d'un hôtel. Il y a un homme qui demande une pie pour dessert. Il y a une serveuse qui va chercher un dictionnaire français-anglais. Elle trouve qu'il n'y a pas de pie au menu. L'homme qui veut une pie est un Français de France. Ma mère lui explique qu'il doit prononcer «paille» s'il veut de la tarte pour dessert. Ah oui, c'est bien ce qu'il veut. Une tarte : une «paille». Il y en a au menu, de la tarte «à la mode». «À la mode», c'est avec une boule de crème glacée sur la «paille».

On sort de table. On va prendre quelques photos des pins Douglas. On pourra montrer que ça existe vraiment, des pins Douglas et qu'il faudrait vraiment les bras étendus de toutes les filles de la classe pour former une ronde autour de ces géants de pins Douglas au creux desquels certains se sont fait une maison. Puis, on se rend au bord de l'océan :

— Mes chéries, regardez l'océan Pacifique!

Il y a une fête sur le pont du traversier. Vancouver scintille et tangue dans un halo. Je ne me souviens pas du port. Je ne me souviens que du pont de ce traversier qui mène à l'île de Vancouver. Les professeurs de français chantent. Les trois filles de la femme qui passerait pour leur soeur dansent sur le pont du traversier sur l'océan Pacifique. Une nuit chaude se dépose sur la mer. Elle flotte. On a bien dansé. On est étendues sur les couchettes dans la cabine. On ne rit pas. On regarde la nuit déposée chaude sur l'océan Pacifique.

— Quel est le sujet de la peinture, dites-moi, quel est le sujet de la peinture et de la sculpture, de la musique, de la littérature et de la poésie? me demande un homme fatigué assis dans un jardin de Lisbonne.

On est des années après le voyage à Victoria. On a passé la journée à regarder le Tage pénétrer dans l'océan Atlantique. Je ne peux pas répondre à la question du sujet. Je me demande quel est le sujet du Portugal, quel est le sujet du Tage dans Lisbonne et dans l'océan. Je ne peux rien répondre à cet homme fatigué par les lumières d'avril à midi dans Lisbonne. Il n'attend pas de réponse. Il attend du repos.

— Le sujet de la peinture, dit l'homme, c'est la peinture. Le sujet de la poésie, c'est la poésie. Le sujet de la littérature, c'est la littérature. N'est-ce pas?

Je ne dis pas oui. Je ne dis pas «bien sûr, bien sûr». Autour de nous, les gens se saluent dans une langue que nous ne connaissons pas. Quel est le sujet de la mémoire? Non, ça ne peut être la mémoire elle-même. Et le sujet du voyage? Le voyage lui-même? L'homme fatigué soupire et sourit. Soudain, il est tout à fait reposé. Il se lève. Il regarde les roses dans le jardin. Ah oui. Les roses du célèbre Butchard's Garden, sur l'île de Victoria, viennent de se superposer aux roses de Lisbonne. Superposition des transparences : c'est ma mère qui les regarde, les roses, qui se saoule de leur parfum. Il fait très chaud. J'ai mal aux pieds. Je voudrais que ma mère redescende de cette ivresse qui l'extasie dans les jardins Bouchard. Je trouve que ces roses-là sont trop grosses, qu'elles empestent les jardins. Qu'elles n'embaument pas. Il y a une rose jaune, tardive, dans les brumes de novembre en banlieue de Paris. Elle embaume l'air jusqu'à la gare. Une seule, celle-là suffit à me fabriquer une extase. Les autres roses bâillant dans leurs plates-bandes m'exaspèrent.

Nous sommes là depuis deux jours. L'aube illuminait la façade de l'hôtel Empress lorsque nous avons accosté, lorsque les gens se sont échangé des adresses, lorsque d'autres se sont accueillis. Nous habitons l'immense maison de madame Terrien qui a fondé une paroisse catholique canadienne-française sur l'île de

Vancouver, à Victoria. Les murs sont couverts de photos où on voit cette femme avec des groupes d'invités, où on voit cette femme qui nous reçoit présider des banquets francophones. Elle m'intimide. Elle parle français avec un accent anglais. Elle prend d'interminables thés avec ma mère dans des tasses de fine porcelaine. Elle fume des cigarettes en réfléchissant. Cette femme est ma grand-mère.

J'ignore que j'avance. J'avance toujours vers ce qui me bouleversera, c'est-à-dire que j'ai fini par faire confiance au seul fait d'avancer. Avancer en grimpant vers la terrasse qui surplombe l'océan Pacifique derrière la maison de ma grand-mère ou avancer en écoutant un homme dire que la peinture est le sujet de la peinture, avancer dans le paysage ou dans la peinture, avancer dans la mémoire ou avancer dans le récit, avancer la main tendue, marcher en aveugle, tâtonner dans la nuit, passer pour sourde, passer pour muette. J'ai treize ans, je m'avance dans cette ignorance un peu ennuyée, dans cette indifférence, dans cette exaspération où me jettent les paysages, les roses, les parfums, les thés, cet accent de ma grand-mère. J'ignore que je suis tout près du but, c'est-à-dire que je vais atteindre ce qui me bouleversera en allant cueillir des haricots verts dans le grand potager d'une amie de ma grand-mère, de l'autre côté de l'île. Je vais atteindre le sujet du voyage à Victoria.

C'est un homme immense. Il sort de la maison, il s'avance vers les chaises du jardin. Dès que je l'aperçois, je comprends que je suis venue jusqu'ici uniquement pour être mise en présence de cet homme-là pendant quelques heures. On dirait une statue qui se déplace très lentement, cette lenteur causée par la douleur et par la dignité. Il est très beau. Il s'assied dans le jardin. Les mères nous appellent. Elles nous présentent à cet homme qui répète nos noms, qui nous regarde attentivement une par une. Il sourit. Il s'appelle Monseigneur Charbonneau. Son regard se perd au loin, très loin. Ce qu'il voit semble si loin, il semble en être lui-même si douloureusement exilé, que je mesure, en le regardant, ce que serait la plus grande distance humaine possible à éprouver sur cette terre. Sur cette planète. Je ressens l'île, je ressens l'océan, je ressens le soleil dont l'homme immense se protège. Il faut cueillir les haricots. J'entends des bribes de conversation. Je les relie aux bribes que j'ai déjà recueillies à Amos : Monseigneur Charbonneau, exilé par Rome pour avoir tenu tête à Maurice Duplessis, est assis dans le jardin même où je cueille des haricots. Je recueille le regard et la voix de cet homme immense assis dans la fin de sa vie, dans un jardin, sur l'île de Vancouver.

Ma mémoire enregistre souvent les événements des autres comme s'ils lui appartenaient en propre. C'est la raison pour laquelle Duplessis, qui était un événement des autres puisque je n'étais pas encore tout à fait née, a été enregistré, ingéré et digéré comme un événement personnel, de la même manière que la question du sujet de la peinture ou de la littérature a fini par m'appartenir en propre. Duplessis représente un événement très long, interminable, qui appartient à mon père. Cet événement n'est pas un souvenir, mais une matrice, une structure toujours vivante, qui m'aide à comprendre l'action et l'émotion politique. Lorsque cette structure est utilisée pour accueillir un nouvel événement politique, ce dernier la modifie parfois, en révèle des nouvelles facettes. Il ne s'agit donc pas d'un souvenir. Il s'agit d'une mémoire. Le voyage à Victoria, par exemple, n'est pas un souvenir. On dit que nous sommes un peuple sans mémoire, nous, les Québécois. Et qui le dit? Nous-mêmes. Y aurait-il un secret des sociétés comme il y a un secret des individus? Y aurait-il pour une société des événements intimes qui resteraient cachés à l'extérieur, qui seraient masqués, parce que le masque serait nécessaire comme stratégie de gestation. Si une société ne possède pas de matrice de mémoire où ingérer, digérer, où penser le présent, comment pourrait-elle un jour exploser dans un acte propre qui accomplirait la fusion de son centre et de son âme éparpillés?

— L'acte de peindre, l'acte d'écrire, l'acte de révéler comment certains événements personnels sont des traces de mémoire collective sont-ils des actes personnels ou des actes sociaux? Regarder *Dallas* à huit heures du soir est-il un acte de société ou un acte personnel?

L'homme de Lisbonne répond que regarder *Dallas* n'est rien d'autre qu'un acte de sommeil, qu'un acte d'anesthésie. Il rit. Ou est-ce qu'il ricane? Il ajoute que c'est peut-être un acte d'euthanasie.

Il y a des secrets collectifs. Il y a des secrets de clan, des secrets de groupes, des secrets de couples. Nous étions quatre femmes à traverser un continent, à écouler le temps dans le corps qui a fondé l'idée d'un pays : «D'un océan à l'autre.» Et en même temps, secrètement, le corps accumulait les preuves que cette phrase-là ne fondait pas son lieu. Le corps, les sens, faisaient l'expérience de l'étranger en dépit des exclamations qui fusaient autour de lui : «Comme nous avons un beau pays!» Le corps — oreilles, sensibilité, nerfs — entendait bien que cette phrase-là était répétée comme une prière, comme un voeu. Qu'il n'appartiendrait jamais à cette idée-là. Qu'il tenterait d'en fonder une autre, une autre idée, un autre projet, où sa mémoire propre ne lui apparaîtrait plus sous la forme d'un pittoresque ou d'une matrice inutile et honteuse, mais prendrait sa forme propre, âme et centre fusionnés.

Si j'ai tant de mal, aujourd'hui, à monter dans le train pour Victoria, c'est que l'émergence de cette mémoire-là, qui a semblé un temps vouloir se dépêtrer des cataractes qui l'entravaient, n'a pas trouvé son lieu, qu'elle n'a pas posé l'acte propre qui hurlerait la joie de la fusion.

Il y a les secrets des maisons construites sur la rive nord du fleuve Saint-Laurent. Je marche sur la voie ferrée qui longe le fleuve. C'est la nuit. Sirius émet ses signaux roses. Un enfant de treize ans me regarde regarder Sirius. Il a tenu à m'accompagner.

— Hey! c'est débile, regarde le drôle de nuage qui vient d'arriver de nulle part, là, juste au-dessus de ma tête!

— C'est débile?... Ah oui, c'est débile...

Il y a toujours une autre langue à assimiler. Saisir la cheville qui relie ces professeurs de français parlant de la majesté des Rocheuses pour tenter de se les approprier, et cet enfant qui parle de la débilité d'un nuage surgi de nulle part. Ne pas céder à la tentation d'abandonner toute avancée dès que l'enfant décrète qu'il n'y a rien là. Je lui demande :

— Où là?

— Eh bien, partout! dit-il, nulle part! Il n'y a rien là!

Les professeurs de français, le jeune frère mariste, — c'était le frère Untel —, disaient :

— Dieu est partout.

Quelle est la cheville qui attache ensemble pour en faire une mémoire, «Dieu est partout» et «il n'y a rien là»?

Nous étions trois filles. Je ne sais pas où allaient les deux autres. L'une des trois montait tous les soirs dans le dôme à la rencontre de la comète qui brillait sous la Grande Ourse. Nous allions à la rencontre d'une femme fondatrice d'une paroisse canadienne-française qui était notre grand-mère. Nous avions regardé Liberace donner un concert à la télévision de Seattle. Nous écoutions notre grand-mère commenter le concert dans un accent étrange qui augmentait la distance que nous venions de franchir. Puis, l'immense homme exilé, en me regardant droit dans les yeux m'a transmis pour toujours la douleur propre à l'exil chez soi, puisque cet homme sur l'île de Vancouver, continuait de croire qu'il était chez lui.

Suzanne Jacob
née le 26 février 1943

Radom (Pologne)

Ces deux mots, la première fois que je les ai lus, conjoints, jumelés, ils sont entrés en moi, s'y sont encastrés, nichés comme aurait fait un couple de tourterelles sous l'auvent d'un toit. D'un mouvement contraire, ils m'ont aussi jetée hors de moi, transportée loin de la salle de classe où nous nous trouvions. J'étais ici et très loin. Ailleurs. Tournée vers ce pays qui avait pour nom Pologne.

C'était mon premier jour de classe au lycée. Fini le cours primaire. L'étape de la petite école venait d'être franchie. J'étais engagée dans les années qui mènent au bac. J'entre dans ce que l'on appelle encore «les humanités». Bien sûr, on prononce le mot avec un sourire amusé pour bien souligner ce qu'il a de vieillot. Mais il n'est pas tout à fait hors d'usage. Nous sommes au premier cours de l'année de latin, matière noble qui m'impressionne. Je me trouve au même pupitre qu'une élève plus grande que moi, plus sûre d'elle aussi, je le sens tout de suite. En elle, on devine presque la femme qu'elle deviendra.

Le prof nous dit :

— Prenez une feuille, inscrivez votre nom en majuscules, votre prénom usuel.

À la ligne suivante, les date et lieu de naissance.

C'est là que je reste accrochée. Les nom et prénom de ma voisine, je les connais déjà, je les ai entendus dans la cour quand la surveillante générale a fait l'appel. La date de naissance m'a appris que ma voisine est de six mois ma cadette. Des noms étranges, il y en a plusieurs dans la classe : ils disent clairement que la souche n'est pas française.

Radom, le lieu de naissance d'Anna, me laisse pensive. Il m'est inconnu. Est-ce le mystère même dont il est chargé qui me séduit, me ravit à moi-même? Je désire aussitôt en savoir plus : désigne-t-il une petite, une moyenne ou une grande localité de ce pays lointain né sous une mauvaise étoile? On en a beaucoup entendu parler dernièrement à cause du fameux couloir de Dantzig. Ce qui n'a pas manqué de raviver la suite de démembrements, de sujétions, de résistance dont est tissée l'histoire de la Pologne.

Sur Radom, le noir total.

Être né à Radom, c'est pourtant autre chose que d'être native d'ici, des bords de la Garonne. D'ailleurs, on les reconnaît tout de suite, les filles du Midi, plutôt courtes, grassouillettes, leurs yeux noirs brillant dans le visage coloré, la chevelure brune abondante. Mais Radom aiguise autrement l'appétit. Pour être assise à côté de moi, il a fallu qu'Anne ait quitté les confins de la «grande» Russie. Déjà le rapport en impose. On ne dit pas «la petite France», mais c'est sous-entendu dans la relation à cette immense plaine qui s'étend jusqu'à l'Oural et qui continue bien au-delà en des steppes sans fin. Tant de faits, tant d'êtres hors du commun nous sont venus de là : la grande Catherine, Ivan le Terrible, Raspoutine, et avec eux, les moujiks, les icônes, les datchas... tous ces noms qui nous propulsent vers un univers si lointain qu'il en devient magique. Anna a peut-être traversé Vienne, la capitale si riche d'apparat, de palais, d'histoires d'amour pathétiques. À moins qu'elle n'ait passé par l'Allemagne que j'imagine monotone, ordonnée, tout étoilée des autoroutes construites à l'instigation d'Hitler et dont les Français ne parlent qu'avec admiration.

Moi, je n'ai jamais mis les pieds hors de la région. Tout ce que je connais, ce sont les coteaux du Gers. Leurs mosaïques de prés et de champs ondulant en vagues sous le vent, se renouvelant à chaque tournant de la route qui découvre ces manoirs qu'on appelle pompeusement «châteaux» à cause de leurs tourelles aux quatre coins de la bâtisse. Entourés d'ormes ou de chênes, on les dirait droit sortis de contes de Perrault pour quelque Belle au bois dormant, mais le plus souvent, ils ne sont habités que de familles désargentées, des fins de race, comme on dit ici. À l'époque, je vois mal ces coteaux tellement ils sont mon habitat naturel. Je manque de références et toute comparaison m'est impossible. De loin, rien que de loin, je connais les

Pyrénées si bleues, si étincelantes par temps clair, se découpant de l'océan à la mer. Elles se dressent majestueuses en leur centre pour s'amenuiser aux deux extrémités dans une symétrie à peine entamée, avec juste ce qu'il faut d'imprévu pour enlever à l'ensemble ce qu'il aurait de trop rigide. Les jours de grand soleil, on voit même briller les vitres de l'observatoire du Pic du Midi. Par des jeux de lumière, elles deviennent des miroirs scintillants, animant cette chaîne immuable, voilée la plupart du temps par les nuages ou le brouillard : elles nous rappellent que là aussi est la vie, que dans ce qui apparaît d'ici comme une muraille opaque des familles vivent et qu'une autre façon d'être au monde existe tout près.

Ma curiosité l'emporte :

— Tu es née en Pologne, tu es venue ici il y a longtemps?

— Oui. Je ne me souviens de rien. Ma mère est retournée en Pologne pour moi, pour accoucher dans sa famille. Elle est repartie pour la France avec mon père quand j'avais neuf mois. Mon frère avait quatre ans.

J'étais un peu déçue : elle ne savait rien, n'avait rien vu. Je continuais tout de même à poser des questions :

— Radom, c'est grand?

— Non, une petite ville, je crois. Mes parents ne parlent pas de là-bas. Entre eux peut-être, en polonais. Mon frère et moi, on ne le comprend pas.

Sa voix grave me frappe. Elle n'a pas le timbre chantant des méridionaux. Son registre se situe à une hauteur différente, dans le grave. Décidément, elle tranche sur les filles que j'ai connues jusque-là : ses yeux bridés en amande, sa bouche charnue — à l'époque, je ne sais pas que ce sont des lèvres particulièrement sensuelles — tout m'attire dans cette nouvelle venue. Le hasard a bien fait les choses, les places ont été attribuées pour l'année.

C'est ainsi que nous faisons connaissance, que débute cette amitié qui nous mènera sept ans durant jusqu'au bac, qui se renforcera encore par le fait que nous habitons près l'une de l'autre, que les vacances ne nous sépareront pas. Au contraire. Côte à côte, nous vivrons cette période de latence que Freud situe à un âge légèrement plus avancé et qu'il abrège. Cette adolescence, nous la prolongerons par la semi-claustration qu'exigent les études classiques qui nous conduiront jusqu'aux choix décisifs de la «vraie vie».

La guerre est tout de même là et si, à Toulouse, on n'en ressent pas encore toute l'horreur, les choses ne tardent pas à noircir du jour où la France entière est occupée. Les tanks allemands sillonnent la ville dans un tapage sinistre en ce jour élu à dessein : le 11 novembre 1942. Les rues se vident à mesure que les croix gammées sont hissées sur tous les édifices importants de la ville.

Pour nous aussi, les choses changent. Les parents d'Anna ont peur, une peur tenace qui ne les lâche pas, les rend livides, tremblants du jour où l'on interdit au père d'exercer sa profession de pharmacien. On l'oblige à céder la place à une aryenne pur sang.

— On nous croit juifs, me dit Anna. Ce n'est pas vrai, mes parents me l'ont affirmé. Nous sommes polonais, mais comment le prouver? Il n'y a plus de contacts avec la Pologne depuis longtemps. Nous ne savons rien des familles de mon père et de ma mère!

Le soir même, je rapporte ces propos à mes parents qui me disent :

— Ils sont juifs, mais ils ne peuvent l'avouer. C'est devenu dangereux. Les parents essaient de persuader les enfants qu'ils ne le sont pas. N'en parle pas. Fais semblant de le croire, toi aussi!

Entre Anna et moi, il n'en est plus question. Mais je m'étonne quand je vois que les parents d'Anna l'inscrivent au cours de catéchisme pour la préparation à la communion solennelle. Moi, la petite fille de parents incroyants qui ne s'ajustent qu'imparfaitement au dogme du temps, pendant la période du catéchisme, je vais à l'étude. Le jour de la communion solennelle arrive. Bien sûr, je suis un peu envieuse, un brin tristotte, à cause de la célébration dont font l'objet ces princesses d'un jour. Pour moi, ce sera un dimanche comme les autres.

Et pourtant non. Le soir, je vois arriver une Anna inconnue, fermée, muette. Que s'est-il passé? La journée s'annonçait belle. Après la messe, dans la chapelle du lycée, elle est partie avec ses parents comme les autres communiantes, prête pour le dîner de fête et les cadeaux de circonstance. Je vois bien qu'Anna n'a pas sa mine habituelle, sereine, un peu hautaine même. Elle ne me voit pas. Vite au dortoir, que je glisse dans sa case quand la surveillante nous croira endormies. Qu'elle me dise ce qui lui a fait ce masque derrière lequel elle a comme disparu.

Que le temps me semble long, que la récréation traîne ce soir... Enfin nous voilà au dortoir où nous avons une demi-heure pour nous préparer pour la nuit : vite se déshabiller, faire la toilette en pièces détachées et prendre l'air de dormir sous les couvertures quand la surveillante fait sa dernière ronde. Enfin les lumières s'éteignent et quelques minutes après, je me faufile près d'Anna, droite et raide dans son lit. Je prends sa main et chuchote à son oreille :

— Qu'as-tu? Que t'est-il arrivé?

Elle ne répond pas, fixe sans voir, serre ma main convulsivement. Les minutes passent, s'éternisent. Je reste agenouillée sur la descente de lit, ma tête près de sa main. J'attends. Le temps me dure. C'est cela l'affection, cette nécessité qui fait demeurer près de l'être que nous aimons, dans le silence, sans besoin autre que celui d'être là, dans l'évidence de ne pas être tout à fait inutile. Et puis, quand je ne l'attends plus, Anna murmure de sa voix étouffée :

— Tu ne le diras à personne, jure.

— Je jure.

— Voilà. Nous venions de nous asseoir autour de la table vers une heure. Au milieu, il y avait la pièce montée et tout en haut la petite communiante en plâtre. On s'extasiait : une vraie pièce montée en pleine guerre! Quelle chance! Il avait fallu toute la roublardise de mon père pour réussir ce prodige. On n'en revenait pas. J'avais eu mes cadeaux : le plus joli, cette chaîne avec cette croix que je porte au cou, là, tu vois...

On allait commencer à manger. Tout à coup, ça a sonné à la porte. Très fort. On a été surpris. On n'attendait personne. Madame Deloumeau est allée ouvrir. On n'a rien entendu. Le bruit de la porte, c'est tout. Ils sont entrés. Ils étaient très grands, immenses, en uniforme et casquette sur la tête. Ils ont claqué des talons, fait le salut hitlérien. L'un d'eux a dit :

«Pour vérification, vos cartes d'alimentation.»

J'ai regardé mon père : il était vert. Ma mère avait l'air égaré. Mon père a tendu nos cartes d'alimentation. Ses mains tremblaient. Madame Deloumeau a montré les cartes de sa famille. Ils les ont repoussées. Mais sur les nôtres, un des deux Allemands a écrit en travers de chacune, en lettres d'imprimerie majuscules rouge vif : JUIF. Ils ont refait le salut hitlérien, ont claqué des talons. Ils sont sortis aussitôt. Ça n'a duré que quelques minutes. Comme un mauvais rêve. Ma mère a eu une crise de nerfs, elle ne parlait que polonais. On l'a amenée dans une chambre et je crois qu'on lui a fait une piqûre. Mon frère et moi, le père Deloumeau, nous sommes restés à table. Mon père tournait autour. Personne n'avait plus faim. Pourquoi ont-ils fait cela puisque nous ne sommes pas juifs, mon père me l'a bien affirmé. Mes parents ne peuvent pas le prouver, tu comprends? Tu ne diras rien à personne. Promis?

— Non, compte sur moi.

Je ne comprenais que trop bien, et le mensonge des parents, et sa crédulité. Elle, si lucide d'habitude, était imperméable au doute. Qu'avait-elle fait de sa maturité qui nous attirait vers elle dans les jours sombres? Elle nous réchauffait alors, grave, nonchalante. Je mesurais le tragique de la situation. Des Juifs disparaissaient, se cachaient chez des paysans, s'enterraient dans des villages perdus en jouant maladroitement aux ouvriers agricoles. On en rencontrait en se promenant dans la campagne et les malheureux faisaient piètre figure, au retour des champs, rouges de fatigue, trahis par leur allure de citadins, par leurs mains blanches qui n'avaient connu le soleil que depuis peu.

Que feraient les parents d'Anna? Se cacheraient-ils comme d'autres Juifs en laissant leur fille au lycée? Je restai une partie de la nuit près d'elle et quand j'entendis sa respiration devenir régulière, je regagnai mon lit.

Je ne pouvais pas dormir. Elle était juive, j'en étais sûre. Non, mes parents ne m'avaient pas menti. Les Allemands non plus ne s'étaient pas trompés.

La vie avait repris son cours. Anna était seulement plus réservée, souvent perdue dans quelque rêverie. Je l'aimais encore davantage, la sachant doublement vulnérable, dans sa race et dans sa confiance en ses parents. Eux s'étaient terrés dans deux pièces de la maison. Le père continuait à travailler pour la pharmacie, en préparant les ordonnances dans l'arrière-boutique d'où il ne sortait pratiquement jamais. La mère paraissait un peu brouillée. Je me demande aujourd'hui si les drogues qu'elle avait à portée de la main ne l'ont pas aidée à supporter ces années de demi-réclusion.

Quand j'allais chez eux — et j'y allais très souvent, presque tous les jours pendant les vacances — je trouvais Anna en train d'éplucher des légumes ou surveillant quelques casseroles. Parfois j'entendais ses parents se parler en polonais. La soupe ou le pot-au-feu mis à mijoter sur feu très bas, nous nous échappions vers la petite rivière et dans l'herbe nous nous faisions des confidences sans fin. Il ne se passait pourtant pas grand-chose dans nos vies. Mais les questions ne manquaient pas : Que serait l'avenir? La guerre, finirait-elle bientôt? Comment tout cela s'achèverait-il? Que ferions-nous plus tard? La médecine attirait Anna, mais son père avait décidé que ce serait le frère qui serait médecin, qu'Anna prendrait la relève à la pharmacie. Moi, je ne savais pas. Je demeurais indécise, ne me situais pas. Je dévorais les romans de la bibliothèque de la mère d'Anna. Je rêvais sur tout et sur rien, sur un lézard gris se chauffant au soleil et filant entre les pierres, sur l'odeur entêtante du jasmin ou du seringa...

De ces conversations d'alors, que reste-t-il? Impossible de répondre. Nous n'arrêtions pas de parler, de nous poser des questions graves, comme plus tard nous n'oserons plus le faire. Elles nous feraient peur. Alors, on les éluderait. La guerre continuait. À chaque rafle, à chaque arrestation, à chaque attaque des maquis environnants, les parents d'Anna se faisaient encore plus sombres, disparaissaient dans la chambre du fond. Il m'est souvent arrivé d'avoir peur en me rendant chez eux sur ma bicyclette, surtout quand les Allemands avaient séjourné dans le coin. Moi-même j'étais restée à la maison, par consigne militaire ou par celle de ma mère qui n'aimait pas beaucoup me savoir sur les routes cet été-là. Je me disais :

— Je peux trouver la maison vide, on les aura amenés tous les quatre pendant la nuit. Il ne restera que la petite chienne, Zita, sur son coussin dans la cuisine. La porte d'entrée sera restée ouverte, battante ou bien tous les volets seront fermés.

Pas cette fois. Ce matin, la porte est entrebâillée, comme d'habitude, pour que Zita sorte à sa convenance.

La journée sera belle et une fois de plus nous irons vers la rivière en mettant en commun nos rêves, nos incertitudes, nos interrogations. Nous nous baignerons dans la rivière toute verte.

La Délivrance enfin. Avec un grand D. Par l'armée de Koenig. Les Allemands se sont repliés vers le nord. Libres! Nous sommes libres! Anna et sa famille sauvés, épargnés! Comment dire pareil bonheur?

Les jours qui ont suivi immédiatement, il y a eu les règlements de compte, les têtes rasées, les arrestations de personnes que j'avais rencontrées quotidiennement ou presque en faisant la queue pour le pain et qui, un matin, se sont retrouvées au fond d'une voiture. Elles s'y font insulter, cracher à la figure par des femmes laides, hilares, défigurées par la hargne. La voiture démarre pour une destination inconnue et quelques jours après, on apprend qu'un tel a été fusillé au bord d'un fossé, qu'un autre a été pendu à quelques kilomètres, en place publique, devant une foule déchaînée.

Anna ne risque plus rien. Sourire aux lèvres, son père a fait réécrire son nom sur la porte de sa boutique. L'ordre revient peu à peu.

Mais un après-midi, je trouve Anna au bord des larmes. Elle m'entraîne aussitôt hors de chez elle. Déconcertée, je la suis, ne comprenant rien à son état; elle, si peu portée aux sautes d'humeur, aux caprices, m'intrigue. Sitôt assises sur le talus où nous avons l'habitude de faire halte, elle ne retient plus ses larmes. De gros sanglots la suffoquent. Elle hoquète et finit par me dire ce que j'ai toujours su :

— Ce n'est pas le polonais que mes parents parlent, mais le yiddish!

Quelle déception chez Anna qui, de toute évidence, vient de couper avec une part de son enfance, celle de la confiance aveugle.

Elle n'en a jamais reparlé.

Comme le père l'a décidé, elle est devenue pharmacienne, et le frère médecin.

Comme bien des femmes juives, avec les années, elle a beaucoup épaissi. Son assurance s'est accrue, elle est maintenant une femme obèse, tranquille et souriante, pas du tout incommodée par son poids excessif et qui, la cheville encore fine et les pieds chaussés d'escarpins, lui donne l'allure d'un sapin. Non, son excès de poids, elle le porte allègrement, si l'on peut dire. De la beauté de ses vingt ans, il ne reste à peu près rien. Seule sa voix toujours grave permet de renouer avec l'adolescente, la belle fille qu'elle a été.

Été 1986 — Au cinéma Outremont, sur la rue Bernard, à Montréal, on présente le film de Claude Lanzmann, *Shoah.*

Je vais voir le film seule, presque en pèlerinage. L'histoire des Juifs m'est trop intime, trop mêlée à mes douze, à mes quinze ans pour que toute présence ne soit pas sentie comme importune.

Moi, l'incroyable, c'est à une sorte de célébration que je vais, à un travail de la mémoire. C'est à une visite à moi-même que je me rends, à des retrouvailles qui ne se partagent pas. J'ai voulu voir, entendre, ressentir. De deuil, il n'y a pas.

Cela a été plus dur que ce que j'avais prévu. Jamais on n'avait éprouvé comme ici la minutie d'un tel système, qu'en si peu de temps des voyageurs de trains entiers soient anéantis avec une telle précision, une si grande régularité, sans laisser la moindre trace. Jamais, pas de cette façon-là, on ne s'était rendu compte qu'une machine aussi infernale ait pu exister. Pourtant on savait. Mais non. Mieux que n'importe quel document écrit, *Shoah* m'a dit que le tumulte du temps n'a rien étouffé, que l'espace entre hier et aujourd'hui est si étroit qu'il apparaît comme nul, que la pellicule continuera de témoigner quand les survivants auront tour à tour disparu. Que certains détails, l'émotion mal contenue, creuseront encore leur frayage en nous alors que la parole s'est montrée impuissante à le faire. Encore et encore, ce regard, cette main nous feront voir ce que l'imagination n'a pas été capable de concevoir.

À un moment, le chef de train a déplié la feuille de route, l'itinéraire.

Là, en lettres noires, sur la feuille jaunie, je lis : RADOM...

Le nom sur lequel j'ai tant rêvé, tant fabulé. Ici, ce n'est plus qu'un nom parmi d'autres. Je n'ai vu que lui.

Il est là, sur l'écran. Radom et son ghetto dont il n'est resté aucun survivant... Non, ce n'était pas la petite agglomération que nous avions imaginée, Anna et moi, mais une ville de plus de 150 000 habitants.

Là, je t'ai retrouvée, comme une part de moi-même, sans plus de distance. Anna de ma jeunesse, je t'ai à nouveau sentie toute proche. À coup sûr, tu aurais été broyée avec les autres, comme les autres si tu n'avais quitté le ghetto à neuf mois. Celui qui conduisait les trains, par une erreur de langage qui en disait beaucoup, il a dit qu'il «poussait» les trains, tant la sensation de mener ces voyageurs qu'il transportait vers la mort le hantait, depuis ces jours où la vodka coulait à flots pour que sa besogne s'accomplisse, inexorablement.

Radom. Random presque. Par quel hasard tu as échappé à cette démence, par quel jeu du destin, tu es venue près de moi, éclairer, enrichir ma vie, me rendre les années de jeunesse plus amères et plus douces. À l'Anna de mes quinze ans, qui m'a appris la tendresse et aussi qu'il n'est aucune certitude, j'ai envie de dire — comme Frédéric Moreau à l'ami d'autrefois — en se souvenant de ces heures qui, sur-le-champ, paraissaient creuses : «C'est peut-être là ce que nous avons eu de meilleur.»

Il n'en a tenu qu'à un fil, que par toi, Anna de Radom (Pologne), ma douce, mon attentive, j'apprenne que la force et la faiblesse ne sont pas antithétiques, qu'elles coexistent en nous, indissociables. Je te dois d'avoir connu la peur, la vraie, celle qui prend au ventre, et qui, pour toujours, m'a jetée du côté de ceux et de celles sur qui les murs des prisons se referment.

Suzanne Lamy
née le 30 septembre 1929

ALEXIS LEFRANÇOIS

Op den berg

Les matantes à barbe se sont mises en route, cahin-caha, les bras chargés de pots de chrysanthèmes, depuis les fins fonds brumeux des lointaines campagnes d'en dessous le niveau de la mer, suivies des menoncles à casquette, les mains derrière le dos, dans leur costume de noces, les poches remplies de boules à mites, à la queue leu leu, raides et cérémonieux comme des peupliers de canal. Les matantes sont jaunes. Elles sentent l'ammoniaque et la pisse de chat dans la culotte. Les chrysanthèmes sont jaunes. C'est le jour de la fête des morts. Il faut faire le tour de ses morts, fleurir ses tombes. On a des morts éparpillés dans tous les cimetières des Flandres et jusqu'à Vlieland, dans les îles de la Frise, et même, dit Pépère, deux ou trois de l'autre côté des Carpates, trop lents pour avoir suivi sur leurs petits chevaux teutons — Pépère dit tétons — le reste de la joyeuse bande jusqu'ici dans cette saleté de sable de polders de misère de Bachen de Kup, dessous le gris des vagues de cette merde de mer. Ceux-là, ils ont attrapé les yeux bridés, le regard torve. Ils sont tous devenus bolcheviques avec des peaux de bêtes. On ne doit pas les fleurir, même pas y penser. Pépère est un sapré coquin et un farceur, dit Mémère. Il mélange tout dans sa boule de billard lisse et chauve de Pépère. Il a trop descendu tous les jours dans son trou de la terre, avec sa lampe-tempête, sa pioche, son thermos et sa boîte à lunch, et cela lui est tombé sur le coco, car il a trop mangé de tartines à la poussière, trop pioché le ventre de la terre, trop gratté les veines du charbon, et un jour, à force de gratter, il va ressortir aux «anti-potes», dit Mémère, ressurgir comme un lombric, tout noir dessous son casque, avec du blanc juste autour des mirettes, et les yeux rouges enfoncés dans les orbites, de mauvaise humeur et la gueule de traviole, comme tous les soirs après le charbonnage, au milieu des Bochimans cannibales ébahis, et ce sera tant pis pour nous, parce qu'il va se faire bouffer tout sec encore une fois, à moins qu'avant un coup de grisou ne l'envoie revoler pêle-mêle dans les cratères de la lune en mille miettes, peté comme de la purée de patates, comme l'oncle Ferdinand, le petit frère à Pépère, dans la bouette de sa tranchée, la fois de la fusée volante, et dont on n'a rien retrouvé, sinon le bout de son nez avec un bout de doigt dedans et son numéro matricule, et tout le reste, les tripes, le colon, la cervelle, les croquenots militaires même, broyé, déchiqueté, déchiré, dispersé dans les nuages, accroché aux moignons des arbres ou raplapla sur les beaux uniformes écarlates neufs de ses camarades du régiment des hussards de la garde et, dit Mémère en pinçant les lèvres, très, très, très salissant. L'oncle Ferdinand est un vilain combattant et un héros très salissant de la guerre. Il a son nom sur le monument aux morts devant le Café de la Gare, à côté de la baraque à frites, mais il n'est pas dedans. On ne le retrouve jamais. Il joue à cache-cache sous la pelouse des héros de la guerre. Alors Pépère se fâche tout rouge après son petit frère Ferdinand, tout rouge après la guerre, après la pelouse, les croix blanches des tombes et les fusées volantes. Pépère a toujours un verre dans le nez le jour de la fête des morts. Il se trompe de croix, se trompe de fête. Il vocifère et gesticule dans l'allée comme un Polonais. C'est pour cela qu'il est si fin saoul. À cause aussi de son travail dans la terre avec les Polonais. Il échappe son pot de chrysanthèmes. C'est la faute à Mémère. Alors, il blasphème. Pépère est un sacrilège profanateur de tombes. Mémère se signe à l'envers. Elle ne sait pas écrire. Elle date d'avant l'école. Elle est bête comme ses pieds. Elle ne reconnaît pas sa gauche de sa droite, ni son haut de son bas. Elle est trop nouille, trop vieille et son corset trop serré. Ses nounous sont trop gros, dit Pépère, il ne reste plus de place pour la tête. Alors Mémère pleure. Méchant Pépère! Elle fait un terrible vacarme de trompette de nez dans le cimetière de Bachen de Kup. Mais Pépère s'en fiche. Pépère et les menoncles sont déjà repartis. Ils titubent bras dessus, bras dessous par les chemins croches dans le brouillard de Bachen de Kup qui tournicotent, virebouldinguent et ne mènent nulle part, sauf comme toujours prendre une gueuze «Mort Subite» — grenadine, le ventre appuyé contre le zinc du comptoir pour ne pas rouler dans la sciure de bois anti-vomi du plancher. C'est la fête des morts. Ils se trompent toujours de fête. Maintenant Pépère et les menoncles sont des gilles de Binche, de père en fils, depuis les premiers Incas ramenés des Andes pour danser devant l'Infante Isabelle et le vieux Charles, en même temps que les frites mayonnaise et les blagues péruviennes de tabac à chiquer. Ils ont les chapeaux de plumes d'Autriche rose et bleu pâle très haut dans le ciel, et de fausses grosses bedaines avec de fausses bosses dans le dos bourrées d'oreillers de poils d'asclépiade. Pépère et les menoncles ont leur costume de grelots d'Inca, et leurs doigts de pied puent tout nus dans leurs sabots de bois, ornés d'un pompon tricolore. Les Pépères et les menoncles se font aller. Ils frissonnent tous en même temps du grelot quand la musique de la fanfare s'arrête. Alors, ils trépignent, font du boucan de sabot sur le pavé, et lancent des oranges dans les fenêtres. Ils lancent des oranges jusque dans les étoiles, et quand une étoile se fracasse, alors ils rient sens dessus dessous sous leurs grandes plumes.

Et pépère se tape les cuisses, et le haut du derrière avec ses talons de sabot. Il danse la czardas des morts. Il zigzague, virevolte, baise la terre du bout des lèvres, le cul en l'air, comme le pape dans sa robe de mariée de dentelles de Bruges, puis il s'envole à tire d'aile d'Autriche vers un autre café. *'K ben de vliegende Hollander, zegt hij.* Arrête, Pépère, de parler râpeux-guttural! fais pas le branquignol! T'es pas dans ta galerie de charbon! Pépère s'en contrebalance car la bière est gratis pour les gilles de Binche le jour de la fête des morts dans tous les cafés du bord des routes de ce côté du monde, et même «À l'Abreuvoir du Grand Orient», jusqu'à la frontière de France, et vers le soir tous se ramassent au Club colombophile pour le dernier verre. Les matantes ont de la mousse figée dans les moustaches. Le menoncle maboul dodeline doucement de la tête et bave comme une limace en dessous de sa casquette. Il n'enlève jamais sa casquette, même pour dormir. Il est content devant sa bière. Tout le monde est bien béat, repu, satisfait, content. Tous les cimetières des Flandres, jusqu'en Castille, sont couverts de chrysanthèmes jaunes. Et les morts aussi sont bien contents parce qu'ils sont honorés-fleuris. Ils sourient dans leurs

tombes, les mains sagement croisées sur le ventre. Et maintenant, ils vont faire un gros dodo jusqu'à l'année prochaine, dit
mémère. Le tintamarre d'accordéon ne les dérange pas vraiment. Pépère dit : l'accordéoniste est peut-être une fausse rousse
mais nom de dieu de *god verdomme* qu'est-ce qu'elle joue bien la
polka! Mémère est jalouse. L'accordéoniste, perchée sur un
tabouret, martèle la mesure sur les planches de l'estrade avec
sa godasse, et de formidables mouvements de mamelles, dont
une tout soudain lui saute de la chemise, puis reste là, dehors,
à pendouiller bêtement sans bouger, comme Mémère, les
mercredis de marché, quand elle se poste à son balcon pour la
journée. Pépère écarquille les quinquets. Mémère lui refile une
méchante torgnole de mémère. Les menoncles sont complètement pafs. Ils ne tiennent plus debout. Ils tombent de sommeil
et les matantes doivent danser toutes seules ensemble. Puis c'est
la belle bagarre générale de la fin de la fête des morts. Les
chaises et les tables revolent au Club colombophile. Les pépères
et les menoncles se réveillent, s'administrent des oeils au beurre
et ils ont beaucoup beaucoup de plaisir. Ce sont des gamins, dit
Mémère. Alors ils se poussent sans payer jusqu'à la prochaine,
et il faut domper l'oncle Oscar dans sa carriole de livreur de
lait. Il est *crimineel zat,* dit Pépère, et lourd comme une poche
de betteraves à sucre, mais peu importe parce que son cheval
Bismarck est un malin cheval. Il connaît le chemin de sa maison
par coeur. Quand il y a du brouillard, il pète. Bismarck est la
corne de brume de l'oncle Oscar, dit Pépère. Puis, le sombre
de la nuit finit par avaler les menoncles et les matantes : ceux,
du côté de l'écluse, repartis à pied par le chemin de halage, et
les autres, sur leurs vélocipèdes noirs et hauts de Hollande, et
même les derniers, sur le quai du vicinal des dunes, qui attendent le premier tram de cinq heures du matin. Mémère, j'ai
peur, il y a un bandit caché derrière la porte du grenier. Tais-
toi, compte les moutons! C'est toi, le bandit! Puis la nuit de la
fête des morts finit par avaler tout le reste : les gilles de Binche,
les oranges, la fusée volante, l'Infante Isabelle, le cheval qui pète
de menoncle Oscar, les chemins croches de Bachen de Kup, le
cra-cra des mouettes, les morts fleuris sous leurs tombes...
Mémère, j'ai peur, il y a un bandit caché dans l'armoire... Mémère
grommelle mais elle n'entend plus rien. Elle gigote un peu dans
son sommeil, puis se lance dans un concours de ronfles avec
Pépère. J'ai peur, Mémère!... Puis la nuit finit par tout avaler.

La semaine avant le jour de la fête des morts, Mémère, et toutes les autres mémères de Bachen de Kup, enfile son cache-poussière noir, ramasse son seau et glisse dans son cabas son nécessaire à récurer les tombes. Elle se trotte par l'allée de cyprès sur la colline, *op den berg*, comme dit Pépère pour dire le cimetière quand il ne veut pas le dire. Alors, Mémère et les autres mémères de Bachen de Kup, pendant deux ou trois jours à quatre pattes dans la pelouse, passent les tombes à la brosse à reluire. Mémère est champion passeuse de tombe à la brosse à reluire. Elle frotte, cire, bichonne, torche, lave, rince, souffle sur ses tombes avec l'haleine jusqu'à ce qu'elles brillent toutes comme des souliers neufs bien alignés devant la porte. Alors Mémère se recule de trois pas et, les mains sur les hanches, radieuse, regarde longuement ses tombes fourbies, les plus propres de toutes les propres, étinceler dans le gazon du parterre. Mémère bombe le torse, fière comme Artaban, mais pas cette année...

Pas cette année...

Puis Mémère, et les autres mémères de Bachen de Kup, redégringolent à toute vitesse la colline, retroussent les manches et se plongent les mains dans des montagnes de farine et de pâte à tarte qu'elles frappent, pétrissent, battent, puis frappent encore. Il y a de la fumée de farine jusqu'au plafond. Mémère a l'air d'un fantôme dans un brouillard de farine. Pépère, dans son fauteuil au coin du poêle, râle et tousse pendant que Mémère se démène. Elle est l'abominable homme des neiges des pentes de la farine. Elle gesticule tout l'après-midi. Puis, elle dispose la pâte en demi-lunes qui lèvent sur des plats de fer dans la véranda. Et le lendemain, au point du jour, elle les porte à cuire au four du boulanger de Bachen de Kup. Ce sont les gosettes au maton de kermesse pour la visite du jour de la fête des morts, mais pas cette année...

Pas cette année...

Cette année, Pépère a la mauvaise tête. Il ne veut plus depuis longtemps descendre avec les autres dans le ventre de la terre, ni manger comme tout le monde son quatre-heures de tartines à la confiture de poussière de charbon. Il a perdu l'haleine, qu'il dit, et il ne veut plus la retrouver. Il ne veut plus rien, pas même se rouler les crottes de nez ni jouer pour se distraire avec ses orteils de pied, méchant Pépère! Sauf gras-dur la grasse matinée, le gras mois, la grasse année, dans les oreillers de basin de la grand-mémère à mémère, même plus chercher l'oeuf au marché parce qu'il est trop lourd, qu'il dit, saloperie! et qu'à mi-côte il doit si fort pomper l'air que la tête lui tourne, et toute la rue, l'école communale, les maisons, les marronniers du parc, les moineaux du ciel même, et tout le reste de Bachen de Kup tourne tourne avec la tête de Pépère. Alors il tombe face contre terre dans les pommes sur le trottoir et l'oeuf est brisé, et c'est encore de l'argent jeté par les fenêtres, et il faut toujours le ramasser, et à la longue cela vient fatigant pour les voisins et les passants. Pompe pas l'air des voisins, des passants, Pépère! Puis l'oncle Oscar, à cheval sur Bismarck après sa tournée de lait, vient longuement chuchoter dans l'oreille de Mémère. Ils lèvent vers la clarté de la fenêtre des plaques de photographie noir et blanc du dedans des nounous de Pépère sur lesquelles il n'est, dit l'oncle Oscar, mais alors pas du tout du tout, et même tout le contraire, à son meilleur. Pépère est à son pire, il a la myxomatose, dit l'oncle Oscar en remontant sur Bismarck, qui pourrit le poumon. Cela met Pépère en rogne. Il est de plus en plus fâché contre ceux qui possèdent le dedans de la terre, comme si le dehors, avec toutes ses espèces de bonnes choses, ne leur suffisait pas déjà. Il ne décolère plus contre ceux qui possèdent le dedans de la terre. Il dit : c'est de leur faute si j'ai le poumon de mineur pourri, miné. Quand Pépère chante, c'est qu'il est fort, fort fâché. Il chante faux de colère, les dents serrées. Il chante faux La Lutte Finale, et d'autres chansons de cochon, et, À Bas La Calotte, À Bas Les Calotins. Alors, il s'étouffe et, comme d'habitude, commence à râler. Vilain râleur, Pépère! Alors, il faut l'absoudre à tout prix sinon, dit Mémère, il va continuer du fond de son lit à emmerder les oiseaux chanteurs. Elle se signe à l'envers. Alors, un onctueux se ramène dare-dare dans sa sale robe de deuil avec son sale encensoir lui refiler sa sale extrême onctuosité. Mais ce n'est pas la peine. Pépère a signé le pacte avec le Bon Diable. L'onctueux bascule sur le trottoir, horrifié. La maison empeste l'odeur de sainteté. C'est fichu pour le salut de l'âme de Pépère. Il ira tout droit en enfer. Pépère est un Juif, dit Mémère.

S'il te plaît, ne t'en va pas tout de suite en enfer, Pépère. Fais-moi le cheval encore à quatre pattes dans le salon. Fais-moi la corne de brume de l'oncle Oscar. Fais le chameau qui broute, c'est facile, Pépère, juste une autre fois. Ça presse. Et regarde :

les géraniums de Mémère sont en train de crever dans leur pot.
Il faut leur chercher du terreau dans les têtes des saules-têtards
du bord du ruisseau, derrière l'usine. Ça presse. Attrape-moi
les hannetons des haies. Mets-moi leur le fil dans la queue. Fais-
moi le zouave pontifical. Fais-moi le clown qui louche. Fais-moi
le bon roi Dagobert. C'est facile. Mais Pépère est un égoïste. Il
ne pense qu'à lui. Il boude dans son coin, le visage tourné contre
le mur. Pépère est en pénitence contre le mur parce qu'il ne
veut plus manger sa panade, plus dire bonjour ni bonsoir, plus
embrasser les matantes à la barbe qui pique quand elles viennent
s'asseoir toutes droites sur des chaises autour de son lit, avec
les menoncles debout derrière comme des candélabres, jusqu'à
ce que l'ombre du soir les mange. On a descendu le lit de Pépère
dans la cuisine. On reste près du poêle à charbon dans le tic-
tac de l'horloge et le noir, avec son ombre qui bouge sur le mur.
On ne peut plus parler, juste prononcer tout bas du chuchotis
de bouche — ce n'est pas drôle longtemps, Pépère — et des
conciliabules de corridor. Mémère s'est changée en grenouille.
Elle passe ses heures à genoux dans le bénitier principal de la
chapelle des capucins de Bachen de Kup pour le salut de l'âme
de Pépère. Elle revient trempe-trempe d'eau bénite et de larmes,
et toute débalancée. La fête des morts approche, mais elle est
foutue, cette année. Maudit Pépère, avec ses histoires idiotes de
myxomatose et de pourriture de poumon! On n'est même plus
capable d'honorer ses morts, ni de les fleurir en paix. Pépère
est un rabat-joie, *'t'es nen harten fretter,* dit Mémère, un dévoreur
de coeur. Mémère a le coeur dévoré. Et le rhume. Car elle
mouche sans arrêt. Il y a trop d'allées et venues dans la maison.
Cela fait des courants d'air. C'est pour cela. Et ce n'est pas bon
pour le petit. Alors, on emballe le petit dans son pyjama. Il doit
conduire Lapinos, son lapin de peluche, par la main dans une
autre maison. Il reste longtemps dans l'autre maison, tout seul,
avec juste son lapin et une matante. Il ne pleure pas. Il est un
grand garçon. Mais c'est Lapinos qui pleure. Lapinos est encore
un tout petit petit Lapinos. Et il boude, comme Pépère, devenu
Juif, le nez contre le mur. Tu vas revoler en enfer avec Pépère,
Lapinos. Alors, il n'y aura plus personne à qui raconter dans
l'oreille des histoires de lapin. Et si tu continues, sale bête, je te
casse et je te jette par la fenêtre. La lèvre de Lapinos tremble.
Il serre ses poings de lapin et il continue. Alors, il faut le jeter

par la fenêtre. Il faut tout casser, tout jeter par la fenêtre. Mémère j'ai peur, le bandit est revenu se cacher dans l'armoire. Mémère n'entend pas. Elle dort sur son nénuphar du bénitier principal. Tout le monde est couché, en pénitence, au lit sans souper, même les capucins, le nez contre le mur, avec Pépère. Viens me chercher, Mémère. Lapinos sera sage, il comptera les moutons. Et moi aussi, je compterai les moutons. Je te le jure, Mémère, je te le jure...

On a baissé les stores. Toute la famille est venue, même les deux tontons bolcheviques en peaux de bêtes de l'autre côté des Carpates, s'agglutiner dans la cuisine autour du lit de Pépère. C'est le jour de la fête des morts. Dans toutes les campagnes de Flandre, des milliers de pots de chrysanthèmes jaunes voyagent d'un cimetière à l'autre, se bousculent dans le crachin, montent et descendent des tramways, des omnibus, se transbahutent en tous sens en charrette, à vélo, à dos de matante. Bachen de Kup fourmille de pots de chrysanthèmes jaunes.

Mais pas nous, cette année, pas nous...

Pépère a réclamé le petit. Il est venu avec son lapin. Le lapin a reçu, lui aussi, la permission de s'asseoir sur le lit. Pépère lui a caressé les oreilles. Alors, sans savoir très bien pourquoi, le lapin a fondu en larmes, comme tout le monde. Pépère n'a pas grondé. Il n'a rien dit. Il a juste fait tout à coup un drôle de «pfutt!» de rien du tout avec la bouche, puis, la tête renversée sur l'oreiller, il s'est mis à loucher, les yeux tout blancs, complètement tournés à l'envers. Pépère est champion faiseur de grimaces. Mémère a crié. Elle n'aime pas les grimaces. Elle a poussé un long hurlement de Grand Méchant Loup malade, des pierres dans le ventre. Elle a sauté sur Pépère. Elle l'a secoué, secoué comme un prunier. Oh la la! qu'elle n'avait pas l'air contente! La tante Irma lui a passé un bras autour de l'épaule. Elle a dit : *kom, moejerke, kom...* L'oncle Casimir a posé sa main sur le visage de Pépère pour cacher la grimace. L'oncle Guillaume a dit : maintenant ton Pépère fait son gros dodo de Pépère pour toujours. Il est si content qu'il ne voudra plus jamais se réveiller. Après, je ne me souviens plus, Pépère. Il y a eu trop de pluie devant les yeux. Après, on a tous tourné tourné dans les rues de Bachen de Kup en cortège derrière la carriole de l'oncle Oscar, tendue de draps noirs, avec des pompons argent, les meilleurs pleureurs tout devant, avec Lapinos, puis les moyens pleureurs, puis les pas bons, et tout à fait derrière, comme à l'école, les cancres, les distraits et les bavards. Même Bismarck était habillé de noir avec un plumet argent. Il n'a pas fait sa corne de brume. Et ceux qui nous regardaient sur le trottoir enlevaient leurs chapeaux. Mémère n'a pas voulu venir. Elle est restée à la maison. Sans doute pour préparer ses gosettes au maton de Kermesse en retard. L'oncle Edgard a dit : ton Pépère est dans la carriole. Il s'est couché dans une boîte. Bismarck connaissait le chemin de l'allée de cyprès jusqu'à la colline. Des monsieurs avec des pelles ont mis des cordes autour de la boîte de Pépère et l'ont descendue dans un trou de la terre. C'étaient de gros fainéants. Ils n'ont plus voulu travailler. Alors, on a été obligé, chacun son tour, de prendre la pelle et d'envoyer de la terre sur la boîte de Pépère, avec des pétales de rose, pour reboucher le trou qu'ils avaient eux-mêmes creusé dans la pelouse. Lapinos n'est pas triste. Il sait que Pépère a l'habitude de la terre. Il a passé toute sa vie dans la terre. Il sait qu'il va se frayer un chemin, avec les ongles et les dents, dans les veines du charbon, comme les taupes, il a l'habitude, et ressortir inco-gnito de l'autre côté aux anti-potes d'Amérique, et après un long voyage de navire, débarquer un jour à l'improviste de l'ex-press d'Ostende sur le quai de la gare de Bachen de Kup, pimpant, bronzé, méconnaissable, avec un galurin Panama sur sa tête chauve, et dans la bouche un havane, gros comme du boudin, roulé avec amour sur le dedans des cuisses des Cubaines, et des chaussures blanches qui retroussent et deux énormes valoches de croco roses remplies à craquer de pralines et de chocolats. Pépère aura fait fortune aux anti-potes d'Amérique. C'est ainsi que cela va se passer. Lapinos n'est pas triste. Il faut se mettre en rang devant la grille du cimetière et serrer la pince à tous ceux qui sortent en marmonnant «bonnes condoléances, bonnes condoléances», et leur donner des becs mouillés, des accolades, des tapes derrière la nuque. Lapinos est premier dans la file. Il ne donne pas de becs. Il est fâché contre Pépère qui n'a pas voulu faire le chameau qui broute, juste sa stupide grimace pas drôle de z'yeux à l'envers. Les matantes sont parties manger toutes seules, chez Mémère, sans partager, les gosettes au maton de kermesse. Les menoncles tirent leur tête de panier de crabes. Ils ne parlent pas. Ils ont tous le fixe. Alors, il faut aller prendre un verre au Café Bon Repos, en face du cimetière. Lapinos obtient la permission de boire sa première gueuze-grenadine, comme un vrai lapin. Après, je ne me souviens plus, Pépère. Après, l'oncle Oscar a dérapé de son siège, les quatre fers en l'air, pour dérider les autres menoncles. Il s'est fait très mal à son os coccyx et les autres menoncles ont été bien déridés. Après, l'oncle Casimir a sauté sur la table et a dansé à crou-petons, bras croisés, entre les bouteilles, sans les renverser, avec le tonton des Carpates. Ils ont rebondi partout dans le Bon Repos, comme des balles de ping-pong, pendant que l'autre tonton Carpates frappait dans ses paluches et chantait à tue-tête des choses dans une langue de brouhaha. Le chantage à tue-tête ne dérange pas vraiment les morts. Après, debout sur les chaises, ils ont bu cul sec à la santé de Pépère. Beaucoup de fois cul sec. Même Lapinos. Après, l'oncle Oscar a culbuté, braguette ouverte, dans le fossé qui descend la colline, il a raté la marche, et les autres menoncles ont été définitivement déridés. Après, on a perdu l'oncle Casimir, disparu dans les toilettes du Café des Résistants. Après on s'est tous de nouveau entassés derrière Bismarck dans la carriole, tendue de draps noirs, de l'oncle Oscar, et on a de nouveau changé d'établissement. Après, l'oncle Guillaume a mis son chapeau de plumes d'Autriche parce qu'il voulait sonner les cloches de l'église et tirer les oreilles aux capucins. Mais les cloches étaient déjà parties à Rome pour la résurrection de Pépère, et les capucins n'ont pas ouvert. Alors, l'oncle Guillaume s'est endormi sur ses plumes, à même le trot-toir, et n'a plus prétendu se relever. Après, il y a eu le Club colombophile, la polka, l'accordéoniste à mamelles et, pour conclure, la belle bagarre du jour de la fête des morts, comme d'habitude. Après, je ne me souviens plus. Il y a eu trop de pluie devant les yeux pendant trop d'années, trop de poussière de chemin. Pépère n'est pas revenu des anti-potes. Le grand raz-de-marée de Hollande a envoyé revoler tout Bachen de Kup dans un tourbillon de bulles jusque de l'autre côté du Dane-mark. Il y a eu trop de bulles, trop de bulles, Pépère. Et après, je ne me souviens plus...

Alexis Lefrançois
né le 20 octobre 1943

WILFRID LEMOINE

Souvenirs brisés

Dans mon souvenir il plane sur la famille, chargé de foudre vengeresse, comme un lourd nuage noir du vendredi saint. Je me souviens du salon lumineux aux grandes fenêtres en saillie; quand il y pénétrait, trapu, rondelet, le regard vif derrière ses petites lunettes rondes, ma mère, fatiguée par les préparatifs, l'accueillait respectueusement puis elle se recroquevillait dans l'espoir que cette fois, la parole divine nous éclairât. Mais pour moi, sa venue était littéralement celle d'une ombre qui voilait mes dimanches, les plongeait dans une désespérante tension. Oui, ce jésuite qui était mon grand-oncle savait comme pas un rabattre tout ce qui se trouvait sur son chemin. Sa seule présence troublait nos relations familiales, formait des clans, mon père et moi d'une part, ma mère et lui, l'homme de Dieu, d'autre part. N'était-il pas, sur la voie divine, le messager de la vérité absolue? Il m'a rendu le grand service de m'éloigner à jamais du dogmatisme; je n'en remercie pas sa mémoire, car il voulait obtenir exactement le contraire. Il a donc payé cher son échec qui fut ma réussite. Aujourd'hui, quinquagénaire avancé, je continue à mépriser ses semblables dans quelques domaines qu'ils se trouvent. Ceci dit, ce sentiment négatif qui est encore puissant en celui que je suis aujourd'hui, est peut-être le seul lien clair et précis qui me relie à celui que j'étais alors. Ainsi, ce retour que j'entreprends sur les souvenirs du jeune homme que je fus m'inquiète.

Je trouve en effet bien périlleuse la remontée dans le temps, car je vois que mon passé ne se feuillette pas comme un album de photos. Mes souvenirs sont pour la plupart dépourvus de cette précision graphique que plusieurs associent à la mémoire anecdotique. J'ai de la difficulté à bien isoler les unes des autres les images de ma jeunesse, car plus j'avance dans le temps, plus les séquences de ma vie passée ont tendance à se fondre les unes dans les autres, parfois même à se confondre. Ma mémoire est sélective et je m'aperçois qu'elle est beaucoup plus celle d'ambiances, d'états d'âme et d'idées que celle de faits précis, d'événements retenus et conservés intacts. Je me rends bien compte aussi que ma mémoire des faits risque de s'égarer dans les sentiers maintenant imprécis de mon passé; ainsi quand je plonge dans ce qu'il faut bien appeler les profondeurs de mon temps, je n'y retrouve pas les images claires et immobiles de mon passé, mais plutôt des formes mouvantes, sans cesse modifiées par le déroulement même de ma vie.

Autre difficulté : quand je revois des éclats de mon passé, je m'aperçois qu'ils sont filtrés par ma sensibilité actuelle, par mes tropismes d'aujourd'hui qui ne sont plus ceux d'alors, mais bien ceux d'un homme de cinquante-neuf ans, maintenant. L'image d'hier n'en est-elle pas réorganisée, colorée par cet homme actuel? N'est-elle pas, bien qu'involontairement, faussée ou gauchie?

Quand je tente de saisir ma réalité d'adolescent, de jeune homme ou d'homme de quarante ans, j'ai cette étrange impression de croiser d'autres personnes, parfois même d'inventer une galerie de personnages fictifs. Et si enfin je réussis à traverser la mémoire brouillée de mon temps, quand j'en tire une image dont j'ai l'impression qu'elle est précise, je dois quand même faire un effort pour m'y retrouver, moi. Des amis de jeunesse me racontent-ils des événements de notre passé, je m'en étonne, quoiqu'un déclic en moi puisse en confirmer la véracité. Je *sais* que voici un instant dans la vie de celui que je fus, mais c'est justement avec ce *je,* au passé lointain, que j'ai un problème. Comment Rimbaud a-t-il pu deviner, encore adolescent, que *je* est aussi un autre?

Car *je* n'est un autre que dans le déroulement temporel. *Je* est en continuelle transformation. Il n'y a ici ni coupures radicales, ni successions réelles de *je* différents mais plutôt un glissement imperceptible et continu, une sorte de dérapage constant que l'on peut appeler, selon les étapes d'une vie, formation, affirmation, mûrissement; le vieillissement étant la nette impression de l'accélération du dérapage, sensation qui exalte en moi le seul fait de vivre. La conscience s'est alors agrandie de l'accumulation d'expériences de tous ordres, de réflexions de sensations, le *je* est de plus en plus vaste et si une image du passé surgit, il la reconnaît bien sûr, mais il a peine à s'y retrouver, lui, dans ce trop lointain jeune homme. Ainsi, je suis étonné de le trouver si sûr de lui avant même de s'être confronté à sa propre réalité, si convaincu avant d'avoir appris que le doute est la source vive de la connaissance, lui si gourmand dans ses appétits de jeunesse avant d'avoir appris que le printemps, à l'instar de l'hiver, n'est qu'un passage qui conduit à l'autre extrémité du présent. Le *je* est fluide mais il s'imagine solide, immobile. Le *je* cartésien s'illusionne et sur la pensée et sur la nature de son existence. Par contre le *je* qui est moi, aujourd'hui, est en mutation depuis cinquante-neuf ans, tout comme la structure et la nature de sa pensée, elle-même partie intégrante de lui, donc relative à la nature du *je* et à ses mutations.

Et ce glissement du *je* me transforme imperceptiblement mais constamment. Ainsi les jours aux infinies variantes devenant des semaines, des mois, des années, je me retrouve en bout de ligne tout à fait étonné devant des photos, des lettres, des souvenirs qui, me semble-t-il, viennent d'une autre planète. Est-ce vraiment là un temps retrouvé? Si je ne me retrouve pas, moi, dans cet adolescent au regard trop lourd, dans cette lettre à ma mère datée de 1948, où j'écris mine de rien des choses qui ont dû la bouleverser? Comment ai-je pu? Étais-je vraiment ainsi? Le souvenir que j'avais de moi était tout autre. Quel est l'auteur de ces lettres retrouvées après la mort si paisible de ma vieille maman à qui je chuchotais à l'oreille de si beaux projets? Ces derniers secrets l'ont-ils vraiment accompagnée dans la chute vertigineuse qui l'aspirait hors d'elle-même ou s'était-elle déjà dissociée dans l'ultime lumière? Quelle relation ce quinquagénaire éperdu de tendresse peut-il avoir avec certaines paroles provocantes des années quarante? Je me le demande, et personne ne répond.

Je fus multiple.

Ceux que je fus, à différentes étapes de ma vie, ne me sont aujourd'hui que de lointains personnages. J'en suis une mouture, mais pas plus. En ce sens, le passé est un temps perdu, irrécupérable. Pourtant... Pourtant je me souviens, ou plutôt des moments me reviennent, parfois des séquences entières, sous toutes réserves des réfractions causées par le constant glissement du temps.

Ma mère était, dirait-on maintenant, l'alliée objective de mon grand-oncle. Elle recevait ses paroles comme autant de messages divins qui finiraient bien un jour par se frayer un chemin jusqu'à nos âmes incrédules. Mais elle était aussi une femme douce, évangélique, tandis que le jésuite biblique lui, pratiquait la violence morale de celui qui possède la vérité divine. Les païens iront en enfer s'ils refusent la volonté de Dieu dont l'Église est l'unique dépositaire. Ainsi soit-il!

Mon père et moi étions ses païens. Souvent le dimanche, à l'heure de la messe, j'allais me promener dans un parc voisin et, encore adolescent, m'enivrais littéralement d'un ardent sentiment panthéiste. Les fleurs, les arbres, les oiseaux, les canards de l'étang, l'azur du ciel, et moi dans tout ça, comme tout ça, un atome du grand tout que vous pouvez bien appeler Dieu si vous voulez mais que je ne pouvais me résoudre à personnaliser, à réduire, à enfermer dans un code, surtout pas dans un code pénal! La nature, dont j'étais partie intégrante sur le plan humain de l'évolution, ni plus, ni moins, la nature se moquait bien des petits notaires de la religion et des grands comédiens de Rome qui excluaient de ce plan «divin» tout ce qui osait être, simplement et naturellement, une libre conscience en développement, avec son intelligence, sa sensibilité, ses intuitions.

Mon grand-oncle jésuite était la barrière qui prétendait couper ma conscience de son libre épanouissement naturel, de la curiosité, de son instinct le plus profond. La seule présence de cet obstacle augmenta encore mon appétit de connaissance.

Je cherchai donc librement, passionnément, à toutes les sources possibles, comparant, cultivant sans contrainte l'émerveillement de découvrir. Les deux bonheurs de mon adolescence, Spinoza et Rimbaud, étaient les satans de l'homme de Dieu. Je les en ai d'autant plus choyés, questionnés et aimés. S'ils ne me donnaient pas les réponses précises que je cherchais aux délires théologiques en forme de syllogismes, ils n'en ouvraient pas moins, presque à mon insu, de nouvelles avenues en moi; l'un m'enseignant le calme et rigoureux cheminement de la raison, l'autre la contemplation active d'un constant dépassement du *réel apparent*. Cherchant des maîtres à penser pour affiner ma dialectique, je venais de trouver des compagnons de route qui, heureusement, me poussaient au-delà de mes horizons familiers. Sans eux j'eusse risqué de demeurer dans les formes imposées, de ne devenir que le strict négatif de l'idéologie refusée; en faisant éclater ces formes et en me découvrant d'autres univers ils furent mes vrais libérateurs. À ces deux grands bonheurs de mes dix-huit ans, s'en sont ajoutés d'autres et d'autres encore, dont plusieurs sont demeurés de passionnants compagnons de route.

Un jour, surprenant une conversation de ma grand-mère, je m'aperçus que mon grand-oncle, qui n'avait de cesse de déployer toute sa stratégie pour ramener à l'église les «païens» de tous horizons, était lui-même en difficulté avec le Vatican, qu'il avait dû aller s'y défendre à quelques reprises sous les règnes de deux ou trois papes, semblait-il. D'autres conversations m'apprirent par la suite que son idéologie de stricte obédience s'appliquait à tous sauf à lui, que même l'interdiction de publier qui le frappait n'avait pas modifié ses idées, en somme qu'il avait catholiquement raison contre le pape lui-même. Je me rendis bien compte que s'il respectait la lettre des interdits de prêcher et de publier, il n'en demeurait pas moins convaincu qu'il cheminait, humblement, dans la voie lumineuse de l'absolue vérité divine. Et c'est lui, pensai-je à dix-sept ans, qui m'accuse de pécher contre l'esprit parce que je refuse d'ingurgiter le pablum doctrinal du Vatican...

À cet âge, ne possédant ni l'expérience ni l'astuce qu'il m'eût fallu pour l'embarquer dans sa propre galère, je ne savais que lui tenir tête. Mes premières années de formation me lancèrent donc tête première sur ce Gibraltar de la foi. Le risque était grand de m'y assommer et je ne pus éviter quelques dures secousses. Or celui qui, au nom de l'orthodoxie catholique, se confrontait au pape qu'il accusait de céder aux influences païennes du modernisme, celui-là savait comme pas un manier les armes offensives. Un jour, comme il se devait, il m'a knockouté.

Il me semble que jamais je n'avais eu vraiment la foi. Je trouvais attachantes les paroles d'amour et de tolérance de Jésus, mais la vengeance divine, les tortures éternelles de l'enfer m'ont toujours, et dès la petite enfance, empêché de croire en ce qu'on nommait Dieu. Et puis les luttes au sein même du monde théologique dont je fus très jeune un témoin privilégié, plus tard un observateur amusé, me confirmèrent mon agnosticisme. J'insiste sur le mot agnosticisme. Ai-je déjà dit athéisme? Je ne sais trop, mais aujourd'hui je n'aime pas l'affirmation du mot athéisme qui est en soi l'exacte inversion de Dieu, c'est-à-dire la proclamation d'un dogme opposé. Je me souviens d'avoir lu goulûment l'histoire de l'Église, Darwin, le procès de Galilée, Renan. Et puis vers dix-neuf ans j'ai rejeté Marx et son approche totalitaire, à sa façon lui aussi théologien en colère, maître de la Vérité salvatrice. La voie du dogme, il connaissait! mais savamment masquée de dialectique tronquée comme celle de cet autre jésuite que je connaissais si bien...

Cependant l'aurai-je eue, cette foi religieuse, que mon grand-oncle lui eût donné le coup de grâce, un certain dimanche d'automne de mes dix-neuf ans. Ma mère m'avait demandé de le rencontrer et devant son insistance j'acceptai, pour lui plaire.

Je me souviens d'une triste antichambre de collège. Ma mère et mon père m'y attendaient pendant que dans un bureau poussiéreux l'homme de Dieu se livrait à une ultime tentative de détournement. Intellectuellement, j'étais mieux formé qu'à quinze-seize ans, je pouvais moi aussi appeler à l'aide les grands esprits de mon camp. Mais Gibraltar s'avérait toujours inexpugnable et le petit-neveu comprit pour de bon cette fois qu'à la stratégie de la révélation divine il était tout à fait inutile de répliquer. En bon thomiste, le jésuite ne se servait des arguments de la raison que pour mieux les écraser, le moment venu, sous l'absolu divin. Je me souviens que le jeune passionné eut cette fois la rage au coeur devant ce qu'il perçut comme de la fourberie intellectuelle. Lui, le jeune naïf, avait cru que son interlocuteur accepterait en soi la sincérité de son opposant, même s'il le croyait dans l'erreur. Je lui dis, me semble-t-il que j'acceptais sa foi pour lui et pour ceux qui la partageaient, mais qu'il n'avait pas le droit de l'imposer à tous. Que personne n'avait ce droit. Il eut un sourire narquois et déplora ce qu'il appela mon «orgueil». Je rageais. Lui ai-je dit qu'il était stalinien? Je le revois, calmement entêté, et je me revois, désarmé! Ne réussirais-je donc pas à lui prouver ma bonne foi? Finalement, la colère me fit monter les larmes aux yeux.

Mais il avait l'expérience des jeunes hommes fringants et émotifs. Doucement, il me parla de ma mère dont la foi, me rappela-t-il, était exemplaire et dont la croix très, très lourde, était *l'athéisme* de son fils. «Accepte Dieu, ne serait-ce d'abord que pour elle. Tu verras bien ensuite que la grâce te comblera.» Ce que l'on me l'avait serinée, cette chanson, chez les robes noires! Ils semblaient ligués pour me faire mentir à moi-même, puis à tout le monde, jusqu'à leur Dieu!

Hypersensible, le jeune homme réagit violemment : il claqua la porte et se retrouva au parloir où l'attendaient son père et sa mère. Mais il avait le jésuite sur les talons, prêt à donner le coup de grâce. Je sentais qu'une bombe allait éclater et je devinais déjà qu'elle ne ferait pas qu'une victime, mais le coup fut encore plus bas que l'inexpérience de mon jeune âge pouvait l'imaginer.

Cet homme, drapé dans ses prétentions célestes, celui-là même qui, quelques minutes auparavant recourait à mes sentiments après avoir failli à convaincre ma raison, sachant exactement l'effet de ses paroles sur ma mère, déclara haut et fort : «Tant que tu garderas cette attitude de païen, tu ne pourras pas être sauvé! Tu me comprends bien?»

Ce que je pouvais le comprendre! Il venait d'asséner le coup ultime, lâchement, en démolissant devant moi tout espoir chez ma mère, en l'atteignant au plus profond de son sentiment religieux et de son amour pour son fils, et en m'en rendant responsable. Le chantage, je le reconnais aujourd'hui, était parfaitement réussi. Il était aussi d'une cruauté exemplaire.

Le jeune garçon est aujourd'hui un homme de cinquante-neuf ans. Toute manifestation de totalitarisme, tout fanatisme dogmatique, de quelque horizon qu'il vienne, lui donne encore le goût de vomir...

Le stratagème du grand-oncle a raffermi le petit-neveu, et dans ses convictions et dans son amour : plus je méprisais la cruauté dogmatique que personnifiait ce jésuite, plus se révélait à ma mère et à moi notre amour mutuel. Grâce à ce qui était vraiment une catastrophe émotive, je fus pris d'une sorte de boulimie de connaissance et j'ai cultivé un grand amour de ma vie.

Aujourd'hui, j'aimerais bien retrouver cette lettre que j'adressai au jésuite à la suite de cette dernière rencontre. Je lui écrivais que j'aimais trop profondément ma mère pour lui mentir et que, s'il le fallait, je mettrais le reste de ma vie à la guérir, tout en étant qui je suis, de tout le mal qu'il lui avait volontairement causé. Aussi chevaleresque que romantique, le jeune homme a sûrement ajouté une gentillesse du genre : merci d'avoir coupé le dernier fil qui aurait pu me retenir auprès de votre méprisable organisation. Oui, il y avait du chevaleresque chez le jeune romantique des années quarante. Et j'éprouve encore aujourd'hui une certaine tendresse à son égard. Il a tenu bon contre vents et idéologies. Mais le fil de cet épisode lointain qui me relie à lui passe aussi dans le labyrinthe des lieux oubliés, ou trop sombres, que ma mémoire n'a pas retenus.

Ma mère est morte dans mes bras, il y a quatre ans. Elle était âgée de quatre-vingt-dix ans. J'ai retrouvé une partie de notre correspondance et je sais maintenant qu'elle a fait passer notre vérité, notre secret, avant toute peur, avant tout désarroi. Nous nous aimions profondément, ce qui a pu estomper la tragédie que représentait, au début, mon agnosticisme. Elle m'a dit, il y a une quinzaine d'années, alors que l'âge consolidait chez elle le sens profond des valeurs humaines, elle m'a dit que le grand-oncle, qui était mort depuis longtemps, était quand même un homme sincère et qu'il ne fallait pas lui en vouloir. Puis elle a ajouté avec un fin sourire : «Je ne sais pas où il est rendu?»

Nos conversations étaient détendues, sereines. Je sentais que chaque année qui s'ajoutait à sa longue vie lui apportait la paix intérieure en même temps qu'elle la déchargeait de ce que les prêtres d'aujourd'hui appellent l'accessoire religieux. Sa foi, profonde, s'épurait avec le passage du temps. Un peu plus tard, ce même jour, elle me dit : parfois, je fais une petite prière pour lui. Je lui dis, mi-figue mi-raisin, qu'elle ne pourrait jamais le sortir de là où il était! Sa réponse m'étonna : et si tout ça était quand même vrai? Une pointe de malice brillait dans son oeil souriant. Je n'étais pas du tout habitué à la voir s'amuser avec des questions de foi. D'abord interdit, j'éclatai de rire, en même temps qu'elle.

La douceur et l'humour avaient donc remplacé, chez elle, le tragique religieux qui l'avait souvent ébranlée, psychologiquement, à plusieurs étapes de sa vie. Ses dernières années furent probablement les moins malheureuses, peut-être même les plus heureuses de sa vie.

La sincérité avec qui l'on aime vraiment, si elle est plus difficile parfois, porte en ses contraintes même le gage des compensations étonnantes. C'est un certain jeune homme portant mon nom qui me l'a démontré.

Je relis ses lettres à ma mère, je regarde ses photos, de chers vieux amis m'en parlent, mais je me pose toujours la question : qui était-il vraiment? C'est ici que je vois poindre l'ombre indécise de mon père que j'ai longtemps tenue à distance.

En effet jusqu'ici je n'ai revu mon père qu'en retrait de ma mère, dans l'ombre de celle qui était pour moi lumineuse et fragile et douce comme les reflets de ces lampes opalines de mon enfance. Il me semble que la seule présence de ma mère, parfois sereine, souvent tendue, que cette seule présence ombrageait mon père, le mettait à côté, en retrait. D'autant plus qu'il me semble toujours avoir vaguement perçu au coeur de sa douceur une sorte d'angoisse retenue qui me fascinait, peut-être même m'obsédait, abolissant ainsi le père lui-même. Car si ma mère, pour le meilleur ou pour le pire m'était une présence envahissante, il m'a souvent semblé (alors ou maintenant, je ne saurais dire avec exactitude) que la caractéristique de mon père était son absence. Pourtant il était là, physiquement, et il n'était pas silencieux, au contraire, il aimait s'exprimer, discuter. Alors comment expliquer cet étrange souvenir d'absence, sinon par la féérique présence de ma mère? Et cette magie du lieu maternel est-elle autre chose que ma propre fascination à l'égard de cet être pour moi angélique?

Je ne m'en sors pas, c'est bien le quinquagénaire d'aujourd'hui qui tente de refaire le puzzle, au risque de truquer le jeu, de fausser les personnages. Mais comment faire autrement? Ces événements s'engouffrent de plus en plus dans la pénombre déformante des souvenirs.

L'absence de mon père, me semble-t-il, creuse une zone inhabitable, autour de mon enfance et de mon adolescence. Il ne m'a jamais amené à la pêche avec lui, car il ne pêchait pas. Je ne l'ai jamais vu chausser des patins, ni jouer avec une balle ou un ballon. Je ne me suis jamais baigné avec lui dans un lac ou une rivière. Quand j'ai pratiqué certaines de ces activités avec des amis de mon âge, c'était trop dangereux, me disait-on, pour qu'on ne m'y autorise sans la présence d'adultes; et d'adultes immédiats, il n'y en avait pas. Encore aujourd'hui, cette absence est un mystère pour moi. M'aimait-il? Je ne sais pas. Et moi? Je ne sais plus. Dans mon enfance, il est un vide, un trou.

Je me souviens néanmoins qu'il avait la passion des chevaux et je crois qu'il était bon cavalier; et au début de mon adolescence il tenta de m'intéresser à son cheval. Ce ne fut hélas! que pour découvrir que je ne pouvais m'en approcher sans devenir congestionné à en perdre le souffle. Ce n'est pas ici le moment d'élaborer une interprétation freudienne d'un aussi beau cas! Pour l'instant, je vois tout simplement un jeune père que les enfants laissent plutôt froid mais pour qui l'adolescence est porteuse d'éventuelles communications et peut-être même de compagnonnage. Si l'on peut trouver amusante la vaine tentative de son cheval de Troie, je n'en regrette pas moins ces années perdues dans le vide de nos relations, toute la place étant prise par la déesse martyre. J'étais bien entré dans la quarantaine quand nous avons pu échanger un peu à la façon de deux amis discrets, réservés.

Il faut quand même admettre que jusque-là le vide avait été quelque peu agité par mes sursauts d'agressivité, ma mère sentant, elle aussi, l'indifférence de cet homme qu'elle avait aimé sans retour. Il y avait parfois des éclats de voix, des portes qui claquaient et un enfant, puis un adolescent, rage au coeur, qui rêvait d'enlèvement et de chevauchées nocturnes vers un refuge lointain où sa mère et lui, enfin, couleraient une vie paisible. Ce qu'il était chevaleresque et romantique, cet adolescent!

Il n'avait pas encore appris que le voyage n'est pas une panacée et qu'on y apporte toujours, même jusqu'au bout du monde, ses meurtrissures avec ses illusions, ses échecs avec ses désirs.

Les chemins de sa possible libération traversaient les territoires paternels, mais l'adolescent ne le savait pas encore et il est probable que, de toute façon, la fascination de sa mère aurait réduit à néant tout appel venu d'à côté, du lieu de l'absence. Après l'échec du cheval de Troie, il y eut quelques autres signaux que j'ai dû laisser passer comme des ombres trop discrètes. Pourtant, ce qu'il y en avait, des maquis à explorer sur les terres paternelles! Comme ce rêve de toute sa vie qui l'illumina d'une indestructible illusion, celui des grands espaces de l'Ouest où il ferait l'élevage de chevaux de race dans des prairies sans fin, où le vent du nord coule sur les blés comme les vagues éternelles de l'océan, vent pur qui naît sur les glaciers de l'Arctique et glisse comme un oiseau dans un ciel... sans pollen! Car mon père, il faut le dire, était allergique, lui, aux pollens du printemps. Et il rêvait d'un ranch à chevaux où l'air pur affluerait par la porte gigantesque du Grand Nord! Et plus son rêve se faisait éloquent, plus je me recroquevillais hors de son imaginaire, dans ma suspecte allergie aux chevaux!

Et puis un jour, dans la foulée de son rêve usé par le temps, il organisa une expédition automobile qui allait le conduire, avec un jeune ami, jusqu'en Alaska. Il avait alors soixante-treize ans.

Peu avant le jour du départ, ma mère le trouva, un matin, tout souriant. Il était mort durant la nuit.

Ce sourire, encore aujourd'hui, demeure une énigme pour moi. Mais ceci est une autre histoire dans le dédale de mes souvenirs brisés.

Wilfrid Lemoine
né le 18 juillet 1927

Carole Massé

Le voyage dans l'être

J'ai longtemps pensé que ma mémoire ne faisait qu'une avec ma bonne mère, mais qu'il me serait toujours loisible de quitter le cinéma quand je voudrais dormir. Très tôt cependant, la vérité m'est apparue : je quitterais rarement l'écran de la scène natale à l'exception de ces fois où je serais malade et, qu'épuisée, j'endormirais mon cri de bête entre les draps du lit.

Je n'ai donc pas de souvenirs parce que je n'ai jamais pu oublier. Même quand je m'endormais d'épuisement, d'ennui ou de maladie, je gardais un oeil ouvert. Et si je ne me souviens de rien parce que tout m'interpelle encore dans un présent perpétuel d'une durée de trente-sept ans, j'ajouterais, en corollaire, que je n'ai jamais eu d'enfance.

L'enfance suppose une part d'insensibilité ou d'inconscience suffisante pour que le vide au bout des doigts n'avale pas l'enfant et que l'enfant, pressé de voiler sa peur sous les draps, puisse se tourner du côté d'un mur, non de l'abîme. Je n'ai jamais eu d'enfance parce que je n'ai pu me parer de l'abîme, malgré ces étreintes ou embrassades constantes.

Je n'ai pas de souvenirs d'enfance, ce qui sert pour chaque humain à contrer l'épouvante d'une chambre nue à la tombée du soir. Nulle affabulation merveilleuse en écran contre le mal n'a cours. Car le souvenir sourd d'une mémoire impossible de la solitude, d'une mémoire entrecoupée de plages d'oubli, là où l'absence franchit le seuil et où l'attente déçue se voile derrière l'écran.

L'enfance ne finit jamais de croire. Elle fond la nuit et le jour en un, afin d'effacer la vision de qui ne viendra pas, de qui n'est jamais revenue sur ses pas reprendre sa parole ou l'effet-de-mort-de-la-loi : un seul corps en un corps, un seul visage sur un visage, une seule voix pour une voix.

Alors pour contrer la loi, veiller dans une demi-somnolence à ce que la nuit ne découpe pas sa mémoire en franges de temps et, ce faisant, instaure, par la césure des jours, le rythme de vie et de mort, de départs et de retrouvailles, d'oubli et de rappel. L'enfance ne finit jamais d'espérer le retour de la bonne mère dans la chambre et l'abolition du décret qu'il y a une obscurité inséparable de la lumière, une immobilité consécutive aux jeux et une propreté froide en punition du linge sale qui sent bon.

C'est pourquoi se souvenir du passé sera toujours se rappeler ce qui n'est plus, mais surtout ce qui n'a jamais eu lieu. Une fois le «bonne nuit» proféré, il n'y aura jamais eu retrait de la sentence, ni adoucissement de la peine. La condamnation à vie ou l'assignation à soi demeure sans appel. Obligé à l'absence comme le chercheur de trésor au secret, l'enfant ne retournera plus à la mère ni à aucune de ces métaphores privilégiées de la mère : l'eau ou la neige perpétuelle, le matin qui ne compte plus les heures, les douceurs intarissables dans la bouche et ce non qui a raison des ténèbres.

Or, imaginons l'enfant qui ne se souvient pas parce qu'il demeure dans l'éternité de l'illusion, dans l'éternité de cette seconde qui refuse l'en aller définitif de l'autre. L'enfant dit non et par magie sa bouche se remplit, le noir tantôt aux aguets dans la chambre retombe en poussière à la lisière du store, les monstres s'évanouissent dans la forme vide qu'étreint la mère en valsant au milieu de la chambre et en cerclant l'univers des pans de sa robe de nuit.

L'enfant reste là, à sept ans, pour l'éternité, à l'avant-scène de la désertion, sa terreur tapie près de la porte redevenue enchantement. Car nul objet désormais ne passera le seuil de ses deux mains, l'enfant retenant tout, exactement tout, d'abord un pan de robe déployé sur la nuit du monde, et puis le temps dans l'impasse de cet âge sans vieillissement comme un jappement figé dans la gueule du chiot. Le monde peut bien franchir la porte et le corps en travers allongé, croître de part en part d'une absence ravalée en un silence sépulcral, l'enfant continue d'enfoncer les doigts dans le sein de l'immensité, et ni sa silhouette de femme ni sa pensée d'adulte ne l'en détachent.

Cet enfant ne saurait dire «mes souvenirs d'enfance» car l'enfant est. L'enfant demeure la mémoire sans faille et sans fin de l'être avant la chute du premier objet, et la femme qu'il habite ne saurait l'en empêcher. L'enfant persiste à nier l'autre et sa condition même d'infans aux yeux des hommes. Il est possiblement toute chose qui est avant toute désignation d'un sujet à quelque verbe que ce soit. Longtemps l'enfant identifie le monde au brouillard dans le miroir avant l'apparition de son visage, aux caresses du linge avant sa nudité au bain, au baiser de l'air sur ses paupières avant sa mise au berceau.

La mémoire, du moins, ne se refermera plus si la porte doit fermer le corps de la mère à l'enfant. La mémoire bée dans l'éternelle présence, là où l'enfant de sept ans joue aux poupées à côté d'une femme de trente-sept ans qui écrit : les souvenirs d'enfance naissent à l'acceptation de la perte et je ne me souviens de rien tant que l'enfant nie le déclic du pêne qui glisse dans la gâche comme un couteau coupe l'air au ras du visage. Plus tard, l'enfant dans la femme entendra souvent dire qu'il proférait encore un nom une heure après le coucher.

Combien de jours et de nuits à faire subir au corps afin qu'il accueille dans sa chair, fût-ce une seconde, la coupure d'avec le monde et l'autre? Combien d'abandons obscurs à lui faire traverser afin qu'il consente au langage, fût-ce au prix d'un nom, et reconnaisse sa douleur de l'autre côté de l'objet tombé des mains? L'enfant accède peut-être à la joie du côté de l'objet jeté et ramassé, cassé puis rafistolé, et plus tard l'enfant dans la femme entendra souvent dire qu'il souriait au milieu de ses jouets chéris marqués du sceau de ses dents ou de son poing, mais c'est la joie pendant qu'à côté de soi la plaie saigne.

La plaie est un vestige de l'Éden, et la joie, l'oubli de la béatitude quasi utérine. Et les objets qui survivent à la destruction du cordon, ces objets qui surgissent à la naissance de l'Objet, retentissent encore du pas de la mère avant sa sortie. Objets-sépulcres de sa voix, de son odeur ou de ses courbes, on les triera lentement durant des ans pour n'en conserver à l'âge mûr que d'essentiels : les poupées et les livres.

Alors est-ce possible de ne point se souvenir quand la femme décrit ce regard fixe que l'enfant qu'elle était posait sur toutes choses périssables? Non. Sans doute que cette femme se souvient malgré elle, malgré la volonté forcenée de l'enfant en elle d'ignorer la fissure de l'Un, la bulle de nuit verrouillée de l'intérieur, les yeux clos de la poupée mangés aux cils et les serpents sifflants qui tapissent le sol et l'empêchent de courir vers la raie de lumière sous la porte. La femme se souvient à contre-coeur, et contre son voeu infantile de baigner dans la mémoire perpétuelle de l'instant qui l'a conçue inséparée du Tout, substance infinie avant le découpage par le nombre, opulence d'être avant la privation qui l'a cernée de toutes parts et faite nom.

Oui, la femme se souvient de ces bribes d'événements, fragments de temps, copeaux de gestes et de mots, sans suite ni avenir; elle se souvient bien de ces brèves éclaircies qu'une fiction toute personnelle a aménagées pour que l'oubli fasse effectivement son oeuvre. Et malgré le souhait d'une continuité qui démente l'oeuvre de la mort, ces débris de vie, d'époques révolues, émergent à sa conscience pour mieux lui faire soupeser ce poids de mémoire morte ou d'inconscient qui l'arrime à une préhistoire et préside à sa destinée.

L'enfant n'a jamais oublié ce dont la femme se souvient à peine. L'enfant persiste à découper des poupées de papier avec la complicité de la femme qui découpe ses personnages avec un crayon. Et parfois, la femme découpant trop profondément le monde avec ses mots, se coupe soudain de quelque principe maternant, de quelque état d'enveloppement qu'elle nommerait sphère ou nid, si elle pouvait visualiser cette perception toute immatérielle d'une intériorité qui la contiendrait. Quand un courant d'air glacial lui signale que quelque chose sort d'elle, la quitte ou, inversement, qu'elle chute, expulsée de cela même qui la force à abstraire dans la langue l'effet-de-mal-de-la-loi, à ce moment précis, la langue fendille la femme et l'enfant en sourd.

L'enfant court parer les coups en substituant au crayon les ciseaux qui vont extraire du blanc ou du néant les corps en papier. Et les poupées découpées et dressées sur leur base, habillées selon la mise en scène imaginaire d'une soirée au théâtre ou d'une promenade en ville, apaiseront lentement la souffrance ou l'angoisse que le crayon aura fait ressurgir au détour d'une phrase. Jusqu'au soir, elles défileront dans leurs robes victoriennes ou leurs habits de 1920, engloutissant dans leurs contours la découpe de la nuit, et tels des anges gardiens réunis pour quelque fête champêtre dans ce bas-monde de carton, les poupées illumineront le trajet obscur de l'humanité dans le rêve esseulé de l'enfant. Ce dernier s'éveillera au matin, avec ses yeux de femme clignant dans les lueurs de l'aurore; au loin, sur le coin de la table de travail, en attente d'une main pour creuser le souffle de la femme comme un bref sillon dans l'éternité, un crayon scintillera.

La mémoire, qui bée sans futur ni passé, sans hier ni demain qui puissent soustraire le présent à l'illusoire emprise de l'intemporel, s'ouvre sur la mort. L'obsession de la mort sans cesse imminente ou le phantasme d'être déjà mort ou peut-être jamais né délimitera en partie des frontières à qui n'en a pas. La mémoire perpétuelle rencontre donc son terme dans la figure de la mort, la mort faisant ultimement échec à ce désir infantile de maîtrise : pouvoir, à chaque instant, Tout se rappeler, c'est-à-dire, tout rappeler, essentiellement la mère qui vient de quitter la chambre.

Accepter de perdre la mère au-delà de la nuit factice de notre chambre d'enfant qui subsiste encore dans la posture de notre corps ou notre position dans la pensée, c'est accepter que l'être et le savoir nous échappent, que le pouvoir de contrôler et manipuler l'autre par nos peurs et nos pleurs d'enfant s'effrite, c'est accepter à chaque cri enfoui dans l'oreiller d'être le nouveau-né dont la parole soudain sans rappel rompt toujours déjà le cordon.

La mémoire a plein de chambres closes, de pièces interdites et désertes où ensevelir le départ ou l'absence de la mère, le désespoir ou la solitude de l'enfant. La mémoire a plein de portes cadenassées derrière lesquelles la mère étouffe ses soupirs et la rumeur de ses escapades, plein de volets clos devant lesquels l'enfant ferme les yeux et les oreilles sous peine de se transformer en statue de sel s'il voit et entend la mère rire au dehors. Et ce qui reste, dans ces corridors interminables de la mémoire, de la fusion amoureuse et des ruptures du cordon ombilical, ce qui se moule dans la charpente des portes verrouillées et dans la charpente des volets clos, ce sont les souvenirs d'enfance.

Souvenirs d'enfance, images-écrans qui effacent dans ce qui fut possédé la part d'inaccessible et dans ce qui fut étreint, la dimension de la perte, et pourtant le manque reste vivant dans ces quelques objets épars sur le plancher. On les ressaisira au passage dans ce geste qui ne confirme toujours déjà que l'instant insaisissable où l'objet à l'instar de notre respiration nous aura échappé, c'est-à-dire, aura subsisté indépendamment de notre volonté. Et si la mort borne la mémoire perpétuelle par la nécessité où l'être se trouve de tracer une finitude à l'image de son corps qui se ferme par le nombril, à l'image de sa voix qui se forme dans une cavité de chair, les souvenirs d'enfance, par ailleurs, toutes coupures métaphorisées qu'ils soient, tous fragments de vie et de voix qu'ils incarnent, nous reconduisent eux, et eux seuls, au désir irrépressible et infrangible d'éternité.

Étrange mais vrai, par le détour du souvenir qui n'est plus la mémoire du Tout mais la rupture immémoriale du Même, s'infiltre désormais ce souhait d'éternité. Et tel l'objet-souvenir que l'on se procure au hasard d'une visite, qui contient la mémoire du voyage et marque le seuil au-delà duquel l'on retourne à la routine des jours, et telle la pierre tombale qui marque une absence d'une croix afin de soulager la mémoire du travail de deuil et de la culpabilité d'oublier, les souvenirs d'enfance pansent l'échec de l'enfant à tout rappeler à lui, en même temps qu'ils transfèrent au langage auquel l'enfant accède la toute-puissance de symboliser le monde et le moi, l'objet et le sujet, en un, ce qu'on appelle la mémoire de l'éternité.

Voilà ce que l'enfant a mal à se rappeler dans sa mémoire sans faille et sans fin : le monde et la mère sont deux, et lui-même dans le monde est divisé entre le rappel de l'Un et l'oubli de l'Un. Les souvenirs d'enfance sont autant d'objets en reste de ce voyage dans l'être où se côtoient fusion et fraction, mortalité et pérennité, saisie et perte. L'enfant se souvient de tout pour ne pas se rappeler le vide qui le frappait au ventre à la nuit tombée, mais la femme dit ne se souvenir de rien, pour ne pas se rappeler la présence qui l'a trop tôt comblée. L'enfant habite la mémoire comme on remplit le ventre de sa mère dès l'origine, mais la femme maintenant qui s'avance est cet enfant qui cède pour elle à l'écriture de sa mise au monde.

Découper des poupées sera donc la première écriture de l'enfant, celle à laquelle il recourt à l'aube, après sa sortie indemne des Enfers où le sommeil l'a plongé sans mémoire et sans famille, pour conjurer le sort qui s'acharne contre lui et exorciser les fantômes qui l'habitent comme autant de rappels de l'enfant qu'il n'est plus.

Car à chaque nuit, depuis la nuit des temps, un enfant meurt et à chaque matin, depuis le premier matin du monde, un enfant ressuscite. L'enfant du jour nie l'enfant de la nuit, et il y eut déjà mille nuits, mais il est dit qu'il y aura un seul Avant où mille cadavres d'enfants s'empilent, et des milliers de cadavres parfois suffisent à peine à créer une conscience et cet instant de pure solitude où l'être se lève du lit et prononce clairement : «Je ne suis plus un enfant.» Des milliers de nuits suffisent à peine et même la parole une fois proférée ne peut empêcher qu'elle soit mensongère ou qu'elle cerne du moins une demi-vérité.

Cette demi-vérité, par exemple : l'enfant reste couché et la femme se lève, et entre les deux, une écriture se trame, serrée comme un fil qu'une aiguille invisible pousse et tire dans la déchirure du tissu. À cet instant, la femme se saisit du crayon sur la table. Ou encore, cette autre demi-vérité : la femme demeure alitée et l'enfant s'arrache d'elle comme une marion-nette fuit en vain au bout de ses fils, ou la femme s'éveille en sursaut dans son corps et crie parce que sous ses yeux l'enfant-météorite se désintègre en entrant dans l'existence et sa traînée lumineuse neige encore sur elle. À cet instant, la femme se saisit de ses poupées à côté du lit.

L'écriture naît là où l'enfance demeure tout près mais vaincue car il n'y a d'écriture que de la Cause perdue, dans l'après coup de l'expérience qui serait communion, et dans le vide et l'ab-sence de Dieu où le souffle humain se balance. Là où morale et idéologie revendiquent la première place dans l'écrit, la litté-rature n'existe plus. Et quand de l'enfance il ne reste ni cause perdue, ni autre cicatrice visible de l'origine barrée qu'elle représente, les poupées dansent au bout des doigts qui délais-sent le tranchant de la mine.

Si l'écriture ne vient coudre et couper à la fois l'âge d'enfant et l'âge de femme de celle qui se penche maintenant au saut du lit sur sa table de travail, la posture demeure délicate. Car à trop bien coudre, l'écriture forcera la recherche d'un exil plus radical, et à trop bien couper, l'écriture forcera les retrouvailles avec les jeux d'enfance. Voilà ce que la femme aura toujours mal à se rappeler : l'enfant en elle qu'elle ressuscite dans l'acte d'écrire, c'est l'enfant en elle qu'elle a tué pour apprendre à parler. De plus, il n'y a de mémoire perpétuelle qu'à ne pouvoir distinguer l'enfant vivant de l'enfant mort, et il n'y a de souvenirs d'enfance qu'à pouvoir faire cohabiter l'enfant de lumière avec l'enfant des ténèbres.

L'enfant et la femme se lèvent donc au commencement du jour et procèdent au seul acte qui soit la visée secrète de toute création, celui de leur propre mise au monde. Il n'y a guère d'autre sollicitation aussi pressante que celle de devenir sa propre mère pour laisser notre mère enfin libre de fuir au dehors.

Plus d'un quart de siècle a beau parfois nous séparer de cette rue au bout de laquelle notre mère un soir est disparue au bras de son mari, notre mémoire retient encore en partie le vacarme de son corps en lutte avec les chaînes de notre esprit. Le corridor est vide depuis au moins trente ans, la coupure eut lieu dans les chairs il y a trente-sept ans, la maison n'existe peut-être plus sur le cadastre de la ville, et pourtant notre corps à nous résonne encore des blessures encourues dans ce combat avec le Désir.

Y a-t-il pire tyrannie que celle de notre Désir, nous obligeant à nous soumettre à lui malgré son impossibilité? Ne voyons-nous pas proliférer dans nos sociétés ces tyrans qui, tout compte fait, ne reconnaissent d'autres qu'eux-mêmes? Mais que le tyran se dissimule sous le visage d'autrui ou qu'il acquière les traits de notre visage à nous, les blessures réelles ou imaginaires reçues de part et d'autre sont aussi mortelles. Il y a de ces guerres contre soi-même aussi capitales que d'expulser l'eau de ses poumons pour l'humain de neuf mois, guerres à gagner sous peine de ne pouvoir plus, la vie durant, ni manger ni dormir sans la terreur d'être engloutie dans la fusion.

Que l'on ait donc recours aux poupées ou aux mots, à sept ans ou à trente-sept ans, les ciseaux et les crayons réaccomplissent ce très lent et très difficile accouchement de soi aux mains de soi, en tirant les membres du personnage et de la phrase du corps virginal, en les découpant et en les extirpant du corps laiteux, blanc corps maternel, blanc papier d'une origine sans tache si ce n'est que...

Si ce n'est que de pousser le premier cri et d'entendre dans ce vide immense de l'extériorité où l'on tombe, la porte de la nuit battre entre la mère et soi, l'on apprend un jour à vaincre au combat : l'on perd enfin la mémoire pour advenir à cette reconstruction fictive du passé que sont les souvenirs d'enfance, taches indélébiles du sujet dans le blanc songe de l'éternité.

Carole Massé
née le 9 mars 1949

Marco Micone

Errances

Je n'ai jamais été Italien et je ne serai jamais Québécois. Je suis un immigré qui ne peut se passer ni du Québec ni de l'Italie. Je suis parti au bon moment, juste avant que...

À l'école élémentaire, l'histoire était la matière la plus importante. J'apprenais par coeur de longs chapitres sur les exploits des martyrs de la patrie et des héros de guerre. Je fus pris d'une émotion irrépressible devant une illustration représentant un adolescent qui osa tenir tête à un peloton ennemi.

À huit ans, je ne souhaitais qu'une chose : qu'il y eût une guerre le plus tôt possible pour pouvoir mourir comme ce patriote, pendu par les Autrichiens, en criant :

— VIVA L'ITALIA, VIVA L'ITALIA, VIVA L'IT...

J'imaginais mon bourreau ayant une profonde mémoire historique et un sens aigu de la mise en scène. Après tout, on ne meurt qu'une fois!

Dans ces villages isolés du Midi italien, où périodiquement on venait recruter les hommes pour les guerres et l'émigration, c'est ainsi qu'on devenait Italien.

Au fur et à mesure que j'avançais dans le livre d'histoire, les guerres exerçaient de plus en plus de fascination sur moi. À neuf ans, cependant, mourir par pendaison n'avait plus aucun attrait. Je convoitais les plaisirs d'un séjour dans les tranchées. Aucune autre expérience ne m'apparaissait plus appropriée pour devenir un homme.

En sortant de l'école, je courais chez mon grand-père pour lui raconter ce que j'avais lu et lui demander pourquoi son nom n'était pas dans mon livre d'histoire. Il ne répondait jamais à cette question. Il me donnait quelques figues séchées farcies d'amandes et retournait s'asseoir devant sa porte.

Sous le soleil de plomb, mon père fauchait le blé qu'il devait vendre pour payer son voyage. Il ne restait plus qu'un mois pour faire les adieux aux familles du village, une à une, réparer le toit de la maison et vendre les brebis.

«T'en as de la chance de pouvoir quitter cette terre maudite par Dieu et par les hommes», répétaient sans cesse tous ceux qui n'avaient aucun espoir de partir.

Le visage de ma mère se crispait chaque fois qu'on vantait, devant elle, les mérites d'une Amérique qui avait emporté les hommes les plus valeureux et qui continuait inexorablement à vider le village.

Ce n'était pas l'homme qui allait lui manquer, mais le mari. Mon père parti, tous scruteraient chacun de ses gestes. De soumise à celui à qui elle avait promis obéissance, elle deviendrait la prisonnière de toute la communauté mais surtout de mon grand-père; lui, qui connaissait l'Amérique comme son étable. Une Amérique qui franchissait à peine cette section de la voie ferrée sur laquelle il avait travaillé pendant au moins dix ans au début du siècle.

Analphabète comme tant d'autres, il allait voir une fois par mois Rosina, l'écrivaine publique, pour lui demander de rédiger le rapport sur la conduite de sa bru exigé par mon père. Des années plus tard, on découvrit que Rosina avait écrit la même lettre sur toutes les femmes : que des éloges et un besoin urgent d'argent.

Les hommes devaient partir. Refuser d'aller en Amérique était aussi humiliant que de ne pouvoir consommer le mariage. L'Amérique était devenue une courtisane que les méridionaux se disputaient depuis un siècle et que chacun engrossait de son travail.

Avec mon père partirent six autres paysans. Tous avaient espéré que la réforme agraire leur évitât l'exil. Pourtant, mon grand-père l'avait répété cent fois :

«Ne croyez pas ce que les gens qui savent parler vous racontent. C'est pas la première fois qu'ils nous promettent des terres.»

Cinq familles furent appelées à la mairie. Chacune reçut un demi-hectare à deux heures de marche du village. L'Amérique paraissait beaucoup plus proche.

— Un mouchoir de terre. Qu'est-ce que vous voulez qu'on fasse avec un mouchoir de terre? protestaient les femmes regroupées autour de la fontaine.

— C'est ça, la réforme. Même pas assez grand pour y creuser les tombes d'une seule famille.

— Ils veulent que nos hommes partent, c'est pour ça qu'on nous donne pas de terre.

— Les riches restent. C'est les pauvres qui partent.

À Montelongo, où l'eau courante était un projet cent fois reporté, la fontaine permettait aux femmes de récriminer loin du regard des hommes.

— Qu'ils partent! Qu'ils partent! vociféra l'une d'elles. On sera bien entre femmes.

Il y eut soudain un moment de silence et le groupe se dispersa.

Les «bénéficiaires» de la réforme quittèrent la mairie en maudissant le Christ qui, au fond de la salle, restait accroché à sa croix aussi indifférent que le gouvernement. Pendant la nuit qui suivit, mon père bloqua l'entrée de la mairie avec un énorme billot sur lequel s'assoyaient, à l'ombre du clocher, pas moins de douze vieillards.

Tout le conseil municipal ne suffit pas à le déplacer.

— Ne fais pas de folies pareilles en Amérique, lui dit mon grand-père. Et ne montre pas toute ta force. Surtout à tes patrons.

Le soir, chez le barbier, les hommes venus se faire raser pour la fête du lendemain, parlaient du billot et d'émigration : deux manifestations d'une même colère. Les «émigrants» seraient bien partis le soir même, car tout était prêt, mais ils se souvenaient de Carlo, surnommé Staline, qui osa partir quelques jours avant la fête du saint patron. Il ne se rendit jamais jusqu'au port d'embarquement et plus personne n'entendit parler de lui.

— Pendant la guerre, rappela le vieux barbier, saint Roch a fait tomber des grêlons gros comme mon poing parce qu'on l'avait pas fêté. Y a pas eu une seule goutte de vie pendant toute l'année.

Le lendemain, tout le village vint assister à la bénédiction des émigrants qui eurent l'honneur, habituellement réservé aux notables, de transporter la statue du saint pestiféré pendant la procession.

— Dépêchez-vous, l'autobus va bientôt partir, fit le chauffeur en frappant sur la porte.

Il faisait déjà jour. Ma mère avait parlé une bonne partie de la nuit avec mon père. Aussitôt habillé, il s'empressa d'aller ouvrir pour laisser entrer les voisins et la parenté qui glissèrent dans ses poches une dizaine de lettres à l'intention de leurs proches.

— Dépêche-toi, Franco, l'autobus va bientôt partir.

Pour la première fois depuis longtemps, je vis ma mère pleurer. Moi, je pensais à tous les jouets et le chocolat que mon père m'avait promis. Il n'y aurait ni vieux habits, ni vieux souliers dans mon colis. Que du chocolat et des jouets!

D'une main, il prit une valise; de l'autre, la mienne et nous sortîmes de la maison. Derrière nous se forma un long cortège. On n'entendait que les sanglots de ma mère qui marchait lentement, soutenue par ses deux soeurs. Le long du parcours, des hommes fusaient de toutes parts en silence pendant que leurs femmes, accoudées aux fenêtres, clamaient de leurs voix stridentes les bienfaits et les malheurs de l'émigration. Sept paysans quittaient, dans leurs vieux habits de noces, le village qui ne les avait vus partir que pour le service militaire.

Tous les villageois entouraient l'autobus comme pour l'empêcher de partir. Devant ce véhicule bringuebalant, exhalant une épaisse fumée noire, je vis mes parents s'embrasser et rester longtemps dans les bras l'un de l'autre pour la première fois. J'étais tellement heureux que je criai :

— Viva l'América, viva l'América, viva l'Amé...

Je me sentis tout à coup défaillir et j'eus à peine la force d'entourer de mes bras les jambes de mon père pour le retenir pendant quelques instants.

Il n'était pas encore sur le bateau qu'on m'appelait déjà la fils de l'Américain. Dès le lendemain de son départ, ma mère m'habilla avec du linge neuf. Pour mes amis, cependant, dont les pères avaient déjà émigré, je ne devins leur égal qu'au moment où je pus leur montrer un billet de deux dollars que j'avais reçu dans la première lettre. Je m'empressai de les échanger contre des pièces de dix lires que je faisais tinter dans mes poches chaque fois que je croisais un enfant.

Dans la lettre suivante, il n'y avait pas d'argent. Ma mère la déchira après l'avoir lue.

Mon père y décrivait en détail le chantier de construction sur lequel il travaillait et la chambre qu'il partageait avec les deux adolescents de sa cousine, rue Saint-Timothée. Il y disait aussi qu'il avait l'intention de rentrer le plus tôt possible.

Je compris beaucoup plus tard que l'image paradisiaque de l'Amérique était une fabrication d'agents d'émigration et de politiciens sans scrupules. Mais mon père eut honte de rentrer.

Il ne voulait pas être ridiculisé comme Gennaro qui avoua ne pas avoir réussi à vivre plus de trois mois loin de sa femme et de ses enfants. Personne ne le crut. Deux jours après son retour, le village était divisé entre ceux qui pensaient que Gennaro couvait une maladie très grave et ceux qui répétaient que l'Amérique n'était pas pour les poltrons. Lorsqu'il raconta qu'il avait vu bien plus de pauvres qu'au village, il n'y eut personne pour le croire; mais quand il décrivit ces «souliers bizarres avec des couteaux sous les semelles» que les enfants chaussaient pour jouer sur la glace, les gens baissèrent les yeux et le déclarèrent fou.

Les lettres de mon père arrivaient à intervalles réguliers. Par alternance, elles exprimaient son désir de rester ou sa volonté de rentrer pendant que le village continuait à se vider.

Il n'y avait déjà plus assez d'enfants pour former deux équipes de soccer. En cinquième année, que je n'eus pas le temps de terminer, il restait à peine une douzaine d'élèves.

J'avais beaucoup grandi depuis qu'il était parti.

— T'as pas changé du tout, dit-il à ma mère.

Lui, il avait beaucoup engraissé. Nous nous touchâmes à peine. Le trajet en taxi se fit presque en silence. J'avais l'impression que ma présence les gênait. J'aurais voulu disparaître.

J'entendis mon père parler avec le chauffeur une langue que je ne comprenais pas. Avait-il oublié de parler comme moi? Cette possibilité me fit frémir. Je fus rassuré lorsque nous nous retrouvâmes dans l'appartement où nous attendaient sa cousine et ses deux fils.

Rien ne m'était familier, sauf le visage buriné de ma mère. À table, devant un demi-poulet qui, au village, aurait nourri trois personnes, mon père posa sa lourde main sur ma tête en disant :

— C'est ça, l'Amérique.

La blancheur de cette cuisine me rappela les interminables bancs de neige que je venais de voir pour la première fois. Nous restâmes assis pendant des heures dans ce décor glacial. Je grelottais.

Une semaine après mon arrivée, je fus admis à Saint-Philippe-Bénizi où il y avait une seule classe d'accueil pour italophones. J'y côtoyais des enfants de neuf ans ainsi que des adolescents de seize ans, tous arrivés pendant l'année scolaire.

Dès le premier jour, je rentrai à la maison avec une liste de mots que je devais apprendre à épeler. Un seul mot occupa mon esprit jusqu'au lendemain tant il m'apparaissait étrange. Je répétai mentalement des milliers de fois BÉ-A-OU-CO-OUP croyant que c'était la bonne prononciation.

Le lendemain, incapable de reconnaître le mot tel que prononcé par le professeur, je fermai les yeux en pensant à l'école de mon village, aux amis que j'avais quittés et à la facilité que j'avais à écrire l'italien.

De retour à la maison, j'occupai le reste de l'après-midi à regarder, à travers la fenêtre givrée de la cuisine, les autos qui semblaient glisser sur la neige. Je restai immobile jusqu'à ce que ma mère m'appelât à l'aide. Elle ne réussissait pas à allumer le four de la cuisinière. Après avoir tourné quelques boutons, nous nous retrouvâmes, dans un coin de la cuisine, terrorisés par une sonnerie que nous ne savions comment arrêter. Le vacarme cessa quelques minutes à peine avant l'arrivée de mon père qui ne comprenait pas pourquoi le souper n'était pas prêt.

Après quelques semaines, ma mère décida d'aller travailler. Elle se retrouva dans une usine de vêtements où elle gagnait 25$ par semaine, 20$ de moins que mon père.

En deux ans, ils économisèrent assez d'argent pour acheter une maison tout près de la nouvelle église italienne et d'une école secondaire anglaise que j'allais fréquenter pendant quatre ans. Je commençais à peine à me débrouiller en français.

Au début, à «Pius Tenth», j'apprenais tout par coeur sans rien comprendre. Je ne participais jamais aux discussions. Un jour, le professeur d'histoire posa une question à laquelle personne ne répondait. Je connaissais la réponse, mais je n'osais parler car j'avais honte de mon accent. Je savais cependant que c'était l'occasion rêvée pour briser mon mutisme. Nerveusement, tout en levant la main, je donnai la réponse en quelques mots. Le professeur marcha jusqu'à l'autre extrémité de la salle, regarda vers l'extérieur un instant, puis, se retournant brusquement avec l'index en ma direction, laissa tomber :

— Even that guy knows.

Il m'avait pris pour un imbécile pendant au moins deux mois sans jamais chercher à savoir pourquoi je me taisais. Jamais je n'ai autant détesté un homme.

Presque tous les élèves de «Pius Tenth» étaient d'origine italienne. Nous parlions l'italien dans la cour d'école, l'anglais avec les professeurs et le français avec les jeunes filles du quartier.

Je me sentais doublement marginal : comme Italien au Québec et comme élève dans une école qui était en marge du Québec.

Pendant des années, nos professeurs — les Christian Brothers of Ireland — originaires des États-Unis ou des provinces maritimes, nous apprirent à singer les Anglo-Saxons du West Island que nous rencontrions une ou deux fois par année dans des compétitions sportives.

Beaucoup sortaient de ce ghetto s'exprimant mal en anglais, baragouinant à peine le français et dans une ignorance béate du Québec. Mais chacun de nous nourrissait l'illusion de pouvoir un jour remplacer les «boss» de nos parents. Nombreux, hélas! sont ceux qui ne réussirent qu'à remplacer leurs parents.

Je ne sais toujours pas ce qu'est un Italien. Je ne sais toujours pas ce qu'est un Québécois. Mais je sais ce qu'est un immigré habité par une ville et un village.

Marco Micone
né le 23 mars 1945

Jean-Marie Poupart
Un vrai tissu de mensonges

La première image sera celle d'une grosse automobile rouge vif avec pneus à flancs blancs et enjoliveurs à fleurons. «C'est une Chevrolet de l'année», s'exclame Gérard qui en connaît déjà un bon bout sur les voitures. Il a plu toute la journée d'hier, ce qui explique que les hommes ne soient pas à travailler aux champs. Et nous non plus.

— À votre tour, monsieur Leduc.

Là-bas, au fond de la pièce, le grand-père de Gérard prend place dans le fauteuil du barbier. Maintenant, plus souvent qu'autrement, c'est le fils de Baptiste qui coupe les cheveux. Le père Tougas préfère s'occuper du snack-bar. Les jours où il a la tremblote, ça tire moins à conséquence que de manipuler le rasoir. Il nous apporte nos cornets, à Gérard et à moi. Vanille. Juché sur mon tabouret de cuirette, je tourne le dos au comptoir. Je voudrais bien être capable de m'y accouder, à ce comptoir, comme le font les adultes, mais je ne suis pas encore assez grand. Gérard, lui, aime mieux rester debout. Vanille. Il me semble que j'avais demandé chocolat. Nous observons ce qui se passe dehors.

La grosse auto rouge est arrêtée au carrefour le plus animé de la paroisse. (Par chance, nous ne sommes pas le dimanche matin, immédiatement après la grand-messe...) Le conducteur a étalé une carte routière sur le capot de la Chevrolet. Il a ôté sa casquette et s'en sert pour s'éventer. Mademoiselle Nadeau, la secrétaire du docteur Lapierre revient du bureau de poste. Le touriste lui fait signe. Elle s'approche à petits pas, examine la carte, réfléchit trois secondes. Et elle indique la direction de Saint-Rémi. Entre-temps, monsieur Gaudreau, le bedeau, arrive sur les lieux. Non, non, fait-il véhémentement; et il montre, lui, un vague point dans l'espace, quelque part entre Delson et Saint-Matthieu.

On a bientôt tout un attroupement de villageois qui s'agitent, gesticulent, discutaillent. Madame Lalancette, madame Bergeron, monsieur Létourneau, le père Métras, la mère Lefebvre, madame Favreau... Visiblement, le touriste ne sait plus où donner de la tête.

Derrière nous, Baptiste Tougas pousse un soupir enjoué. Je pivote sur mon tabouret et l'avise alors qu'il est en train de dénouer son tablier. «Autant en avoir le coeur net, chantonne-t-il guilleret, autant en avoir le coeur net net net.» Juste avant de sortir, il lance à Gérard le tablier roulé en boule. Mon camarade n'est pas assez prompt pour l'attraper.

— Pratique tes réflexes, le jeune, pratique tes réflexes. Penaud, Gérard n'ose pas me regarder tout de suite.

— Tu n'as pas perdu la boule de ton cornet; c'est l'essentiel.

Voilà ce que je lui dis, sur le ton sentencieux de la leçon de choses. Il hausse les épaules. Il me tire la langue. Elle est tachée de chocolat.

«Un Anglais qui a perdu son chemin», gueule Baptiste de retour dans le restaurant. Tout le monde rit. «Encore un acheteur de terres, je suppose...» C'est le grand-père de Gérard qui a laissé tomber cette phrase. Les autres acquiescent. «Êtes-vous prêts, les enfants? Combien je te dois, mon vieux Baptiste?» Il sent bon la mousse à raser. Dans l'échoppe, derrière les deux tables de pool couvertes de toiles grises, le fils Tougas se remet à jouer du peigne et des ciseaux.

En descendant les marches du perron de ciment, monsieur Leduc n'a même pas un regard pour cet Anglais égaré en plein milieu de Saint-Constant. Nous montons dans la vieille camionnette. Gérard me taquine. Je me tais. Peut-être l'Anglais venait-il chez nous? Ou chez le voisin? Qui sait? Les habitants du rang son foncièrement divisés là-dessus. Ceux qui, comme mon père, continuent de cultiver leur terre tout en travaillant à la ville, ceux-là vendraient volontiers. Les Leduc, eux, sont parmi les plus gros maraîchers de la région. Normal qu'ils appartiennent à l'autre camp. C'est la raison pour laquelle je fais semblant d'ignorer de quoi il est vraiment question, et ce depuis tout à l'heure. Personne n'est dupe. Merci pour le cornet, monsieur Leduc. De rien, de rien.

Vu son âge, monsieur Leduc a surtout connu, j'imagine, l'époque des chevaux de trait. Je ne suis même pas certain qu'il détienne un permis de conduire en bonne et due forme. En réalité, il ne se sert de la camionnette à légumes que pour se rendre au village — ou encore à Saint-Isidore, quand l'occasion se présente. Je crois pour ma part qu'il déteste tenir le volant. Il manoeuvre par à-coups, comme si la route entière était creusée de nids de poules, comme si les volailles de tout le canton venaient de nuit par nuées compactes et silencieuses couver leurs oeufs dans la montée Saint-Régis. Ah ! l'épouvantable cauchemar... je blêmis. J'ai le coeur au bord des lèvres. Mon Dieu, faites que le député se fâche noir et qu'il nomme un cantonnier plus vaillant que celui qui... Je baisse la vitre. Mon Dieu, faites que le gratteux passe plus souvent dans notre rang, même si ensuite les morceaux de roche, les cailloux déterrés, les nichets de pierre risquent de détraquer les roues de nos bicyclettes. (L'enfant que je suis ne prie pas exactement en ces termes; telle est pourtant la substance de mes invocations.) Mon Dieu, mon Dieu... Heureusement, nous sommes arrivés.

Lorsque c'est mon père qui conduit, je ne suis pas malade. Je suis trop occupé à l'observer, attentif à tous ses mouvements. Parfois même il m'arrive d'être absorbé à un point tel que je me sens la proie d'un ensorcellement. (De la même façon, les mains de ma grand-mère couvrant mes livres de classe, les gestes précis que ces mains-là posent, voilà qui me captive, voilà qui m'éblouit.) Le soir, quand dans la monté Saint-Régis une autre voiture vient en sens inverse, mon père se met en code. Bien que l'on n'emploie guère au Québec l'expression se mettre en code, j'en connais le sens, j'ai consulté le dictionnaire. «Donne-moi tes petites lumières, effronté, vite, tes petites, tes petites, tu m'aveugles! Dur de comprenure, hé!» J'entends mon père marmonner, cela m'intrigue et m'amuse. J'ai consulté le dictionnaire; j'ai en outre lu plusieurs romans d'espionnage : ainsi, j'ai assimilé les rudiments de l'alphabet morse. À partir de là, je me suis inventé un système de signaux. Et naturellement je réussis à me convaincre qu'en se mettant en code, les conducteurs s'adressent des messages, qu'ils se communiquent des renseignements qui dans tout autre contexte seraient frappés d'interdit. Persuadé d'en saisir des brides, je prends part au mystère, j'entre dans le secret. Je suis le seul enfant du rang à jouir de ce privilège, je me sens solidaire des camionneurs, des chauffeurs de souffleuses à neige, etc. J'ai, ma foi, la tête aussi grosse qu'une boîte à malle.

Avec la mère de Gérard (il s'agit d'une des rares femmes du rang à avoir appris toute jeune à conduire l'automobile; comme elle est de petite taille, quand elle s'installe au volant, on voit uniquement les cheveux noirs et le bout du nez qui dépassent : tenez, elle a l'air d'une taupe inspectant les abords de son trou), avec madame Leduc, en général, je ne suis pas malade non plus. J'éprouve un sentiment de confiance, j'ai l'impression qu'il ne peut rien m'arriver de vraiment désagréable.

Gérard a un tic : fatigué, tendu, il cligne des yeux; ça agace sa mère au suprême degré. Par conséquent, si je veux qu'il se fasse disputer, je n'ai qu'à m'arranger pour qu'il me regarde et, très ostensiblement, à serrer les paupières quatre ou cinq fois de suite. Oups! à l'instant, voilà Gérard qui se met à clignoter — et ça peut durer un quart d'heure, vingt minutes...

Un jour pourtant, il se venge.

Nous avons pris place dans la vieille camionnette et nous revenons du magasin de tissus avec madame Leduc. Mon ami et moi sommes assis sur la banquette arrière. En apparence, nous sommes sages et tranquilles. La mère nous surveille dans le rétroviseur. «Gérard, je t'en prie, cesse de taper des yeux. Tu sais comment tes simagrées m'énervent!» Gérard soupire. Va-t-il expliquer qu'il ne le fait pas exprès? Bah! ce serait peine perdue. Non, ce jour-là, il choisit plutôt de me donner un grand coup de coude dans les côtes. «Tu digères bien, Jean-Marie?» demande-t-il à voix basse. Et il mime un haut-le-coeur, quelque chose d'assez hideux, merci. Aussitôt, j'ai l'estomac qui fait des siennes. Le paysage auquel je prenais plaisir depuis le village commence à ramollir, à bringuebaler. Au prochain cahot, je...

Madame Leduc arrête la voiture sur l'accotement. J'ai juste le temps de sortir pour aller vomir dans le fossé.

Relevant la tête, j'aperçois Gérard qui me contemple, les mains derrière le dos. Il le fait sans ciller.

Était-ce, comme je le suppose, seulement quelques semaines plus tard? En tout cas, nous voici déjà à la fin de l'automne. Et nous rentrons des pièces de vêtements qui ont dû rester sur la corde pendant la journée entière. Le linge est tout raide parce qu'il a gelé. Gérard et moi courons avec nos brassées, nous nous croisons dans l'escalier en faisant crisser les tissus, nous rions comme des vrais fous. Soudain, j'entends craquer quelque chose, je me retourne et je vois une manche de chemise qui dégringole les marches, on dirait un rouleau de guenilles. Eh oui! une étoffe peut casser, crac! d'un coup sec. Je n'en reviens pas. Gérard non plus. Sa mère l'attrape par l'oreille et lui flanque une taloche. «Tiens! ça t'apprendra, abruti.» Inutile, cette taloche, tout à fait inutile — d'autant plus que Gérard la méritait sans doute beaucoup moins que moi. En fait, nous ne la méritions ni l'un ni l'autre pour l'excellente raison que nous venions justement d'apprendre qu'une étoffe peut casser d'un coup et que...

«Tiens! ça t'apprendra.» Les parents emploient souvent de bien drôles de formules pour légitimer leurs sautes d'humeur.

J'ai neuf ans et je trouve madame Leduc très sévère avec son fils. Le soir, avant de me coucher, j'inclus pour elle un verset dans mes dévotions. Prière pour que mon ami Gérard ne se fasse plus tout le temps chicaner par sa mère, prière pour recevoir bientôt du courrier à mon nom (et s'il Vous plaît, Seigneur, dans Votre sagesse, organisez donc l'horaire, organisez donc la routine du facteur de façon à ce que mon père n'ouvre pas toutes mes lettres), prière pour ne pas être obligé de retourner chez le dentiste avant plusieurs mois, prière pour ne plus souffrir de nausées quand je voyage en voiture, etc. C'est l'époque où dans les revues religieuses on publie la liste des cinq meilleurs missels édités au cours de l'année, un peu comme on le fera plus tard pour les films, un ange, deux anges, trois anges — trois anges étant, bien entendu, la cote maximum. J'ai neuf ans, peut-être bien dix. Je suis à la veille d'entrer pensionnaire au collège classique, à Saint-Jean. Et Gérard, lui, préférera entreprendre un cours commercial. Quelque chose du genre...

J'ai parlé tout à l'heure des codes que je m'inventais. M'émerveillait également cette ingéniosité dont faisaient preuve la plupart des adultes pour aligner des lieux communs sur un thème en particulier. (Par exemple, en utilisant comme canevas diverses considérations sur le temps qu'il fait, pouvoir bavarder dix minutes avec un inconnu, le marchand de fruits, le vendeur de chaussures, le nouveau vicaire, n'importe qui...) À ce jeu-là, mon père est imbattable. J'ai beau me montrer impatient, j'ai beau avoir hâte de quitter la boucherie (ou le magasin de meubles, ou la quincaillerie), comment m'empêcherais-je de manifester de l'enthousiasme en face d'une technique aussi sûre? «Le mois de septembre a été très doux, trop doux, c'était imprévisible...» Quand je serai grand, j'hériterai d'une partie de cette virtuosité, je l'espère — parce qu'à neuf ans, dans l'échange des banalités et dans le calcul des politesses, je ne me considère pas tellement de taille, je vous jure.

L'endroit où j'ai l'air le plus bête, notez bien, c'est encore au salon funéraire. Les témoignages de sympathie, voilà un autre code que je ne contrôle guère. Je constate toutefois que je ne suis pas le seul.

Là où j'en arrive dans mon récit (ce doit être l'année après l'épisode des manches de chemises gelées en rondins: assez facile à vérifier d'ailleurs, il me suffirait de donner un coup de fil à ma soeur. Et puis non, j'y renonce: ce flou sied parfaitement à mes états d'âme actuels), là où j'en suis arrivé donc, le grand-père de Gérard vient de mourir et la dépouille est exposée chez Poissant. Dépouille: j'aime entendre ce mot prononcé à la radio par l'annonceur Camille Leduc. (Existe-t-il un lien de parenté entre lui et...? Aucun, non.) Prière de ne pas envoyer de fleurs.

La famille Leduc est rassemblée autour du corps. Moi, je me tiens dans mon coin, je regarde.

Le père Métras fait son entrée. On s'attend à ce que, comme tout le monde et selon les usages, il s'agenouille l'espace de quelques minutes et qu'il se lève ensuite pour offrir ses condoléances aux proches. Or, le père Métras était fort probablement le meilleur ami de monsieur Leduc. Entre amis, les rites funèbres ne sont pas nécessairement les mêmes que pour tout un chacun. Monsieur Métras se penche au-dessus du cercueil, saisit le défunt par les épaules, le secoue comme un prunier sans égard à l'ambiance des lieux ni à la gravité du mystère. Stupéfaction de la famille. «Bon, bon, de grommeler le bonhomme, te voilà au moins dans une position confortable.» Et il se retire sur-le-champ.

Ah! que je l'ai admiré pour cette action si simple. Gérard aussi. Nous en avons discuté des heures durant. Par conséquent, oui, la maîtrise d'un code quelconque n'était pas obligatoire à la vie en société. L'essentiel consistait plutôt à demeurer le plus longtemps possible capable de créer ses propres cérémonies.

Après les funérailles, j'accompagne mon père chez Baptiste. Endimanchés, les hommes forment un demi-cercle non loin des tables de pool. Ils se racontent des histoires comiques. La rivalité (c'est à qui ferait la meilleure blague et personne n'écoute plus personne), la rivalité entre eux devient telle que l'on sent monter l'agressivité, une agressivité dense et drue, quelque chose qui confine presque à la haine. Drôle de façon de rendre hommage à monsieur Leduc. La pudeur des hommes de la génération de mon père est à ce point insalubre qu'elle fait tourner à l'aigre tout ce qui pourrait apparaître comme une consolation. Ils ont écrasé une larme dans le portique de l'église : c'est bien assez, estiment-ils. Ils ont de vingt-cinq à cinquante ans. Les chagrins qu'ils éprouvent sont parfois très vifs mais ne durent pas. Seuls les vieillards et les enfants connaissent des chagrins qui semblent interminables. C'est que, dans les mémoires qui commencent à se remplir comme dans celles qui commencent à se vider, l'affliction occupe aisément toute la place disponible. Évidemment, le père Métras n'est pas venu au snack-bar. Ni monsieur Gaudreau, ni monsieur Lefebvre...

Même Baptiste Tougas, le propriétaire, a préféré rester chez lui. C'est son fils qui s'occupe de la clientèle.

Le vieux a légué sa montre en or à son petit-fils. La mère la lui remettra au retour de chez le notaire. Gérard la scrutera, la soupèsera et, avant même de dire merci, se la collera contre l'oreille pour vérifier si elle marche. Vlan! Madame Leduc gifle mon ami Gérard. «Polisson, va!» Si je m'étais approché davantage, nul doute que j'aurais pu sentir le courant d'air.

Et eux, les adultes, comment se sont-ils comportés à la lecture du testament?

Qui sont-ils pour nous faire la leçon?

Voici le jour de mon entrée au collège. J'écoute le propos que mon père échange avec l'économe. Encore la pluie et le beau temps... Dès qu'une conversation s'écarte de ces généralités, elle frôle l'inconvenance, oui.

Une semaine plus tard, je suis dans la petite sacristie en train d'aider l'abbé Vigeant à revêtir les habits sacerdotaux. Celui qui sert la messe avec moi s'appelle Jean-Claude. «Moi, c'est Jean-Marie.» Il me répond qu'il le sait, qu'il a vu la liste affichée à la porte et que ça tombe plutôt bien parce qu'il a résolu le matin même de n'adresser la parole qu'aux élèves portant un nom composé. Son père exerce la profession d'architecte, sa mère est morte au cours de l'été. Voilà pour les présentations. Je souris béatement. «Tut! Tut! Tut!» fait l'abbé Vigeant. Cet appel au respect des lieux bénis ne l'empêchera pas, le saint homme, de fredonner pendant tout l'offertoire des mélodies de Duke Ellington.

C'est décidé : Jean-Claude sera mon nouvel ami.

Moi, qui issu de la campagne, me considère bien piètre enfant de chœur, je m'aperçois que Jean-Claude, pourtant éduqué en pleine ville, a encore moins d'expérience que moi. Il va même jusqu'à confondre la burette d'eau avec la burette de vin. Bref, nous ne serons pas d'un grand soutien pour le pauvre célébrant. «Je n'ai même pas envie de vous rabrouer. Vous êtes trop minables. Oh! pour le latin, je ne m'inquiète pas outre mesure : ça viendra, ça viendra... Sauf que la prochaine fois, de grâce, faites un effort pour ne pas toujours être fourrés dans mes jambes.»

Jean-Claude enrage.

Il déteste être humilié de la sorte.

Jean-Claude enrage, mais rien extérieurement ne trahit son dépit.

Il me révèle qu'hier, se doutant qu'il allait avoir l'air ridicule dans le rôle de servant de messe, il a tenté de s'infliger une entorse. Un peu avant la sirène qui annonce la longue prière du soir à la chapelle, il a grimpé dans l'échelle du préau et s'est laissé glisser en bas. «Souvent, ça me réussit, ces combines. Là, j'ai manqué mon coup. Je me suis rendu à l'infirmerie : imagine, je n'avais même pas la cheville enflée. Tant pis.» Pourtant, il boitille. Il faut être attentif pour le remarquer, mais il boitille.

Dans tout autre stoïque, le stoïque voit un rival. Ce qu'il y a de passionnant avec le stoïque, c'est qu'on gagerait qu'il ambitionne de battre des records d'impassibilité. En ce qui me concerne, moi, je préfère encore avouer que je souffre, je préfère me plaindre, et copieusement... Cela, Jean-Claude l'a discerné du premier coup.

Lui, le stoïque, m'a immédiatement accepté comme ami, car jamais je n'entrerai en concurrence avec lui, c'est bien évident.

Jean-Claude est un taciturne. D'emblée, les autres élèves vont croire qu'il boude, par caprice, par entêtement. Or, je sais que le silence le grise, je sais que le silence le saoule : parfois, il en sort tout chancelant.

Dans le sermon du dimanche suivant, comme de raison, il sera question des apôtres Pierre et Judas. (Je n'ai même pas besoin, figurez-vous, d'enjoliver le présent récit... Franchement, cela devient presque trop facile.)

Mon amitié pour Jean-Claude, tel sera le moyen retenu pour trahir mon enfance rurale, pour renier Gérard, le fils du maraîcher.

Gérard?

Certes, je le reverrai, mais avec d'une fois à l'autre un malaise grandissant. Je chercherai quoi lui dire, je ne trouverai pas les mots.

J'ai en effet un nom composé.

Jean-Marie.

En plus, comme le signale ce dimanche-là le bouillant prédicateur, j'aurais fort bien pu compter Pierre ou Judas parmi mes prénoms.

Petit à petit, j'apprends à vivre en société.

Jean-Marie Poupart
né le 13 décembre 1946

André Roy

J'ai toujours appris à écrire

J'ai toujours appris à écrire. Impossible de commencer autrement ce texte radiophonique. J'ai toujours appris à écrire : telle est la première phrase, dont je ne peux me défaire, dès que j'essaie de me souvenir de mon enfance et de ma jeunesse. Tel serait aussi l'*incipit* inéluctable et obligatoire si je me décidais un jour à écrire mes mémoires. Cet *incipit* serait comme une citation permanente à conserver dès que je parlerais de moi. J'en suis sûr : aucun texte autobiographique ne pourrait débuter autrement. Je ne pense qu'à l'écriture, tout tourne autour de l'acte d'écrire, et je voudrais parler ici de l'écriture telle qu'elle s'est présentée à moi dans mon enfance et mon adolescence, avec cette part de vérité, de mensonge et de censure qu'il y a dans toute tentative de remémoration.

*

Par la situation familiale : père ouvrier, mère ménagère, vie dans un petit village éloigné de la métropole, système d'éducation déficient, l'écriture ne m'était pas donnée à la naissance. Ce fut l'étonnement, le sentiment d'accéder à un monde nouveau, inimaginable, inouï, lorsque, entré à l'école primaire, je sus écrire correctement mon nom. Je n'avais surtout aucune sorte de révolte à devoir tracer correctement lettres et chiffres dictés par l'institutrice. Ces caractères qui formaient les mots que je pouvais dire, crier, murmurer, voilà que je pouvais transpercer leur secret, voilà que je pouvais les acclimater à moi, en faire mes biens, mes jouets, mes confidents. Ils confirmaient mon existence.

Les exercices d'écriture me donnaient fierté — même s'il n'allait pas de soi que je puisse un jour écrire dans le sens littéraire où on l'entend habituellement. Ils me donnaient d'autant plus de fierté, de possibilités d'accéder à un monde autre, un sentiment de supériorité, que mon père ne savait presque lire ni écrire; il n'en ressentait, si je m'en souviens bien, aucune honte — du moins tant que ses enfants fussent jeunes. Écrire tenait alors du déraisonnable, du luxe, de l'extravagance, dans une famille où étaient prêchées la simplicité, la pauvreté et la résignation à un ordre du monde imposé par Dieu, l'Église et le curé. Déjà, à six ans, pouvoir écrire marquait ma différence.

Je commençai à écrire, dans le vrai sens du mot, c'est-à-dire à tenter de répondre à des questions insolubles, à l'âge de douze ans. C'était l'été précédant mon départ de la maison familiale pour le collège classique de Saint-Alexandre-de-Limbour où j'étais inscrit pensionnaire. C'est bien parce que je quittais — comme définitivement — mes parents que j'écrivis des poèmes durant tout l'été. Ces poèmes étaient ma façon de m'abandonner à eux. Mes rimes et mes vers, je les empruntais surtout à Victor Hugo et Charles Baudelaire. L'imitation et le plagiat ne sont-ils pas les premiers pas de l'invention? Je tirais de mes pauvres textes la substance de mon existence future et éloignée de mes parents, de ces parents qui, me disais-je alors, ne sauraient jamais me lire. Déjà, dans cette attitude naïve et hautaine — que mes parents ne puissent jamais me lire —, je m'infligeais un malheur comme une punition.

Je me souviens toutefois de l'attention de ma mère, de la bonté et de la sollicitude de cette mère qui ne réussissait pas à expliquer mon refuge dans une chambre, en plein été, à comprendre mes jongleries avec les mots — alors qu'il aurait fallu pour ma santé que je jouasse dehors avec les autres enfants.

Je ne gardais pourtant pas secrets ces griffonnages que je traçais du matin jusqu'au soir. Toutes les gens de la maisonnée (qui était grande) savaient que j'écrivais là-haut, dans ma chambre. Je n'avais aucune peur du ridicule, plutôt un enthousiasme débordant — qui me reste encore incompréhensible — à montrer mes gribouillages et à les lire à haute voix aux repas du soir. (Cela me terrifie encore quand j'y pense!) C'était une façon, pour ce garçon que j'étais et qu'on disait très fermé, de ne plus correspondre à l'image qu'on se faisait de lui. Le sentiment d'être un autre accentuait l'annonce de l'exil prochain au collège, à cet endroit mystérieux où j'accéderais à un monde aisé et cultivé. Là où j'allais apprendre le latin et le grec, je passerais à une autre classe sociale, parmi la progéniture enviée des avocats, des médecins, des notaires, des ambassadeurs de la région outaouaise; ce passage s'effectuait avec la bénédiction et l'aide du curé et d'un oncle chanoine. Lire mes textes devant les autres — qui m'écoutaient sans raillerie ni sarcasme —, c'était déjà dire aux autres que j'existais, qu'il ne fallait pas qu'ils m'oublient.

Il n'en reste pas moins que j'ai appris à écrire en lisant, en recopiant, en caviardant et en travestissant les textes d'autres écrivains. J'ai appris à m'écrire, inévitablement, même si je ne savais pas alors *qui* j'écrivais et sans trop savoir où les mots me mèneraient. Je n'aspirais naturellement pas à devenir écrivain, ignorant ce que c'était. L'écriture ici était peut-être une façon d'excuser mon éloignement du noyau familial, départ considéré par moi comme une trahison de mon milieu.

Je voulais tout simplement être aimé. Roland Barthes n'a-t-il pas dit qu'on écrit pour être aimé? L'écriture était une autre voie possible d'un impossible désir d'être aimé. À cause de ces poèmes, la montée et l'éclatement des drames du jeune garçon que j'étais me semblaient être pardonnés d'avance.

J'ai parlé de trahison. En fait ce n'était pas vraiment moi qui trahissais mais mes parents, qui, eux, m'expulsaient, m'écartaient d'eux, comme s'ils me punissaient pour quelque faute incommensurable. Que faire pour attirer leur attention et dévoiler ce malentendu? Écrire, pour qu'ils me gardent avec eux, toujours! Cette demande devenait franchement vindicative car je voulais absolument qu'on lise mes textes, qu'on m'écoute les réciter. Par l'écriture je m'offrais donc à mes parents en victime d'une erreur, d'un jugement, moi être unique. En individualité parfaite, je tentais alors de trouver une planche de salut : que mes parents reviennent sur cette décision de m'envoyer au collège classique.

Je me présentais donc à eux prestigieux. La poésie ne tenait-elle pas du prestige, de la magie, de l'insaisissable, surtout pour des gens peu lettrés? Je me présentais en objet de désir que je monnayais sous forme de poèmes. Je tentais de séduire. Je voulais absolument prouver que je valais plus que ce que je valais. Le

vrai objet de mes griffures, c'était moi. Et la vraie question était :
«Suis-je?»

*

Après cet été des premiers jets d'écriture, je continuerai à
m'inventer. Au collège classique, apprenant à dactylographier,
je profitai de la location mensuelle d'une machine à écrire
(supplément ajouté aux frais, déjà énormes pour mes parents,
de mon pensionnat) pour écrire de courtes histoires en prose
que je dactylographiais directement à la machine. Cette fois, je
n'ai personne à qui proposer leur lecture, mais ces petits romans
sont encore des demandes d'amour. Je lançais mes phrases, mes
petites histoires par-dessus le toit du collège pour qu'elles s'en-
volent, pigeons voyageurs portant mes messages de détresse.

Je pense avoir été très malheureux dans ce collège, baignant
dans la solitude et, surtout, dans un ennui profond, n'ayant pas
de véritables amis. Dans ce monde différent, je ne faisais probablement confiance à personne. Seul les membres de ma famille,
à qui je destinais véritablement mes griffures, étaient mes alliés.
Mes uniques moments de joie, je les ai vécus dans cette étroite
salle où étaient entassées une dizaine de machines à écrire, et
où on gelait durant l'hiver et suffoquait dans les derniers jours
du printemps avant la fin de l'année scolaire. À mes papiers, je
confiais mes secrets, mes désespoirs, mes angoisses. Au lieu d'aller jouer au baseball ou au hockey, je me réfugiais là, dans cette
étroite salle, après le dîner et les longs après-midi des fins de
semaine, pour concocter des textes qui m'éloignaient de Limbour
et me transportaient au petit village de Masson. La salle de
dactylographie était une île utopique où j'oubliais l'immense
collège entouré de terrains de tennis, d'une ferme et d'une
érablière, collège pareil à un camp de prisonniers dont les
travaux forcés étaient les cours et les études. Je voulais à tout
prix échapper à ce lieu concentrationnaire.

Qu'était-ce ce que j'appelais alors mes romans? Je ne m'en
souviens plus très bien. Ma mémoire me montre des piles de
papier zébré de lignes. Je ne me souviens que d'un seul, où
l'action se déroulait après une conflagration, probablement une
conflagration atomique puisque nous étions en pleine Guerre
froide. En quittant le collège, j'ai vraisemblablement déchiré

tous mes textes, mais je savais dactylographier! Et pourtant, ces textes prennent la forme d'une imagination antérieure.

Il me semble que je lisais peu avant mon départ pour le collège et durant mon unique année de pensionnat. Ce n'est qu'au retour sous le toit familial douze mois plus tard, que je plongerai vraiment dans la lecture, grâce à une voisine, maintenant morte. Elle était étudiante dans une école normale et m'enseignait même le piano. Cette voisine, Carmelle Saint-Amour, me prêta donc Charles Dickens, Fenimore Cooper, Herman Melville, Alexandre Dumas, Victor Hugo (celui des *Misérables* et de *Notre-Dame-de-Paris*), Jules Verne, Alphonse Daudet, Jules Renard, Henri Bosco. Ces noms d'auteurs me reviennent immédiatement à l'esprit quand je jette un regard rétrospectif sur ma jeunesse pubertaire. Avec Carmelle j'appris aussi ce qu'était un manuscrit car j'ai dû en poster un pour elle; je devais expliquer correctement à la dame de la poste que le paquet contenait un objet précieux et que ce manuscrit devait être assuré à tout prix. J'allais tous les jours chercher le courrier de cette voisine, courrier qui se composait surtout de nombreux paquets de livres. Sur le chemin du retour, je ne cessais de me répéter, qu'un jour, moi aussi, j'en recevrais, comme elle, des livres. Ce vieux rêve, on le devine, je l'ai réalisé depuis.

Je commençai donc à dévorer les livres. J'en avais toujours un à la main, je lisais tout le temps, au grand dam de mes parents qui y voyaient une menace à ma santé (encore!) parce que je préférais la lecture au sport. J'avais quinze ans, et comme la lecture prenait tout mon temps, je n'ai guère écrit — du moins je ne garde aucun souvenir de textes de cette période. Ce n'est que deux ou trois années plus tard que je recommencerai ce que j'appelle ici mes «griffures». Entre-temps, avec l'argent que je gagnais les fins de semaine et durant l'été grâce à un job dans un supermarché, j'achetais des livres et des livres. J'ai lu dans un grand désordre, choisissant vraiment au hasard, tout à la joie d'avoir des livres à moi, que je pouvais feuilleter, palper, en sentir l'odeur de l'encre, de la colle et du papier. La formidable ascension du livre de poche débutait et les bouquins étaient maintenant à portée de toutes les bourses, surtout d'une maigre comme la mienne. Ainsi ai-je pu lire les auteurs classiques. François Villon, Benjamin Constant, Gustave Flaubert, Dostoïevski, André Gide, tels sont les noms d'écrivains qui surgissent immédiatement de cette période intense de lecture.

Une seule soirée hebdomadaire était consacrée à l'écriture, c'était le samedi soir. Ce souvenir demeure très précis dans ma mémoire : je me vois penché à ma table et j'entends alors, qui me parvient du salon, le son de «la Soirée du hockey» à la télévision. Mes samedis soirs étaient bien austères! Quelle différence avec maintenant! Car en ce début des années 60, les discothèques n'étaient pas encore à la mode et il fallait avoir vingt et un ans pour entrer dans un débit de boisson. Et il n'existait pas de salle de cinéma dans mon village où j'aurais pu aussi me réfugier.

Ce n'est qu'à la fin de mes études secondaires que je publiai mes premiers poèmes dans des journaux étudiants. Ces textes étaient fort influencés d'ailleurs par la poésie québécoise du pays et de l'appartenance — que je dévorais enthousiaste. Ainsi j'avais appris par coeur «Arbres» de Paul-Marie Lapointe. J'envoyai alors des textes à des revues montréalaises comme *Liberté* qui venait d'être fondée, des manuscrits à des maisons d'édition. Heureusement, ils ont tous été refusés! Je participai à quelques concours littéraires régionaux; j'obtiendrai une fois un deuxième prix qui me sera remis, au nom du journal *le Droit,* par Claire Martin.

Mais par-dessus tout, mes goûts dirigèrent mes lectures et tentatives textuelles vers la littérature moderne comme le Nouveau Roman et, un peu plus tard vers des revues comme *la Barre du Jour* et *les Herbes Rouges.* Ce contact avec ce qu'on peut appeler la modernité littéraire fera tomber mes préjugés et m'ouvrira à l'écriture comme travail, comme matière. Du fin fond de l'Outaouais où je croupissais, m'ennuyant à mourir, entouré d'un mur d'indifférence et d'incompréhension (même dans mes goûts littéraires), je me préparais pour ainsi dire à affronter Montréal où je pourrais trouver les interlocuteurs qu'il me fallait pour apprendre à écrire.

*

En même temps que j'écrivais, je me découvrais. Non pas d'une façon consciente — et surtout pas dans la découverte de ma sexualité différente —, mais dans le sens où l'écriture me reflétait, me réfléchissait. Elle me renvoyait à ma solitude et à ma singularité qui me prédisposaient, déjà, sans que je m'en rende compte, à écrire. Mes débuts étaient plus créatifs que créateurs; être créateur pour moi, c'est vouloir faire oeuvre nouvelle, produire de l'inédit. Ces tentatives littéraires n'étaient pas affirmation d'une conviction d'écrivain mais formaient un temps d'activités différentes, certainement unique, qui correspondait à mon sentiment de différence. En un mot, l'écriture était une compensation à mon mal-être, recherche d'un équilibre psychique. Je me débattais sur fond de manque, de perte, de rejet et d'angoisse.

Je pourrais aussi interpréter mes premiers mouvements créateurs comme une fuite de la réalité. L'écriture ressemblait à un cocon, métamorphose d'une chambre foetale dans laquelle je me protégeais des dangers et des terreurs du monde et de la société, pour moi tout à fait agressifs. Elle colmatait les fissures et les ruptures. Dans un mouvement de dépassement, elle permettait de retrouver confiance en moi, d'établir des liens intelligibles entre moi et les autres. L'écriture devenait cette façon de symboliser, de penser ma vie.

Telle pourrait être une explication valable de mon vouloir-écrire entre douze et dix-huit ans. Avec les études collégiales et l'étude traditionnelle de la littérature, je commencerai de nouveau à apprendre à écrire. Passer alors du stade créatif au stade créateur.

*

Le milieu familial pesait sur moi comme une malédiction et je n'en acceptais pas la fatalité. Je voulais m'éloigner de ce centre familial qui représentait pour moi la misère et l'aliénation. Aliénation, ce mot je l'ai appris en lisant la revue *Parti Pris* qui publiait alors ses premiers numéros. Écrire était lever cette malédiction, représentait une sorte de défi à la famille, à une loi que je devais transgresser. C'était un démenti adressé à la situation que je ne voulais pas me voir imposer. Je me repositionnais par rapport à un milieu de vie, je tentais de me libérer. Créer, pourrais-je dire, en me souvenant de cette époque, était une façon symbolique de tuer le père que condensaient la famille, le milieu, ma classe. Mais je voulais surtout écrire pour vivre entièrement une liberté intellectuelle sans entraves, ce que me permettaient déjà mes études post-secondaires en favorisant de plus en plus disponibilité et éloignement.

L'image de l'écrivain entouré de livres, penché sur sa table de travail, se superposait à une autre, idéale, celle de ma vie future, image de dépassement et d'équilibre retrouvés, sorte de paix intérieure et extérieure à atteindre. Cette image n'était pas sans relation avec l'idéal de vie sexuelle de l'adolescent que j'étais. Écrire à moment-là, douloureux de l'adolescence, s'apparentait fort probablement pour moi à une satisfaction sexuelle, d'autant que j'étais un adolescent frustré, culpabilisé par une sexualité qui n'osait pas encore dire son nom.

L'écriture m'accaparait jour et nuit. En fait, j'élaborais mon «oeuvre» le soir et la nuit, surtout le week-end. L'écriture devait abolir mes désarrois en créant un idéal de vie que je pensais atteindre rapidement et sans difficultés. (Je ne savais pas encore qu'écrire se traduit surtout par un travail, des sueurs et des larmes.) Combien j'étais heureux de tracer des mots sur une feuille blanche! Ils élevaient un rempart contre les misères du milieu où j'étais né, montaient un socle sur lequel je me façonnais, dressaient un piédestal sur lequel je posais en héros et en conquérant d'un monde inconnu. L'écriture était une revanche sur ma condition et celle de mon entourage. Par elle, je totalisais mon moi, ma vie; je me présentais en «bon» objet — comme à l'âge de douze ans avant mon départ pour Limbour. Je voulais devenir écrivain pour être aimé, inconsolable d'avoir déjà été aimé et dans la crainte de ne plus l'être.

L'écriture était véritablement une chance de disposer librement de moi, et si depuis je me suis évertué à ne pas perdre cette chance, mon installation future à Montréal aura été une façon de ne pas la rater. Mais cette chance sera surtout gardée, car, encore maintenant, elle tient à ce fait : que je continue toujours d'apprendre à écrire.

André Roy
né le 27 février 1944

France Théoret

Sur fond d'ennui

Dans les années cinquante, globalement, une enfance active sur fond d'ennui. L'ennui revient tel un sentiment profond de n'être pas au monde, les activités repoussent l'ennui, l'habitude prise très tôt des rêveries permanentes décale les images du jour. Malgré l'accélération des changements, ne pas douter de perceptions premières: la stabilité masque l'ennui omniprésent. Les rôles sociaux, il y en a pour tous et toutes. Une simplification des représentations, on connaît le bien et le mal, la santé et la maladie, le jour et la nuit. L'enfance appartient au jour, elle ignore l'insomnie. En arrière-plan, on s'efforce de préserver une image propre et bien léchée du bonheur avec Bing Crosby, Tino Rossi et, plus familièrement, les Joyeux Troubadours. Avec envie, les petits commerçants admirent les Américains qui affichent *The Biggest in the World*. Ils prononcent ces mots *«the biggest in the world»*, et leurs yeux brillent, ils ont tout dit. Ils sont fiers de leur gigantesque voisin, fiers de leur ressembler dans l'autonomie de posséder un commerce.

Connaître les rudiments de leur langue est gage de succès, car si on demeure en plein quartier francophone, il y a des occasions. Du plus loin que je me rappelle, j'ai toujours entendu dire du mal de nous, «les Canayens». Pas beaucoup de discours là-dessus mais des jugements globaux qui servaient de repoussoir pour tenter d'agir autrement. Sans doute, cela explique-t-il que la fin d'année venue, deux fois de suite, à neuf et dix ans, on me propose d'aller à l'école anglaise. En réalité, la proposition est ressentie comme une menace. Je me revois en train de défendre l'école des religieuses et promettre, sans trop savoir pourquoi je m'y croyais obligée, de m'appliquer davantage.

Il y a des parcelles du rêve américain qui se traduisent dans les vêtements qu'on va acheter avant Noël et pour Pâques, chez Eaton. Quel plaisir, partir bras dessus, bras dessous, avec ma mère et ma soeur, marcher rue Sainte-Catherine, attentives aux décorations des grands magasins. Sentir ces jours-là un excès de vie, il y a la foule où nous pouvons nous perdre. Ceci encore, la beauté de ma mère, la joie d'être toute proche, marcher à son pas, m'y ajuster. Ma mère dépense toujours un peu plus qu'elle ne devrait, dit-elle, pour que nous ne portions pas la même chose que tout le monde.

Puis il y aura ce voyage, une fin de semaine à Pâques, que mes parents feront à New York, rapportant le programme sur papier glacé avec photos en couleur d'un spectacle de music-hall sur Broadway. Les grandes danseuses avec des étoiles sur les seins les avaient comblés. Les Américaines et les Américains sont grands, disent-ils. Ils accordent au fait d'avoir une haute stature certaines qualités indispensables pour réussir sociale-ment. Et danser sur Broadway doit représenter un summum difficilement égalable.

Enfant, je ne m'évade guère que par des rêveries en classe, les jours sont trop pleins. Il y a la marche quatre fois par jour. J'habite à l'extrémité de la paroisse. Après l'école, tout comme ma soeur, je suis camelot. Puis, il y a les petites commandes à livrer, les devoirs à rédiger, les leçons à étudier. Les jeux dans la rue fermée au nord par la voie ferrée peuvent être inter-rompus à tout moment. Les samedis sont particulièrement occupés. Seuls les dimanches après-midi sont libres. Libres souvent comme ceux des enfants qui s'ennuient le dimanche.

Ma tante célibataire insistait pour que nous complétions notre éducation par une activité extérieure à l'école. Ainsi pendant deux ans, j'apprends la diction avec un comédien.

C'est aride. Il choisit les fables de La Fontaine, le rôle d'Agnès dans l'*École des femmes* et de Sylvia dans *les Jeux de l'amour et du hasard*. J'apprends par coeur. Il me fait réciter. Je ne pratique guère en semaine et j'appréhende l'heure de la leçon. Ma prononciation se réforme tout de même.

Après la messe de huit heures à laquelle nous assistons grou-pées par classe, surveillées par notre titulaire, nous allons, ma soeur et moi, à notre réunion des Jeannettes. On nous initie à la bonne action beaucoup plus qu'à la débrouillardise. Traduisait-on ainsi le mouvement scout au féminin? Silence, discipline et bonne action, les dimanches sont décidément longs.

Mais il y a une heure qui m'appartient et que j'étire le plus possible. Le samedi matin, je lis dans mon lit. Je lis la comtesse de Ségur. J'aime relire les premières pages, je mets des mois à me rendre à la fin. Je lis et relis du début à la fin *À nous deux mademoiselle!* de Louise Marchand. Cette fois, il n'y a pas de heurt. Dans mes livres, il y a les riches et les pauvres, tout comme le bien et le mal. Les mots tranchent. Les mots ordonnent. Mettre de l'ordre rend l'existence plus sévère. J'y pense souvent, ça me poursuit tout autant que les images créées par les mots, de véritables scènes tridimensionnelles que je pourrais, me semble-t-il, projeter dans l'espace.

Plutôt timide et réservée, je crains les jeux violents. Dans la rue, il y a des saisons propices à la bagarre. Il arrive que des garçons de mon âge me terrorisent littéralement. Parce qu'ils volent des gâteaux à l'étalage et qu'ils se font prendre, les garçons cherchent à se venger sur nous, les aînées, ma soeur et moi. Ce sont les moments critiques des règlements de compte. Ne pouvant s'en prendre aux adultes, ils nous attendent au retour de l'école. J'apprends à courir, à me dérober, à me cacher, le coeur littéralement dans la gorge. J'attrape des gifles au moment de livrer *la Presse*. Le garçon dissimulé derrière la porte surveillait mon arrivée. Je n'ai pas le droit de me plaindre de l'injustice, encore moins de me soustraire au rituel du camelot. Ma soeur, elle, a donné une raclée au garçon de son âge, bête et méchant, qui vole à l'étalage. Mon père est fier d'elle. Ma soeur est une brave. L'événement ramène le calme pour un moment. Apprendre à se défendre était une valeur tenue en haute estime. Ainsi, ne se privait-on pas pour dire à une fille qu'elle était peureuse, entre enfants, l'autre nom était *pea soup*. Rue Cartier, les filles ne grimpent pas aux arbres, selon l'expression, parce qu'il n'y a pas d'arbre. Mais il vaut mieux savoir se défendre avec ses mains, avec ses pieds s'il le faut, qu'on soit fille ou garçon. Je ne sais que faire des détours, ou fuir à toutes jambes, ou crier «chute» comme ceux qui démissionnent et que l'ennemi ne doit plus assaillir s'il a le sens de l'honneur.

Est-ce pour cela que je m'entraîne toute seule à persévérer dans l'effort physique? C'est l'été. À Pointe-Calumet, je fais de la course et j'apprends les sauts en hauteur et en longueur. Les sauts m'intéressent davantage, je peux mesurer mes progrès. Il y aura des compétitions auxquelles je participerai me classant assez bien. En réalité, ces exercices physiques m'apprennent à aller au bout d'un défi que je me donne. Je mettrai encore des années avant de découvrir que je peux transposer cette pratique dans mes travaux scolaires, en composition française, par exemple. En attendant, je me contente d'approximation à l'école.

L'école n'est guère un lieu de compétition. L'école des filles est essentiellement contradictoire. À peu près chaque mois, lors de la distribution des bulletins, la titulaire, en présence de la directrice ou de l'assistante, nous fait mettre en rang de la première de classe à la dernière. Chacune prend acte de sa place dans le groupe. Généralement, je suis la quatrième ou la cinquième. À l'exception d'une fois ou deux pendant l'année, les mois de songeries où je me fais rappeler à l'ordre, j'occupe invariablement la dix-septième place c'est-à-dire le milieu du groupe. Il arrive que sur la photo annuelle, la religieuse distribue le groupe selon l'ordre des bulletins. Le cliché indique bien que j'étais cinquième ce mois-là. Drôle de photo! Les filles les mieux habillées ou les plus propres prennent place dans la première rangée près du tableau noir. Près des fenêtres, les filles ont l'air hébété, une vague tristesse les recouvre. Si la discrimination saute aux yeux, comment se fait-il qu'enfant, l'école m'apparaissait juste? Je m'adapte bien à l'école où des horaires réguliers et un calme qui me conviennent tout à fait m'apportent un sentiment de liberté. Je sais qu'il y a des préférées, certaines le disent. Je ne suis ni une préférée, ni une souffre-douleur. Éloignée de mes institutrices vis-à-vis desquelles je suis assez timide, je développe à l'école mes premières amitiés, celles qui seront à l'abri des regards de la famille et de la rue.

Ambiguïté, contradiction entre la parole et les actes au sujet de la compétition chez les filles. L'enseignement religieux est omniprésent, les rituels de groupe, de même que les fêtes suivent le calendrier religieux. Du mois du Rosaire au mois de Marie en passant par le temps de l'Avent et du Carême pour se rendre à l'ultime Fête-Dieu, nous apprenons de nouvelles prières et de nouveaux cantiques. L'école entière forme une chorale lors de la procession de la Fête-Dieu. Les religieuses ont inventé une cérémonie annuelle, celle de la Reine de Mai. Pour l'occasion, la grande salle est transformée en un lieu de rituel où le jeu de la compétition est sacralisé par la présence du curé et des nombreux chants qu'on a répétés des mois entiers. On a déroulé le tapis rouge, sorti les fauteuils de velours, empli les corbeilles de fleurs et placé les drapeaux papaux et fleurdelisés autour d'une immense statue de la Vierge. La meilleure élève en caté-chisme de chaque classe devient une rose de mai, l'aînée, l'élève de neuvième, est élue reine. On leur donne des missels, des chapelets, des statuettes, y compris des médailles et des images. En général, l'honneur revient à la première de classe. La fête comporte une lourdeur incomparable. Il me semble que nous ne devions pas bouger pendant des heures. D'année en année, les roses de mai sont à peu près les mêmes. Je suis avec la très grande majorité destinée à chanter les louanges de celles qui allient le talent et la vertu.

C'est encore à l'école qu'on nous parle de notre avenir. Ailleurs on n'a pas le temps, on vit au jour le jour, au temps présent. Les religieuses, à la leçon de catéchisme, nous entretiennent des trois vocations. Elles disent aussi des états de vie. La vie reli-gieuse, le mariage et le célibat. Le célibat est réservé aux exclues, aux laissées-pour-compte ou encore, il résulte d'une absence de vocation, les célibataires sont à l'image du figuier stérile, on les abandonne. La religieuse nous parle des mérites devant Dieu. Qui de la mère de famille ou de la religieuse a le plus de mérites devant Dieu? Les filles défendent leur mère. Étrangement, une part de la dureté quotidienne transparaît. Qui mange les restes, qui rapièce, découd, transforme les vêtements, qui veille la nuit un enfant malade? Devant Dieu, la religieuse a le plus grand mérite, l'institutrice est intransigeante mais elle ne convainc pas. Suis-je la seule que le débat n'intéresse guère? J'écoute d'une oreille, rejointe par la grisaille, l'ennui de plomb. C'est avec mes amies que je parlerai d'avenir.

Je coïncide au temps présent sous le soleil d'été. Comme ils sont clairs, ces jours passés en maillot de bain. On voit se dessi-ner des figures dans les nuages, le soleil glisse, on prévoit les moments où l'on tremblera lorsque caché sous un nuage, la fin d'après-midi s'annonce. On a trop pris de soleil, on s'est trop baigné, on a trop joué dans le sable. On commence à avoir les lèvres bleues de faim et de fatigue. On grelotte d'un rien, se couvrant d'une serviette que le sable a rendu rugueuse. On retourne, silencieux, en file indienne retrouver des vêtements secs et un repas chaud que maman nous sert sur la table de bois attenante à la palissade qui nous cache des curieux. Nous habitons un autobus transformé en chalet d'été. Pas une roulotte, ni une maison mobile. Fenêtres tapissées, pneus et moteurs retirés, la longue coquille sert d'abri. L'arbre forme un parasol, nous mangeons dehors mêlés aux bruits du boulevard, détachés des regards. Célibataire justement, ma tante a aménagé ce terrain avec fantaisie. Elle a retapé deux chalets auxquels elle a ajouté des vérandas grillagées, fait transporter un autre de bois blanc auquel elle a fait construire un escalier jouxtant le mur et une terrasse sur le toit. Entre les chalets, à l'extrémité du terrain, elle a récupéré un vieux poêle de fonte. Cheminée neuve, cabanon pour le bois et plateforme de brique, rien n'a été laissé au hasard. Ma mère y cuisine deux ou trois fois, pour mon plus grand plaisir de la voir ainsi, de dos, officier, rendre hommage à Vulcain, dans la pleine chaleur de juillet.

Ma tante n'est jamais là. Elle travaille jour et nuit, me dit-on. Elle est infirmière la nuit, elle construit des maisons le jour. Nous prenons le train pour aller la voir. Photo de groupe à la descente du train, je porte des shorts et j'ai un livre en main, les vacances me vont bien. Elle a une parole bien sentie pour chacun. J'aime le contraste entre la maison en construction et l'îlot de paix que constitue sa chambre où pendent des uniformes blancs aux cols empesés et où reposent sur la table de chevet, parfumeuse en verre taillé, réveil-matin miniature, médaille d'infirmière en or et autres petits objets de luxe. Dans le futur solarium vitré, nous écoutons des disques. Lucie conserve l'emprise sur la matière. Ce n'est pas si fréquent. Les trop rares rencontres avec ma tante m'apportent un écho nouveau : on peut inventer sa vie.

Il y a plus d'une dizaine d'années, aux beaux jours des rencontres entre femmes, lorsque le privé était politique, nous constations qu'il y avait dans l'enfance de chacune l'influence d'une femme, généralement célibataire, marginale, animée d'une force intérieure assez extraordinaire pour défier l'opinion publique. Nous notions encore que nous étions presque toutes des aînées de famille. Sans doute l'aînée cherche-t-elle à imiter les adultes dans la hâte qu'on a de la voir grandir?

En attendant, j'ai dix ans, c'est la fin de l'été. Je suis partagée entre mes responsabilités d'aînée, les jours de pluie surtout, et la faculté de me laisser aller à cueillir le temps présent pourvu qu'il soit immuable. On me rappelle mon rôle d'aînée. Je dois donner l'exemple, comme on dit. Quand il pleut, je dois organiser les jeux, sortir mes frères de leur éternelle bagarre. Bagarre pour rire, bagarre tout de même. Sur la table de cuisine, je pose le jeu de cartes, de parchési, les crayons de couleurs et les papiers. On joue jusqu'à ce que l'atmosphère survoltée fasse voler les cartes. Je les initie aux charades. On prend craies et crayons, l'immobilité a raison de nous. On se plaint à maman de notre ennui. Elle soupire bruyamment. J'ai le sentiment de faillir à mon rôle lorsque je suis aux prises avec l'immensité d'un jour gris d'averses.

Au jeu comme à l'école, je me contente d'approximation. C'est physiquement que je commence à ressentir l'infinitude du temps, j'ai la tête barbouillée à l'heure du souper. J'écoute le silence. À chaque début d'année, je suis inquiète. Saurai-je encore écrire? Ça ne dure pas. De nouveau, je suis intégrée.

En sixième année, j'ai une amie. Monique est une camarade de classe. On se parle dans la cour de l'école. Avoir une amie me donne envie de solitude. Si je n'ai jamais tellement aimé les bandes, cette fois, je désire m'isoler avec elle. Mon amie est grande, elle semble solide et fragile en même temps. Monique s'exprime très doucement, avec une aisance que je lui envie. Une étrangeté extraordinaire naît de son calme. Le coeur me bat jusqu'aux tempes à la pensée que je pourrais la décevoir avec mes propos hâtifs. Un jour je m'écarte de mon trajet invariable pour aller voir où elle habite. Être auprès d'elle me fait connaître un plaisir que j'ignorais jusqu'alors. J'éprouve que je suis une personne dans la totalité et dans la finitude. L'attrait que j'ai pour le langage, je le découvre avec elle. Elle m'apporte souvent le journal *François* destiné aux écoliers. Un jour, à droite dans la page frontispice, sous la photo d'un garçon, un mot, «écrivain». À chaque parution, il y a la photo d'un enfant qui nomme ce qu'il veut devenir. Monique dit qu'elle sera écrivain. Je dis que moi aussi, je le serai.

J'apprends davantage ma grammaire. Je saisis les phrases des dictées comme des phrases justement. Le calcul est un jeu depuis longtemps, un peu trop simple, trop lent. Mais je m'évade encore mentalement. L'école des filles a le goût de l'instant. En différé, il y a l'éternité. Sauvageonne, je me heurte aux chaînons manquants. Je le pressens avec mon amie Monique.

Est-ce par le journal *François* que le nom d'une correspondante me vient? Vers la fin de l'année, j'écris à une Française de mon âge. J'essaie de rendre clairement ma pensée, j'ai cette conscience en traçant les mots. La lettre partie, je deviens habitée par une obsession : comprendra-t-elle ma langue? Un doute beaucoup trop grand me possède : la langue française est-elle différente en France? Je reçois la lettre d'une petite fille modèle, comme on dit dans les livres. La calligraphie et la finesse du papier m'émeuvent. Je continue la correspondance.

On va vers l'été. J'ai beaucoup grandi. La voisine arrive en trombe dans le magasin. Elle demande des serviettes sanitaires pour sa fille qui a ses premières règles. Claire a treize ans, Claire est une femme. Sa mère a une voix joyeuse et excitée. J'accepte de moins en moins qu'on me dérange pendant le repas de midi, surtout quand il faut aller une seconde fois porter un pain ou une conserve «oubliés» par une cliente. Je le manifeste. Fermée au nord par la voie ferrée, la rue appartient aux enfants, après le souper vers six ou sept heures. J'invente des jeux de théâtre. On improvise sous la direction de l'une d'entre nous. Pas de parole, on mime. On trouve ce qu'on cherche : des monstres. On aime créer des monstres de plus en plus effrayants. Ça ne dure pas. Je manque d'inspiration pour aller plus loin. Il n'y a pas de relève.

Les trottoirs secs, je regarde les bourgeons en train d'éclore. Dans le printemps bref, les feuilles poussent trop vite. Mes rêveries prolongent l'état naissant des feuilles fragiles pour oublier leur transformation. Le parc De Lorimier que je traverse quatre fois par jour multiplie les couleurs.

Bientôt les vacances. Nous lavons nos pupitres, nous faisons le ménage de la classe. Les fenêtres sont ouvertes. L'ordre et la propreté annoncent la fin.

Le samedi suivant, j'aperçois Claire, cheveux gominés, robe cintrée et pose nonchalante dans l'escalier en colimaçon. Elle attend. Il y a longtemps, me semble-t-il que je n'ai pas vu Claire. Je termine ma distribution de journaux.

D'où vient l'ennui que je lis dans les beaux yeux de ma mère les dimanches après-midi lorsque l'épicerie-restaurant est calme? Les dimanches révèlent les êtres. Ma spontanéité s'éteint dans l'ennui aussi dense et vaste que l'atmosphère ambiante. Les joyeuses bagarres de mes frères troublent l'air comme des dissonances trop gratuites. Combien de fois ai-je souhaité aller au bout de cet ennui qui m'atteignait, sans savoir de quoi il retournait? Je touchais là les limites d'une expérience dont j'ignorais les mots pour la traverser. Il n'y avait plus d'alternance entre une action et un moment d'évasion par la rêverie. De manière brutale, j'étais rejointe. Globalité des instants vides. J'en suis étourdie à onze ans. Une lente déchirure. L'ennui laisse des impressions justement. Les impressions paralysent la langue. On ne sait plus. On ne sait rien. La rue devient plus vivante que moi. La matière offre une résistance que je n'ai pas. Je suis là pour entretenir et reproduire la matière qui me soumet à son rythme, m'englobe en elle si je ne veux pas périr. C'est physique, l'ennui.

C'est dimanche, je porte une robe fleurie choisie par maman. Je laisse ma mère seule au magasin, il y a si peu de clients. Je vais écrire à ma correspondante. Après j'irai redécorer l'autel voué au culte de ma dernière poupée, celle qu'on ne berce pas, une danseuse automate. J'irai choisir les couleurs et les textures, toucher les différents papiers glacés, crêpés, parchemin, buvard, doré, d'argent, de riz, de soie, de verre et d'Arménie. J'inventerai de nouvelles formes et couperai des retailles dans le tulle, l'organdi, le voile, le chiffon, le moiré, la faille, l'ottoman, le poult-de-soie, le satin, la dentelle, la guipure, le lamé, la paillette, le velours, le crêpe de Chine, le jacquard et le matelassé.

France Théoret
née le 17 octobre 1942

Marie José Thériault
Dimenticare

«Rien n'était remémoré et pourtant tout était mémoire» dit Hermann Broch dans *la Mort de Virgile*. Concilier la mémoire et l'oubli, que l'une soit l'autre, dans l'autre. *Dimenticare*. Oublier. Puisque avec chaque année s'amplifie ma certitude de devoir à jamais m'accommoder de vivre loin d'elle, j'aspire à un faux oubli de l'Italie qui me conduira à ne plus savoir dégager même une seule pierre de la gangue où les souvenirs pétrifiés se seront amalgamés pour former un bloc. J'aurai oublié l'obsédante partie au profit d'un tout sans doute devenu paisible, et peut-être serai-je alors si complètement donnée à cette mémoire qu'on ne pourra pas, moi non plus, m'en retirer. Avec le temps, les images se superposeront, s'entremêleront, parfois se fusionneront. Il ne sera plus question de l'une sans que d'autres s'y lient. De même, je me souderai aux images, m'y fondrai. Plus question d'elles sans moi. Je les adapterai? Je les modifierai? C'est probable mais pas certain. Sûrement, en revanche, je les fixerai en me fixant à elles.

Devenir mémoire minérale, est-ce cela, vieillir...?

Dimenticare. Pas tout de suite. L'esprit, comme un poulain rétif, se cabre devant la «belle lumière sans ombre du non-discernement» dont parle Broch. Il cherche encore à distinguer les sons et les parfums des lieux et des choses. Il regarde et il goûte et s'émeut.

Aux approches du printemps, tel soleil oblique dans un ciel pur, telle densité particulière de l'air mettent brutalement, l'espace d'une seconde, un vernis toscan sur l'Amérique. Le souvenir ainsi déclenché est violent, *renversant*. Il me jette dans une stupeur immédiate. Certains fruits ont le même pouvoir : la plaquemine gélatineuse — à mi-chemin de la courge et d'une pomme d'or qui pousserait dans les arbres — et la figue verte de pulpe grenat. À un degré à peine moindre, des mots. *Fiammifero. Fiammiferi.* Syllabes chargées de résonances, à jamais musicales, non seulement à cause du double accent tonique, mais surtout de la masse de visions qui, dès qu'on les prononce, surgissent d'elles et viennent me ravir.

Il disait *fiammifero,* et je l'aimais. Je l'admirais de prononcer si aisément un mot si compliqué. Il me répétait *fiammifero,* pour que j'apprenne. Un mot de plus dans cette langue nouvelle pour moi, un mot difficile. Il ne savait pas traduire, il ne pouvait pas dire *fiammifero — allumette.* Alors, il faisait craquer de minuscules allumettes-bougies qu'il tirait d'une boîte de carton léger retenue à un fourreau par un petit élastique.

Nous n'avions pas dix ans. Angelo bravait les interdits en jouant avec le feu. Une prenante odeur de soufre et de cire flottait brièvement dans la cage d'escalier. Il disait *fiammifero.* Moi, je tombais en extase devant son audace et sa beauté.

Dans ce pays où l'enfant mâle est maître, Angelo, assurément, était seigneur. Son père lui avait légué des exotismes qui me fascinaient : Addis-Abeba, Érythrée, Éthiopie... Quand il se déclarait abyssin plutôt qu'italien, j'imaginais — je ne sais pourquoi — un petit de Roi Mage. Mais avec ses cheveux noirs et bouclés, ses yeux gris fer, son teint bistre, peu importait qu'il soit né à Florence ou au bout du monde. Il était beau et mon ami, il m'accompagnait à l'école en portant mes livres, il disait *fiammifero* pour que j'apprenne... et son Abyssinie de rêve devenait aussi mon royaume.

Avec mon frère et avec Gabriele — dit Lele —, le fils de notre logeuse (nous habitions alors une pension de famille), Angelo et moi longions la via Pier Capponi jusqu'à l'école. Ancien asile (je n'ai jamais su si «asile» voulait dire, dans ce cas précis, «crèche» ou «hospice», «refuge de guerre» ou «hôpital psychiatrique»), ancien asile, dis-je, le bâtiment d'architecture Renaissance, élégant et sans ostentation, avec ses hauts plafonds, ses sols dallés, ses vastes corridors et d'abominables toilettes à la turque, m'impressionnait beaucoup. Pour monter à l'étage des classes, il fallait emprunter un monumental escalier de parade dont la pierre des marches était creusée par l'usure. Écoliers en noir d'un côté, écolières en blanc de l'autre, nous formions deux rangées de petites choses bruyantes dont l'échelon scolaire se reconnaissait à la couleur d'une lavallière nouée sous le col en lin ou en celluloïd de notre robe-tablier. Tant qu'Angelo, Lele et mon frère Michel restaient visibles et présents, je me sentais solide et sûre de moi dans cet édifice trop immense et trop plein d'échos. Mais au palier, ils prenaient à gauche avec les autres garçons, tandis que seule tout à coup, abandonnée, la mort dans l'âme, j'allais vers les classes des filles apprendre d'autres mots compliqués.

Inchiostro.

Calamaio.

Et avec les mots neufs, des habitudes, des coutumes, des façons.

Dans les écoles italiennes, le ravitaillement en encre relevait d'une sorte de cérémonial dont j'ignorais tout. Si nous en manquions, il fallait dire : «Excusez-moi, Madame, je n'ai plus d'encre dans mon encrier.» L'institutrice sortait alors de la classe et tapait dans ses mains comme on le fait encore dans certaines villes d'Espagne pour appeler le veilleur de nuit, gardien des portes cochères. Quelques instants plus tard, la préposée au service de l'encre arrivait, vêtue d'une blouse de travail blanche et coiffée d'un bonnet de même couleur. Elle tenait une bouteille d'un litre pleine du liquide foncé dont elle remplissait les encriers en porcelaine encastrés dans les pupitres à deux places, puis elle repartait en silence, comme elle était venue.

Or, voilà : je ne savais dire ni «encre» ni «encrier»...

La dictée avait lieu sans moi. Je demeurais là, dans un désespoir profond, incapable de puiser la moindre goutte de liquide dans ce récipient plus sec que tous les déserts d'Arabie. Il ne me venait même pas à l'esprit de me lever pour montrer du doigt l'encrier vide. Au bord des larmes, j'entendais confusément la voix de l'institutrice prononcer des phrases houleuses, et le bruit que faisaient les plumes de mes camarades en grattant les pages de leurs cahiers. Quand finalement l'institutrice se fut aperçue de mon trouble et qu'elle eut appelé la «Dame aux encres», comme je me plais maintenant à la nommer, j'eus le sentiment atroce d'avoir commis un crime terrible en dépit de la tendresse contenue dans sa remontrance : «Il fallait le dire que tu en manquais, petite...» L'institutrice immobile maintenant, et bras croisés, la femme en blanc si gigantesque à mes yeux, avec son énorme litre de liquide noir qu'elle reboucherait avec de l'étoupe, l'interruption gênante de la dictée, tous ces regards rivés sur moi, tout ce rituel exécuté en silence, m'apparurent à l'égal d'un châtiment. En apprenant ce jour-là les deux mots difficiles que je n'étais pas près d'oublier, *inchiostro* pour «encre» et *calamaio* pour «encrier», je me jurai secrètement que l'encre ne me ferait plus jamais défaut.

*

Pour aller au centre depuis la pension qui s'en écartait un peu, après avoir traversé le viale Matteotti il fallait suivre la via Gino Capponi jusqu'à la piazza Santissima Annunziata. Les bébés emmaillotés d'Andrea della Robbia qui ornent les arcades légères de l'hôpital des Innocents me fascinaient. Chaque fois que nous passions devant au hasard d'une promenade, j'imaginais que ces terres cuites vernissées représentaient les portraits d'authentiques enfants retenus prisonniers dans le bel édifice pour on ne sait quelle glorieuse tâche future. Je m'y cherchais néanmoins, sans le dire à personne, voulant à tout prix m'identifier à l'un de ces poupons comme si le fait d'être immortalisée dans un médaillon avait sanctionné pour moi un avenir illustre. Mais en avais-je jamais le temps? Nos pas nous dirigeaient déjà vers la via dei Servi qui menait en ligne droite au Duomo.

Je ne me souviens plus si nous entrions souvent dans cette grande église à la nef trop sombre et pas assez sévère où chacun de nos pas résonnait comme dans un hall de gare. Tant de grandeur gothique m'assaillait. Je n'ai jamais aimé de cette cathédrale que son extérieur, la marqueterie de ses marbres, son prodigieux équilibre, et la manière, quand on la voit d'un peu haut, dont elle sourd de la masse des toitures qui l'entourent, avec une assurance imposante et paisible.

La Florence de cette époque se reprenait en mains tous les hivers. Son pouls battait moins vite, sa respiration redevenait normale. Elle cessait de courir derrière les touristes pour satisfaire leurs avidités. Ses places, ses rues, ses musées et palais, ses églises et ses couvents, tous ses joyaux de proportions parfaites étaient recrachés et remis à leur place par les étrangers goulus qui s'en étaient gavés. Ils nous restituaient Florence dans sa rayonnante quotidienneté. Je dis «ils», je dis «nous» à dessein.

Nous avions trouvé notre place chez elle, elle nous y avait admis. Même, nous approchions le moment critique — si nous ne l'avions déjà atteint — où, de si volontiers vivre en un lieu, on *cesse de le voir*.

Nous remettions les visites de dimanche en dimanche. En marchant au long des petites rues nous restions le plus souvent en-deçà des façades — quelconques ou somptueuses — derrière lesquelles vivait une autre humanité : celle de l'Angelico, de Cimabue, et surtout de Giotto, si sensible et doté d'une force d'instinct proprement féminine. Nous oubliions la plupart du temps l'Académie et autres musées au profit des pâtisseries de six heures, assuétude incongrue que n'acquièrent pas les étrangers restés étrangers à ce qui est sans doute le seul pays du monde où l'on mange le dessert avec l'apéritif. Nous flânions sous les arcades de la piazza della Repubblica où, approvisionnés en journaux, en fleurs et en cigarettes américaines de contrebande, papa et maman fouinaient avec Michel dans les éventaires des bouquinistes, tandis que je me laissais plutôt absorber par le dessin dans le pavement de mosaïque, par les gesticulations latines des hommes discutant (que déjà je trouvais beaux) et par le panache des *carabinieri* de faction, droit sortis d'un roman XIXe. D'un peu plus loin nous parvenait la voix riche et bien timbrée d'un ténor autodidacte qui charmait à jours fixes une cour d'habitués. Toujours pour l'agrément, jamais pour la recette, il chantait a capella les grands airs du répertoire en les ponctuant de regards inspirés.

C'était la Florence d'hiver redonnée à ses fils. Méthodique et sans agitation. Douée pour l'équilibre entre tâches et plaisirs. Elle refaisait ses forces pour le prochain été.

Ai-je très tôt pressenti que les hordes de touristes ébranleraient les fondations de Florence bien plus que la circulation automobile? Ces meutes déferlantes qui croissaient d'été en été ont vite acquis à mes yeux quelque chose de teuton ou de wagnérien, une coloration vulgaire et emphatique. Par cars entiers, on mangeait du musée comme du raisin en grappes, gloutonnement, ne laissant que les rafles. Disparue la discrétion sensible de notre ville d'hiver, l'été trop peuplé nous poussait au retranchement dans les collines, là où juillet est crépitant, prêt à s'embraser, mais muet. Dans les longues heures silencieuses de l'après-midi, nous fuyions la Florence tourmentée, passagèrement garce et mercantile, qui, en bas, se louait sans vergogne à l'usurpateur.

Certes, tôt ou tard, été comme hiver, nous avons néanmoins fait les pèlerinages prescrits, et mon enfance s'est abondamment nourrie aux peintres, sculpteurs et architectes présents dans le contexte officiel des musées et des monuments. Mais, plus subtilement, j'ai pu vivre avec eux là où me conduisaient le hasard et les circonstances de ces années heureuses. Car, à Florence, à Sienne et ailleurs en Toscane, partout où le regard se pose il rencontre l'arrière-fond d'un diptyque, le modèle d'une mince vierge pâle au cou démesuré, le profil d'un Médicis ou celui d'un Borgia, tous les *Élus* d'Orcagna et tous les anges annonciateurs. Ce voisinage constant avec la pierre douce des édifices les plus nus, avec la noblesse sans virtuosité des oeuvres les plus sincères, un esprit tant soit peu perméable à la beauté en tirera toujours beaucoup plus qu'un enseignement : une manière de ressentir et de penser.

*

«Le passé est majoritaire, étant plus long et plus vaste que le présent» dit Marguerite Yourcenar, citant un poète grec dont elle a oublié le nom. Ce long et vaste espace est surtout comble d'impressions innombrables, petites, rondes, pareilles à des étoiles détachées les unes des autres et à la fois irrémédiablement reliées entre elles dans un réseau complexe et occulte. Tenter d'en donner une image ordonnée et linéaire, à la manière dont on représentait jadis sur un rouleau de parchemin le monde aplati et horizontal, est une entreprise réductrice. Je préfère — et de loin — le désordre de plans courts qui ne suggèrent pas d'emblée un enchaînement logique, mais entre lesquels ont pris forme de clandestines attaches. Il se glisse alors entre les souvenirs une sorte de conversation souterraine à laquelle nous ne savons pas toujours participer, mais qui dote ces moments parfois trop dilués d'une énergie neuve, comme si l'un puisait chez l'autre un peu de sa substance.

Tout rappel des montagnes d'Italie ouvre donc invariablement dans mon esprit une sorte de catalogue, un stock de séquences dont je me plais à dresser l'inventaire.

À Jean Carrière venu lui rendre visite à Manosque, Jean Giono dit : «Ainsi, vous arrivez de Nîmes? Par où êtes-vous passé?», comme si le Rhône, dans ces années-là, avait été à ses yeux une barrière infranchissable. En même temps, soit vers 1954, bien avant la construction de l'autoroute qui traverse maintenant l'Italie de part en part en perforant son relief, chaque trajet en automobile de Florence vers le nord ou du nord vers Florence nous mettait en face d'une muraille : les montagnes de Bologne, ainsi nommées parce que c'est dans cette province qu'elles nous semblaient acquérir leur gigantisme. Nous jaugions chaque aspect du voyage en relation avec cet Apennin quasi initiatique où il fallait grimper pendant des heures, et dont l'un des sommets, La Futa, marquait toujours pour nous la fin ou le début de quelque chose : «Quand on aura passé La Futa...»; «Si on peut finir par arriver à La Futa...»; «Il reste encore une petite heure avant La Futa...»; «Après La Futa, ce ne sera plus très long...».

Et, en effet, passé La Futa nous abordions Florence par son côté nord, tout de forêts trop vertes sur des éminences pas assez adoucies. La route sinuait encore quelque temps au milieu des grands pins où se cachaient parfois des monastères. À la lumière qui irradiait d'elle, nous devinions la ville invisible et proche cependant. En y entrant par la route de Prato nous ne pouvions l'admirer d'en-dessus, mais même à hauteur d'homme elle était belle et rousse, tachée de bronze et traversée de bleu.

Après Florence, les montagnes rabotées montraient le temps subi. C'est là, dans ces collines de Sienne, que je sens toujours le plus profondément mon appartenance à ce que ce pays possède de *minéral*. La végétation clairsemée et comme répandue par une main artiste dans des couleurs un peu fanées, qui laisse partout affleurer le sous-sol pierreux, remplace avantageusement pour moi les grandes pinèdes trop boréales du nord toscan. Enfant, déjà je me sentais plus en sécurité dans les ondulations presque nues de l'amoureuse campagne siennoise, piquées çà et là de fermes jaunes et de villes fortes autour desquelles paissaient des moutons ocre clair.

Plein sud, le profil escarpé de la côte calabraise taillée comme des dents, où la route, en longeant un chapelet de tours sarrasines accrochées aux falaises, s'appuie au rempart de la Sila ou de l'Aspromonte — le mont âpre —, repaire de maquisards, de brigands et de contrebandiers. Délaissions-nous le littoral pour les plus rudes chemins de l'intérieur, il arrivait parfois qu'un troupeau transhumant engloutisse la voiture. Nous devions attendre longtemps à l'arrêt l'apaisement du remous laineux et bêlant qui me donnait le mal de mer. Aujourd'hui, ces mêlées, ces vagues étourdissantes, plutôt que de déferler comme des mascarets, déroulent tranquillement leur absence de couleur par trains de camions et ne dérangent plus personne.

Moi, je pleurerai toujours la fin des grands troupeaux en marche tout autant que la mort des boeufs blancs de Toscane. Et parfois je me demande si je n'ai pas choisi ici de confier mes manuscrits à tel éditeur plutôt qu'à tel autre, simplement parce qu'en Italie, enfant, il était berger. Nous sommes-nous croisés sans le savoir au détour d'une petite route dans les années cinquante? De moi, sur la banquette arrière d'une Hillman sable, ou de lui, encourageant ses chèvres avec des mots maintenant oubliés, qui donc pouvait alors le plus envier l'autre?

*

Dimenticare?

Oui, en quelque sorte. Photographier, classer, ranger ces échappées capricieuses et ajouter à la lucidité de la mémoire en donnant une autre forme aux souvenirs, en les cerclant, comme par des repères, avec des signes et des mots. Par cette charpente, je les garde des atteintes de l'âge (même si, les cédant de la sorte à autrui, je les condamne à des intimités qu'ils ne désiraient sans doute pas). Tout comme je traquais autrefois les mots difficiles — *fiammifero, inchiostro, calamaio* — pour les apprendre, je fixe aujourd'hui mes images avant que le temps — qui épuise tout — les use. L'enfance ainsi préservée, ainsi consignée, je peux maintenant y penser un peu moins sans qu'elle en meure. Rendue consultable à l'égal d'un répertoire, cette préhensible enfance, de même que l'encre, ne me fera jamais défaut.

Marie José Thériault
née le 21 mars 1945

Yolande Villemaire

Le son des casseroles

J'ai à peine un an, puis j'en ai quatre. Plus tard, j'ai huit ans, neuf ans, treize ans. Maintenant, j'en ai trente-six. La musique coule dans l'espace de mon appartement de New York, pénètre à l'intérieur de mon crâne, circule dans mes veines, se mélange à mon sang comme la splendeur sonore des casseroles que je fais sonner sous l'armoire de la cuisine dans la maison où je suis née.

Je ferme la radio pour mieux entendre le violon de mon cousin Robert. Est-ce bien du violon qu'il joue? Je ne sais plus. Je me rappelle davantage de la petite chaise bleue sur laquelle je suis assise pour l'écouter, les yeux fermés sur sa musique, sur la sensation délicieuse d'un grand amour naissant.

Des *Christmas Carols* montent de *Avenue of the Americas*. Par la fenêtre, j'aperçois un camion de pompier décoré de ces mêmes ampoules blanches qui illuminent New York depuis le début décembre. Le petit renne au nez rouge monte en musique jusqu'à mon appartement, me ramène dans le temps où je croyais encore au Père Noël, la tête enfouie dans les fourrures et les parfums de mes tantes, en train de m'endormir tandis que mes oncles chantent qu'il «n'y a qu'un Dieu qui règne dans les Cieux».

Mon âme est tout entière dans la musique et les larmes roulent sur mes joues tandis que je souffle dans l'harmonica de mon père. Le lac est si beau, gris bleu sous le soleil d'été, et j'essaie de jouer la musique que j'entends dans ma tête. Plus tard, je l'entendrai. Dans le choeur de la chapelle des soeurs contemplatives de la Présentation-de-Marie. C'est à ce moment-là que je décide d'entrer au cloître. Et que dans le même instant de clarté, je comprends que ce n'est pas mon destin.

Concert de casseroles

J'ai réussi à ouvrir la porte de l'armoire sous l'évier. Je reprends mon souffle et je me glisse dans la pénombre parmi les casseroles et les chaudrons. Ça sent tellement bon, le métal. J'aime beaucoup beaucoup l'odeur du métal, c'est profond. Je mets ma tête dans un grand chaudron et j'inspire profondément. C'est froid au toucher. Comme les forceps.

Je suis choquée. Je prends une petite casserole et je frappe le chaudron. Je frappe et frappe et frappe le chaudron. Ça fait un beau son. Ça fait comme le goût du métal dans ma tête. Ça entre par mes oreilles et ça coule en me chatouillant partout.

On dirait que le son vient de très très loin et qu'il voyage jusque dans mon oreille, jusqu'au fond de moi. Je fais un plus beau bruit encore avec le couvercle et la casserole. Le son rayonne dans mon oreille gauche quand je tiens la casserole contre mon oreille gauche. Je frappe de plus en plus fort, ça commence à faire un peu mal à mon oreille. Je change d'oreille. C'est le fun.

Moman dit : «Lolande, sors de là je te l'ai déjà dit pis arrête de faire du bruit.» Mais elle vient pas me chercher parce qu'elle est occupée avec le bébé qui est en train de pleurer. Moi je continue, j'aime ça faire du bruit.

Je frappe de plus en plus fort sur les casseroles, je ferme les yeux et je plisse le nez. Le son résonne dans mon crâne. J'aime les derniers frémissements après l'impact, quand ça s'enfonce vers le silence, que ça devient ténu mais que ça vibre encore.

Plus je frappe fort, plus ça vibre longtemps. Moman crie : «Bébé veux-tu arrêter de faire du tapage.» Le nouveau bébé pleure encore. Moi je continue à écouter les beaux bruits des casseroles. J'entends encore un peu la voix de moman et les pleurs du bébé. Je ferme la porte de l'armoire. Il fait noir. Ça fait rien, j'ai pas peur. Quand je mets le couvercle contre mon oreille après avoir frappé, ça fait comme un frisson dans mon oreille et dans mon cou.

Je vois des montagnes dans ma tête. De très hautes montagnes, des pics couverts de neige. J'aime ça voir des belles images comme ça dans ma tête. Il y a beaucoup de monde au pied de la montagne. Tout le monde est habillé en jaune. Ils font du bruit comme moi avec des sortes de couvercles. Je frappe encore plus fort sur ma casserole pour qu'ils m'entendent. Je sais pas s'ils m'entendent.

Moman, elle, a m'entend. Elle ouvre la porte de l'armoire et elle dit : «Sors de là tout de suite toi.» Le bébé se remet à pleurer. Elle s'en va. Moi, je continue à faire du beau bruit pour le monde en jaune des montagnes. Y a quelqu'un qui s'approche de moi. Je vois seulement son visage et son chapeau jaune. Il tend la main vers mon visage comme pour me caresser. Mais c'est drôle je sens rien. J'ouvre les yeux. Il fait noir noir noir et je ne vois personne. Je frappe fort sur ma casserole. Je vois rien. J'écoute les derniers frémissements du son et je ferme les yeux. Mon ami jaune s'est retourné. Il marche dans la neige pour aller rejoindre les autres. Je l'appelle en criant fort.

Moman dit : «Qu'est-ce qu'il y a bébé, tu t'es fait mal?» Elle est tout inquiète. Elle me sort de l'armoire, me donne un bec sur la joue. Je pleure parce que j'ai de la peine d'avoir perdu mon ami jaune. Moman me console. Le bébé se remet à pleurer. Moman me dépose par terre me dit de rester tranquille deux minutes pendant qu'elle va chercher le bébé. Je reste tranquille deux minutes.

Moman revient avec le bébé dans ses bras, dit qu'elle va bercer un peu ma petite soeur et qu'après elle va changer ma couche. C'est vrai, je suis mouillée et je sens le pipi. Moman me donne mon beau canard en caoutchouc. Mon canard en caoutchouc fait un beau bruit quand je le serre fort. Mais c'est pas un aussi beau bruit que le son des casseroles.

La chaise berçante grince sur le plancher de la cuisine. Ça m'endort un peu. Mes paupières s'alourdissent, je ferme les yeux, je glisse doucement sur ma couverte, je mets mon pouce dans ma bouche. Mon ange gardien m'abrille de ses ailes douces.

Quand j'ouvre les yeux, moman est partie. La chaise berçante, grince, vide, sur le plancher. J'entends moman monter dans l'escalier. Je marche à quatre pattes jusqu'à l'armoire, je me mets debout, je réussis à l'ouvrir du premier coup mais je tombe à la renverse. Ça fait rien, ça fait pas mal. Je rentre dans l'armoire, je respire la bonne odeur de métal. Je frappe le couvercle et la casserole l'un contre l'autre.

Mon ami jaune marche avec les autres dans la montagne maintenant. Il m'entend. Il se tourne vers moi, me sourit. Je suis toute contente! Je suis tellement tellement tellement contente que je frappe fort sur ma casserole, très fort, de plus en plus fort. Le bébé se remet à pleurer. Popa arrive de travailler.

Moman redescend avec le bébé dans ses bras. Elle pleure elle aussi. Popa dit qu'il a des brûlements d'estomac. Moman lui dit qu'il va falloir qu'il l'aide, qu'elle vient pas à bout. Moi, je continue mon concert. Popa ouvre la porte de l'armoire, me sort de là et se relève avec moi dans ses bras. Je souris, toute contente. Il sourit et dit : «Comme ça Lolande a fait du bruit?»

Petite musique pour grand amour

C'est chez grand-moman, à Noël. J'ai ma petite robe-matelot en laine bleu marine, des bas en laine beige, mes bottines brunes. Je les aime pas tellement mes bottines brunes mais y sont neuves et moman a dit que ça serait pas beau les bottines blanches avec la robe foncée. Je suis assise tranquille sur ma petite chaise bleue que popa m'a faite et je regarde les grandes personnes.

Mon cousin Robert a eu un violon pour Noël et il sait déjà jouer. Tout le monde dit qu'il sait déjà jouer, qu'il est tellement bon; finalement quelqu'un dit qu'il devrait nous jouer quelque chose. Robert sort le violon de son étui, s'installe dans le salon et commence à jouer. C'est vrai que c'est beau. Je prends ma petite chaise et je vais m'installer devant lui dans le salon.

Il rit en jouant du violon. Il a la peau foncée, les cheveux bruns, les joues rouges. Je l'aime mon cousin Robert. Lui aussi il m'aime. Il me l'a dit tout à l'heure dans le grenier. Là c'est comme s'il me le disait encore avec sa musique. Ça me chatouille partout, c'est tellement beau, ça me donne le goût de danser. Je me lève de ma chaise et je vas lui donner un bec. Tout le monde trouve ça ben cute.

Après, je me rassois sur ma chaise et je l'écoute jouer. Je ferme les yeux et je laisse les sons entrer dans ma tête, je les écoute dedans ma tête. Je vois des images. Je vois les petits lutins du Père Noël dans la vitrine au Pôle Nord. Moman dit qu'on est pas allés au Pôle Nord, mais moi je le sais parce que le Père Noël y reste au Pôle Nord pis nous autres on est allés le voir. Moman a dit qu'on est rien qu'allés en ville mais moi je le sais que c'était au Pôle Nord parce que le Père Noël y reste au Pôle Nord.

J'ai chaud dans ma robe-matelot. J'ai les joues en feu. Robert joue toujours du violon. Ses yeux sont brûlants de fièvre on dirait. Je les aime ses yeux! Il me regarde dans les yeux en jouant du violon. On dirait que y a rien que nous deux dans le salon même si c'est plein de monde.

J'essaie d'écouter la musique mais on dirait que j'entends plus rien. Je regarde Robert dans les yeux, j'ai chaud, je suis excitée, je suis bien mais j'entends rien. Le sang bat trop fort dans mes oreilles, jusque dans mes orteils. Je ferme les yeux. Mon coeur bat très très fort, très très fort. Je le sais pas ce que j'ai. Dans ma tête, il y a beaucoup de neige, des chiens, des Eskimos. C'est au Pôle Nord. Tu vois moman, je m'en rappelle! Je vas y dire à moman que je m'en rappelle qu'on est allés au Pôle Nord voir le Père Noël.

Mon cousin Robert c'est un Eskimo qui a pas de dents et qui rit. Je marche avec lui dans la neige jusqu'à son igloo. Je regarde mon cousin Robert qui joue du violon. Il a toutes ses dents. Des belles dents blanches, une belle bouche rouge. Dans ma tête, l'Eskimo, il n'a pas de dents et il rit tout le temps. J'entends rien. On dirait que je suis devenue sourde. J'entends plus la musique, j'entends plus le monde parler.

Mon coeur bat très très fort. On dirait que j'ai peur. Je sais pas ce qu'il est en train de se passer. Mon cousin Robert joue du violon, c'est drôle, comment ça se fait que j'entends rien. Je regarde mon cousin Robert qui me sourit. Je souris moi aussi. C'est comme s'il me disait que c'est pas grave même si j'entends rien, qu'au fond j'entends quand même. Il me parle dans ma tête! Mon cousin Robert, il me parle dans ma tête. Moi, je parle dans sa tête. Je dis que je veux entendre sa musique. Il dit qu'il faut que j'écoute si je veux entendre. Je sais pas comment on fait pour écouter. Mon cousin Robert il dit dans ma tête qu'il faut que je répète la musique dans ma tête, que je la repasse. Mais je l'entends pas! Mon cousin Robert il a l'air fâché tout d'un coup. Il se met à jouer vite vite vite.

Moman est debout à côté de moi et elle est en train de me dire quelque chose. Je n'entends pas. Finalement, elle me soulève, me prend dans ses bras, prend la petite chaise bleue de l'autre main. J'ai de la peine : je veux voir mon cousin Robert bon. Je me mets à pleurer.

Mon cousin Robert a cessé de jouer. Moman dit que je suis dans le chemin avec ma petite chaise, qu'elle va m'asseoir dans le coin. Les sons sont revenus. Mais il n'y a plus de musique.

Juste du bruit et des grandes personnes qui parlent. Je suis choquée contre moman. C'est de sa faute si Robert a arrêté de jouer. Je suis choquée, choquée, choquée. Je me berce fort sur ma petite chaise bleue.

Un peu plus tard, Robert recommence à jouer. Je prends ma petite chaise et je vais la mettre proche proche de lui. Je m'assois et j'essaie d'écouter la musique dans ma tête. Moman dit : «Coudonc, t'es-tu sourde?» Elle me dit de m'enlever de là, que j'empêche les grandes personnes de circuler dans le salon. Je dis non bon. Moi je l'aime mon cousin Robert et je veux écouter la musique. Moman me tire par le bras, enlève la chaise et me dit d'arrêter de faire mon bébé. Je vas m'asseoir dans l'escalier et je pleure.

Il n'y a qu'un Dieu qui règne dans les Cieux

C'est l'année où j'ai cessé de croire au Père Noël. C'est une petite fille au rond à patiner, un soir après l'école, qui me dit que le Père Noël c'est rien qu'une légende. Je le sais ce que c'est une légende mais je fais semblant de pas le savoir parce que je le sais, moi, que le Père Noël y est vrai, je l'ai déjà vu. Je le dis à la petite fille qu'avant, nous autres on restait à la campagne et que le Père Noël y est déjà venu personnellement une fois chez nous, nous porter une petite table et des chaises en bois à moi et à ma petite soeur.

La petite fille me demande si mon père est là quand je vois le Père Noël. Je dis que je me rappelle plus mais que oui, ça doit. Elle dit que c'est probablement mon père qui s'est déguisé en Père Noël. Je la trouve méchante la petite fille.

En arrivant à la maison, je demande à moman qu'est-ce que c'est une légende. Elle dit que c'est une histoire inventée. Je demande si «inventée», ça veut dire que c'est pas vrai. Elle dit que oui c'est ça. Là je dis : «Oui, mais le Père Noël c'est vrai?» Moman veut savoir pourquoi je lui demande ça. Je lui raconte ce que la petite fille au rond à patiner m'a raconté. Moman me dit de m'asseoir, qu'elle va m'enlever mes bottes et mon costume de neige. Elle parle tout doucement tout d'un coup. Me dit que je suis peut-être assez grande pour le savoir maintenant que le Père Noël c'est une légende, une belle histoire qu'on raconte aux enfants. Je dis : «Oui, mais y est vrai le Père Noël, tu le sais, y est venu chez nous à Saint-Augustin, tu l'as vu moman!» Elle dit qu'elle est surprise que je me rappelle de ça, que j'avais juste quatre ans. Je dis que je m'en rappelle très très bien du Père Noël, que c'est lui qui nous a apporté la petite table et les chaises à Ninine et moi.

Moman dit que c'était un ami de popa, un monsieur qui travaillait avec lui. Qu'il avait mis un costume de Père Noël et une fausse barbe. Je suis très désappointée. Très. De grosses larmes coulent sur mes joues. Je dis : «C'est pour ça qu'il était si maigre le Père Noël, c'était parce que c'était pas le vrai?» Moman dit qu'il n'y en a pas de vrai Père Noël, que c'est une légende. Je dis que je me rappelle quand on est allés le voir au Pôle Nord même, quand j'étais petite petite petite. Moman dit que je peux pas m'en rappeler, que j'étais bien que trop petite, que je dois me rappeler qu'ils m'en ont parlé. Je dis non, non, que je m'en rappelle. Je reprends espoir. Je me demande pourquoi elle ne veut pas admettre qu'on est allés au Pôle Nord.

Je lui raconte que je me rappelle des petits lutins et des oursons, des souris grises et des petits trains. Elle dit que c'était les vitrines des grands magasins, qu'on était allés en ville. Mais je dis que je me rappelle de la neige, qu'il y avait beaucoup de neige. Moman dit que non, on est jamais allés au Pôle Nord, que le Père Noël y reste pas là de toute façon puisque c'est une histoire inventée. Je demande si le Pôle Nord c'est une légende aussi.

Moman dit qu'elle va me faire un bon chocolat chaud. Elle dit que Ninine est encore assez petite pour croire au Père Noël, de pas lui dire, que Yves est encore beaucoup trop petit pour comprendre et que c'est mieux de les laisser croire à la magie encore un peu.

*

Là, on est au jour de l'An, chez matante Isabelle. Je pense au Père Noël. Je l'ai dit à mononcle François que je croyais plus au Père Noël quand il m'a demandé ce que le Père Noël m'a apporté pour Noël. Y a trouvé ça drôle la façon dont j'ai dit ça. Je l'aime beaucoup mon mononcle François. C'est mon parrain. À ma fête, il m'a donné *les Mémoires d'un âne* de la comtesse de Ségur. C'est un peu dur à comprendre parce qu'il n'y a pas beaucoup d'images mais j'aime ça lire mon livre de temps en temps. Je suis assise dans la porte de la cuisine. Ça sent la fumée de cigarettes et ça me pique un peu les yeux. Je suis la seule enfant qui est encore debout. Mononcle François dit qu'ils peuvent bien me laisser veiller, c'est le jour de l'An.

J'aime ça le jour de l'An parce que tous mes mononcles chantent. Là c'est mononcle Luc qui est en train de chanter : «Mon fils royal David.» Il est un peu saoul et il se rappelle pas tous les mots mais tout le monde aime sa chanson pareil. Il fait exiprès pour chanter lentement, lentement, lentement et tout le monde rit. Après, mononcle Grégoire chante : «Rendu au mois de janvier, v'la tu pas que ça m'a repogné, ah ben woup scarlatine tikara karakatine, range ta catin pour passer l'agrément, man.» Je l'aime pas cette chanson-là, je la comprends pas. Mes mononcles Larose y appellent grand-moman Larose, man, y a juste ça que je comprends. Grand-moman elle aime donc ça les entendre chanter. Elle sourit tout le temps. Elle est assise à côté du poêle, les bras croisés sur sa poitrine. Elle porte une robe en dentelle de coton vieux rose et ses beaux cheveux blancs sont attachés en beigne sur sa tête. Elle voit que je la regarde et elle me fait signe d'aller m'asseoir à côté d'elle. Je m'accote sur grand-moman et j'écoute ma tante Isabelle chanter «Sa petite jambe de bois, ma mignonne, ma mignonne.» Matante Isabelle est plus gênée que mes mononcles. C'est vrai qu'elle est pas saoule, elle.

Là, mononcle Pierre-Émile commence à chanter : «Boirons-nous toujours de l'eau, sommes-nous des grenouilles.» Et tous mes mononcles et même popa chantent avec lui : «Mon cher Steve, quand vas-tu nous servir à boire?» Mononcle Steve verse du gin dans les verres. C'est un Anglais mononcle Steve mais il parle français maintenant. C'est un Ukrainien il paraît mais il parle anglais. Sa chanson à lui c'est : *«Uncle Mc Donald had a farm hi hi hi hi oh, and on this farm he had a dog hi hi hi hi oh, and wouf wouf here, and a wouf wouf there.»* Je demande à grand-moman ce que ça veut dire. Elle dit qu'elle comprend pas l'anglais et que chut, il faut que j'écoute.

J'ai dû m'endormir accotée sur grand-moman. Quelqu'un m'a prise dans ses bras et m'a transportée dans le corridor jusqu'à la chambre de matante Isabelle et de mononcle Steve. Je suis étendue sur les manteaux de fourrure de mes matantes à côté de ma petite sœur et de mon petit frère. C'est doux les fourrures.

Il fait froid dans la chambre et dehors il y a des gros bancs de neige. Ninine et Yves respirent doucement, ça fait longtemps qu'ils dorment eux autres. Je les abrille comme il faut avec un des manteaux et j'enfonce mes joues dans la fourrure en phoque rasé de moman. Ça sent son parfum.

Par la porte ouverte de la chambre, j'entends les bruits de conversation de la cuisine, les rires et les éclats de voix. Là, c'est au tour de mononcle Étienne de chanter. Il chante ma chanson préférée. C'est :

On dit qu'il y en a deux
Deux testaments
L'Ancien et le Nouveau oooooo
Il n'y a qu'un Dieu qui règne dans les cieux.

Après c'est : «on dit qu'il y en a trois, quatre, cinq», c'est facile à suivre cette chanson-là. Mais ce que j'aime le mieux c'est le refrain : «Il n'y a qu'un Dieu qui règne dans les cieux.»

Tout d'un coup, je relève ma tête de la fourrure, inquiète. Le Bon Dieu, est-ce que c'est une légende, comme le Père Noël?

Au lac des Deux-Montagnes

C'est la première fois que popa peut prendre une semaine de vacances depuis qu'on reste en ville. Tout le monde est content : popa, moman, Ninine, Yves et moi. On va aller passer une semaine au lac des Deux-Montagnes. C'est triste un peu parce qu'on va s'ennuyer de bébé Jacques mais moman dit que c'est mieux de le faire garder par grand-moman parce qu'il est vraiment trop petit pour en profiter.

Ninine et moi on apporte nos poupées avec leur linge. Yves apporte son nounours avec le linge qu'on y a fait pour son nounours parce que lui aussi il veut pouvoir le changer comme nous on fait avec nos poupées. Popa dit qu'il espère que le Prefect perdra pas trop d'huile. Le Prefect, c'est notre première auto. Avant, on avait un truck. On l'aime le Prefect, c'est un beau petit char.

On trouve un camp sur le bord de l'eau qui appartient à un monsieur qui s'appelle pépère Lavigne. C'est même écrit son

nom : «pépère Lavigne» sur la chaloupe. Le camp est pas tellement beau et les lits sont pas confortables mais ça fait rien, on
est juste au bord de l'eau et y a une table pour manger dehors.
Et il fait beau!

On va se baigner tout de suite en arrivant. Je change Micheline pour aller se baigner : je lui enlève sa belle robe en nylon
bleu et je lui mets le costume de bain que Ninine a cousu pour
elle. Moi, je suis pas bonne pour coudre, je fais juste faufiler.
Yves y veut baigner son nounours aussi mais moman dit qu'il
sera pas content quand son nounours va tout être mouillé. Finalement, il décide de le laisser dans la chaloupe. Y a des grenouilles
vertes sur le bord de l'eau qui sautent quand on marche. Moman
et moi on aime pas tellement ça. Popa y dit que c'est rien que
des grenouilles que ça nous mangera pas.

La nuit, on entend des cris épouvantables. Ça nous réveille.
Nous, les enfants, on a peur. Popa et moman nous disent de
nous rendormir, que c'est des chats sauvages. Le matin, il fait
toujours soleil. On prend la chaloupe et on va se baigner sur
d'autres plages autour ou bien on se baigne devant notre camp.
On commence à être dorés par le soleil, popa dit qu'on a donc
l'air en bonne santé.

On a pas de frigidaire dans le camp mais y a une sorte de
glacière creusée dans la terre dans laquelle on sert le lait, les
oeufs, le beurre, la viande. J'aime ça quand moman me demande
d'aller chercher quelque chose dans la glacière. C'est comme
un jeu parce qu'il faut soulever une planche avec des cordes.

Un après-midi, on est en chaloupe tout le monde, popa,
moman, Ninine, Yves, Micheline, la poupée de Ninine qui a pas
de nom, Nounours et moi, en plein milieu du lac, quand il se
met à pleuvoir très fort. Au début, popa trouve que c'est pas
bien grave, qu'on va rentrer au camp. Mais bientôt il s'aperçoit
qu'on ne peut pas voir le camp, parce qu'il pleut trop fort. On
ne voit même pas le bord du lac. On est en plein milieu du lac.
Les vagues commencent à être pas mal grosses. Ça me rappelle
quand moman chante : «Petits enfants, prenez garde aux flots
bleus qui font semblant de se plaire à vos jeux.»

On est tout mouillés et il commence à y avoir pas mal d'eau
dans la chaloupe. Popa rame très fort. Moman, Ninine, Yves et
moi on ne dit rien. On a peur. Popa dit qu'il faut pas qu'on ait
peur, qu'il va ramer jusqu'au bord du lac et qu'on va pouvoir
se mettre à l'abri.

Finalement, on commence à voir la plage. On ne sait pas où on est, mais ça ne fait rien. Popa tire la chaloupe sur le sable. Y a une tente jaune devant un camp. Y a un petit garçon qui sort de la tente. Un petit garçon un petit peu plus vieux que moi. Il dit que c'est sa tente, qu'on peut s'asseoir dans sa tente en attendant que l'averse soit terminée. Il s'appelle Bernard. Moman dit qu'on est tout mouillés, qu'on va mettre de l'eau dans sa tente. Il dit que ce n'est pas grave. On entre dans sa tente. Yves est triste parce que Nounours est tout trempe. La belle robe en nylon bleu de Micheline est toute mouillée aussi. J'aurais jamais dû y mettre sa belle robe de nylon pour aller en chaloupe. Le petit garçon nous demande nos noms. Il dit qu'il va aller chercher quelque chose à boire dans sa maison.

Quand il est parti, popa et moman disent qu'il est très gentil le petit garçon. Nous autres aussi on trouve qu'il est gentil et en plus on le trouve chanceux d'avoir une tente à lui tout seul. Il revient avec une bouteille de nectar et des verres en plastique. C'est bon, le nectar sucré. On boit en silence. Personne ne sait quoi dire. On sent le linge mouillé. On attend la fin de la pluie. Finalement, il pleut moins. C'est juste comme une petite pluie mais on voit de l'autre côté du lac clairement. Popa dit qu'il n'y a plus de danger, qu'on va repartir. Il remercie le petit garçon, lui offre de lui payer la bouteille de nectar. Le petit garçon dit non, non, qu'on est ses invités.

Ce soir-là, avant le souper, je suis assise près de la glacière en terre. Je porte des jeans et une chemise en flanelle à carreaux. J'ai emprunté à popa sa musique à bouche et j'essaie de jouer la musique que j'entends dans ma tête en pensant au petit garçon. Mais je pleure parce que je ne sais pas jouer de la musique à bouche. Ça fait des beaux sons mais c'est pas ce que j'entends.

Les chaînes du diable

Plusieurs années plus tard. Dans la chapelle des soeurs de la Présentation-de-Marie à Rivière-des-Prairies. On est là pour toute une semaine de retraite, les filles de 9ième année A. Ginette et moi on s'est trompées de chemin le premier jour et on a passé dans le cloître où c'est tout à fait interdit d'entrer. La soeur de notre école nous a chicanées mais nous on a trouvé ça plutôt drôle.

Le prêcheur est un Français d'une trentaine d'années, un Père Blanc. Il parle avec un accent français mais y est fin. On le trouve intéressant. Il dit qu'il a déjà entendu le diable avec ses chaînes la nuit. Je le trouve un peu bébé de croire au diable mais à part ça, c'est intéressant ce qu'il raconte. Il parle de Teilhard de Chardin, de ce que c'est que le paradis.

C'est long, quand même, une semaine. Des fois, je m'ennuie. On se parle en cachette de la soeur dans nos chambres le soir, ça c'est le fun. Françoise nous parle de son chum et de tout ce qu'elle fait avec lui. On dit : «Mais, tu penses pas que c'est un péché?» Elle dit que non, que c'est pas vrai ça les histoires de péché. Moi, je trouve que Françoise elle a l'air d'avoir plus raison que le prêtre. Moi, j'aime pas ça penser que y a des péchés.

C'est le fun pareil de l'entendre parler du diable. Il raconte l'histoire du saint curé d'Ars qui, lui, entendait le diable avec ses chaînes tous les soirs. Le Père français imite même le bruit des chaînes : criche-criche-criche. Il nous fait rire. Ginette et moi on regarde Françoise, elle rougit et elle pouffe de rire.

Une fois, je vais prier toute seule à la chapelle. Les soeurs sont en train de chanter. C'est tellement beau que je ferme les yeux. C'est comme ça la musique que j'essayais de jouer sur la musique à bouche en pensant au petit garçon.

Je les écoute, ravie. La musique descend jusque dans mon coeur, m'enveloppe de sa grâce. Leur chant est tellement ailé, tellement doux, délicat comme de la dentelle, lumineux comme les vitraux rouge et bleu de cette petite chapelle perdue dans l'hiver. Le prêcheur parle tout le temps du fait qu'il faut qu'on trouve notre vocation. Je me dis que j'aimerais ça devenir une contemplative comme ces petites soeurs-là, comme matante Clémentine qu'on allait voir chez les clarisses quand j'étais petite.

Plus je me dis ça, plus je me sens bien. Il me semble que je serais heureuse à chanter comme ça tout le temps, très haut, à vivre dans cette odeur de cire et de propreté impeccable, d'encens et de toile propre. Mais peut-être que je m'ennuierais un peu. Je revois le sourire de Françoise quand elle parle de son chum, le petit garçon dans la tente, mes mononcles et mes matantes en train de danser des sets carrés au jour de l'An, mon cousin Robert en train de jouer du violon. Non! Je veux pas faire une soeur! Je pourrais jamais jouer des casseroles dans un cloître! Je trouve ça un peu dommage parce que c'est tellement beau, ce qu'elles chantent.

J'aime ces voix d'anges qui montent au ciel mais j'aime aussi le son des casseroles. Plus tard, beaucoup plus tard, j'irai au Tibet.

Yolande Villemaire
née le 28 août 1949

TABLE DES MATIÈRES

Ce volume
composé en Baskerville corps 11
a été achevé d'imprimer
sur les presses de l'Imprimerie Gagné
à Louiseville, en mars 1988.
Imprimé au Canada.